Hebenstreit, Wilhe....

Der Fremde in Wien

Hebenstreit, Wilhelm

Der Fremde in Wien

Inktank publishing, 2018

www.inktank-publishing.com

ISBN/EAN: 9783750101135

Der
Fremde in Wien;
und
Der Wiener in der Heimath.

Möglichst vollständiges
Auskunftsbuch
für den

Reisenden nach Wien und während seines Aufenthalts
in der Residenz; auch genaue Anzeige alles dessen, was
für Fremde und Einheimische in Wien sehenswerth
und merkwürdig ist.

Von
Dr. Wilh. Hebenstreit.
4

Mit einem Plane der inneren Stadt.

Vierte, vermehrte und durchaus verbesserte Auflage.

Wien, 1840.
In Carl Armbruster's Verlagsbuchhandlung.

Inhalts = Anzeige.

Erster Abschnitt.

Allgemeine Bemerkungen für Reisende nach Wien.

Seite

I. Entfernung einiger Hauptstädte, Bäder und anderer besuchten Oerter von Wien .   **I**

II. Erfordernisse zur Reise **4**

   A. Der Paß . . . .   —
   B. Geldmittel . . . .   —
     1. Konventions=Münze und Banknoten; dann Einlösungs= und Anticipationsscheine .   **5**
     2. Münzsorte kursirende . . . .   —
     3. Ausländische Münzen **7**
     4. Werth des ausländischen Geldes nach dem österreichischen Konventionsfuße . .   —
     5. Verhältniß des letzteren zum Reichsfuße .   —
   C. Empfehlungsbriefe **8**

III. Einfuhrartikel, erlaubte und nicht erlaubte   **9**

     1. Zeuge und Stoffe, verarbeitet und nicht .   —
     2. Altes und neues Hausgeräthe, Wäsche, Bettzeug, neue Kleidungsstücke . . .   —
     3. Gold, Kleinodien, Ringe, Uhren . .   —
     4. Ausländischer Tabak . . . . .   —
     5. Bücher **10**

6. Hebräische im Auslande gedruckte, Gebet-
und Religionsbücher; illyrische und walla-
chische 10

IV. Art und Weise der Reise nach Wien . —
1. Landkutschen . . . . . . —
2. Eilwagenfahrt und Separatfahrt . . 11
3. Fahrende Extrapost überhaupt . . . 12
   a) Die kouriermäßige Beförderung . . 16
   b) Das Aviso von der bevorstehenden Fahrt —
   c) Die Reise mit dem Stundenpaß . . 17
4. Donaufahrt 18
   a) Gewöhnliche Schiffsgelegenheit . . —
   b) Dampfschiff . . . . . —

V. Der beste Zeitpunkt zur Reise nach Wien 20

Zweiter Abschnitt.

Bemerkungen für den Fremden in Beziehung auf Ankunft und weitere Anwesenheit in Wien.

I. Abgabe des Reisepasses an der Stadt-
Linie 22
II. Mauthrevision 23
III. Gasthöfe in der Stadt und in den Vor-
städten 24
   NB. Bemerkung über Wahl oder Empfehlung
   eines bestimmten Gasthofes . . 25
IV. Aufenthaltschein . . . . . —
V. Besondere Andeutungen für Fremde . 26
VI. Mittel, in Wien schnell sich orientiren . 28

— v —

Seite

VII. Verschiedene Nachrichten über die Stadt,
ihre innere Beschaffenheit u. Einrichtung 30
1. Lage, Flächeninhalt, Häuserzahl, die Bastei und das Glacis 31
2. Standpunkt zum Ueberblick der Stadt . 32
3. Umgebungen und Temperatur . . . 34
4. Trinkwasser . . . . —
5. Donau und die Brücken und Wege über
dieselbe . . . . —
6. Wienfluß und Alserbach 35
7. Neustädterkanal 36
8. Bevölkerung . . . . . . —
9. Bürger-Militär . . . . . —
10. Viehstand 37
11. Sterblichkeit . . . . . . —
12. Konsumtion . . . . . . —
13. Haupt- und andere Märkte . . . 38
14. Sprache 39
15. Religion, Geistlichkeit, Frohnleichnams-Pro-
zession; öffentliche Fußwaschung und Feier
der Auferstehung Christi (in der k. k. Hofburg) —
16. Hofstaat S. M. des Kaisers . . . 40
17. Gerichts und Rechtsangelegenheiten . . 42
18. Magistrat 43
19. Ober- und Unterkammeramt, letzteres mit
Obsorge für
a) Straßenpflaster und Reinigung der Stadt —
b) Beleuchtung 44
c) Feuerlöschanstalten 45
20. Versicherungsanstalten . . . . —
21. Gefängnisse, und in Verbindung mit der
Polizei- und Kriminaleinrichtung . . 46
a) Das Zwangsarbeitshaus . . . —
b) Das Provinzial-Strafhaus . . . 47

7

	Seite
12) Fabriks- und Gewerbewesen	47
13) Handelsstand, Krämereien, bürgerliche Handlungsrechte, Befugnisse, Hausirer u. s. w.	—
14) Börse, öffentliche, und die Vor- und Nachbörse	48
15) Nationalbank	49
16) Garnison und Kasernen	—
17) Polizei-Oberdirektion, Polizei-Bezirksdirektoren, militärische und Civil-Polizeiwache	50
18) Grundgerichte	51
VIII. Merkwürdigkeiten der inneren Stadt	—
1) Thore	—
2) Straßen und Gassen	52
3) Plätze, öffentliche, nebst ihren Denkmälern	53
4) Paläste und ausgezeichnete Gebäude	56
5) Kirchen, Klöster, Kapellen und Bethäuser	60
IX. Die Vorstädte	78
X. Baumerkwürdigkeiten in denselben	81
1) Brunnen und Wasserleitungen	—
2) Prachtgebäude	84
3) Kirchen, Klöster u. Kapellen	86
XI. Anstalten in Beziehung auf Bedürfniß und Bequemlichkeit	94
A. Ueberhaupt und unabhängig von der Dauer des Aufenthalts	—
1) Speiseanstalten	—
2) Weinhandlungen	95
3) Weinkeller	96
4) Bierhäuser	97
5) Kaffechäuser	98
6) Mineralwassertrinkanstalt	—
7) Fiaker	99

		Seite
8.	Stadtlohnwagen	99
9	Gesellschafts=, Stell= und Zeiselwagen	100
10.	Tragsessel	—
11.	Bäder	—
12.	Kleidungsstücke, Stoffe, Leibwäsche, Putz= waaren	102
13.	Kleiderreinigungs=Anstalten	107
14.	Kunststopfer	—
15.	Briefpo,tanstalt	—
16.	Fahrp,stsendungen	108

B. Beim längeren Aufenthalt insbe= sondere **109**

1.	Monatzimmer	—
2.	Druckwerke zum Behuf spezieller Notizen	110
3.	Anfrag= und Auskunft=Komptoir	111
4.	Auskunfts=Bureau für musik.Angelegenheiten	—
5.	Politische und periodische Blätter, Zeitun= gen und Journale	112
6.	Leihbibliotheken	116
7.	Musikalien=Leihanstalt	117
8.	Musik=Instrumenten=Leihanstalt	118
9.	Blumenverkauf	—
10.	Illuminations=, Dekorirungs= und Trans= parenten=Leihanstalt	—
11.	Uebersetz=, Kopir= und Schreibkomptoir, all= gemeines	119
12.	Bücher=Auktions=Institut	—

XII. Anstalten zur angenehmen Erheiterung, zum Vergnügen und zur Belustigung —

1.	Lebhaft besuchte Plätze in der Stadt, auf der Bastei und dem Glacis	—
2.	Gärten, öffentliche und Privat=,	121
3.	Prater, Augarten, Brigittenau	130

		Seite
4.	Theater	134
5.	Ballhaus	137
6.	Kaufmännischer Verein	—
7.	Schießstätte der Bürgerschaft	138
8.	Tanzsäle	—
9.	Redouten	139
10.	Reunion, Konversation, Soiré	140
11.	Hausbälle, Abendgesellschaften	—
12.	Feuerwerke	—
13.	Wettrennen der herrschaftlichen Laufer	141
14.	Pferderennen	—
15.	Kaiser Ferdinands Nordbahn	142

XIII. Wissenschaftliche und allgemeine Bildungs= und Erziehungsanstalten — —

A. Im Innern der Stadt — — —
1. Die k. k. Universität — — —
2. Sternwarte — — 144
3. Konvikt — — 145
4. Gymnasien — — —
5. Fürsterzbischöfl. Seminarium — — —
6. Pazmany'sches Kollegium — — —
7. Höhere Bildungsanstalt für Weltpriester — 146
8. Normalschule bei St. Anna — — —
9. Trivialschulen — — 147
10. Schulanstalt der protestant. Gemeinden — —
11. Protestantisch=theologische Lehranstalt — —
12. Akademie der morgenländ. Sprachen — 148
13. Landwirthschaftsgesellschaft — — —
14. Gartenbaugesellschaft — — —
15. Gesellschaft der Aerzte — — 149
16. Vorlesungen für Handwerker über Mechanik; und Vorlesungen über Krankenwartung — —
17. Ziehungsschule für Zimmerleute — — —

Seite

18. Privat-Lehr- und Erziehungsanstalten, auch Unterricht in fremden Sprachen · · 149
19. Schriftsteller und Gelehrte · · · 150

B. In den Vorstädten · · · · —
1. Pensionat der Salesianer Nonnen · · —
2. Civil-Mädchen-Pensionat · · · · —
3. Erziehungsinstitut für Offizierstöchter · 151
4. Hausfrauen-Bildungsanstalt · · · —
5. Theresianische Ritterakademie · · · —
6. Ingenieur-Akademie · · · · 152
7. Löwenburgisches Konvikt · · · · 153
8. Josephinum · · · · · —
9. Thierarznei-Institut · · · · 155
10. Polytechnisches Institut · · · 156
11. Manufaktur-Zeichnungsschule · · · 158
12. Gymnasien · · · · · —
13. Trivialschulen, Privat-Lehr- und Erziehungs- anstalten · · · · · · —
14. Kleinkinder-Bewahranstalten und kleine Kin- derschulen · · · · · · —
15. Die militärische Schwimmanstalt, und die Schwimmschule · · · · 159

XIV. Hülfs- und Beförderungsmittel der sub XIII. erwähnten Anstalten · · · 160
1. Buchdruckereien · · · · —
2. Buchhandlungen · · · · · 161
a) moderne · · · · · · —
b) Antiquar · · · · · 162
3. Bibliotheken · · · · · 163
a) öffentliche · · · · · —
b) Private · · · · · 167
c) Bibliotheken wissenschaftlicher und Kunst- anstalten · · · · · 169

Seite

4. Naturalien=, Präparaten= und ethnographi=
sche Sammlungen · · · · · · 170

 a) Die vereinigt. k. k. Hof=Naturalienkabi=
 nette, mit Einschluß des brasilianischen
 Museum · · · · · · · —

 b) Naturhistorisches Museum der Universität 174

 c) Naturaliensammlung der Theresianischen
 Ritterakademie · · · · · 175

 d) Sammlung ökonomischer Pflanzen der
 Landwirthschaftsgesellschaft · · —

 e) Naturalien=, Instrumenten=, Präparaten=
 sammlung des Josephinum · · · —

 f) Sammlung der anatomischen Präparate
 der k. k. Universität · · · · 177

 g) Anatomisch = pathologisches Museum im
 allgem. Krankenhause · · · —

 h) Prohaska's mikroskopische Einspritzungen —

 i) Sammlung chirurgischer Instrumente und
 Verbandstücke · · · · · —

 k) Ophthalmologisches Museum · · —

 l) Sammlungen des Thierarznei=Instituts 178

 m) Ethnographische Sammlungen im un=
 tern Belvedere · · · · · —

s. Physikalische, mathematische und
technische Sammlungen · · 180

 A. Oeffentliche und zu öffentli=
 chen Anstalten gehörige · · —

 a) Technische Sammlungen S. M. des re=
 gier. Kaiser Ferdinand · · · —

 b) Sammlung physikalischer und mechani=
 scher Maschinen, Instrumenten und Mo=
 delle der Universität · · · · 181

 c) Sammlung physikalischer und mathe=
 matischer Instrumente des Theresianum 182

Seite

d) Physikalisches und mathemat. Museum
   im Löwenburgischen Konvikt . . 182
e) Die Sammlungen des polytechnischen
   Instituts . . . . . —
B. Privatsammlungen . . . 183
   a) Physikalisch-astronomisches Kabinet in
      der Hofburg . . . . . —
   b) Sammlung landwirthschaftlicher Modelle —
6. Botanische Gärten . . . 184

XV. Kunstbildungsanstalten . . . . —
   A. Eigentliche . . . . . —
      1. K. K. Akademie der vereinigten bildenden
         Künste . . . . . . —
      2. Gesellschaft der Musikfreunde . 187
      3. Musikverein bei St. Anna . . . 188
      4. Concerts spirituels 189
      5. Kirchen-Musikvereine . . . —
      6. Privatlehre für Musik und Gesang . —
      7. Musikalisch-dramatische Gesang-Ausbil-
         dungsschule . . . . . —
      8. Bildende Künstler und Tonkünstler . —
   B. Uneigentliche 190
      1. K. K. Porzellanmanufaktur (und Spie-
         gelfabrik) . . . . . . —
      2. Kanonengießerei 192
      3. Kanonenbohrerei . . . . —
      4. Feuergewehrfabrik . . . . —
      5. Bronzewaaren-Fabrik und Eisengießerei 193

XVI. Beförderungsmittel der Kunstbildungsanstalten 194
   A. Ueberhaupt . . . . . —
      1. Privatverein zur Beförderung der bilden-
         den Künste . . . . . —

Seite

2. Kunstmaterialwaarenhandlung . . 194
3. Topographisches Bureau des k. k. General-
  Quartiermeister-Stabes . . . 195
4. Kunst-, Musikalien- und Landkarten-Hand-
  lungen . . . . . . —
5. Antiquitäten und Gemäldehandel . 196
6. Lithographische Anstalten . . . 197
7. Oeffentliche Kunstausstellung . . —
8. Gewerbausstellung 198
9. Verein zur Verbreitung der Kunst auf die
  Industrie . . . . . . —
B. Insbesondere; und zwar . . . 199
  I. Sammlungen von Alterthümer
    der Kunst und Technik; Münzka-
    binet, Zeughäuser, u. diploma-
    tisch-heraldische Sammlungen —
  A. Oeffentliche . . . . . —
    a) K. K. Schatzkammer . . . . —
    b) Münz- und Antiken-Kabinet . . . 200
    c) Kabinet ägyptischer Alterthümer . . 204
    d) Ambraser-Sammlung . . . . —
    e) K. K. Zeughaus 207
    f) Bürgerliches Zeughaus 208
  B. Privatsammlungen 210
    a) Museum von Kunstgegenständen der Ge-
      sellschaft der Musikfreunde . . . —
    b) Genealogisch-heraldische und Siegelsamm-
      lung des Freiherrn v. Bretfeld . —
    c) Münz-Medaillen-, und Papiergeld-Samm-
      lung desselben 211
    d) Freiherrn Dietrich's Museum von Kunst-
      gegenständen . . . . . . —
    e) Derlei Sammlungen von Privaten . —
  II. Gemälde- und Kupferstichsamm-
    lungen 212

		Seite
1.	K. K. Gemälde-Gallerie	212
2.	Sammlungen der k. k. Hofbibliothek	214
3.	Kupferstich- und Handzeichnungs-Sammlung S. M. K. Ferdinand I.	215
4.	Die des Erzherzogs Karl	—
5.	Gemälde u. Kupferstiche des Fürsten Esterhazy	216
6.	Die des Fürsten Liechtenstein	217
7.	Gemälde des Grafen Czernin	218
8.	Die des verstorb. Grafen Lamberg	—
9.	Die des Grafen Schönborn	219
10.	Die sogenannte Hofschauspieler-Gallerie	—
11.	Privat-Gemäldesammlung in der Währingergasse	220
12.	Andere Privat-Gemäldesammlungen	—
XVII.	**Anstalten der Humanität und Wohlthätigkeit**	**221**
1.	K. K. Versatzamt oder Leihhaus	—
2.	Pensions-Anstalten	—
3.	Sparkassen	222
4.	Stiftungen zur Ausstattung armer Mädchen	—
5.	Prämien für Dienstbothen	—
6.	Die Gesellschaft adeliger Frauen zur Beförderung des Guten und Nützlichen	—
7.	K. K. Invalidenhaus	223
8.	Waisenhaus	224
9.	Taubstummen-Institut	225
10.	Blinden-Institut	226
11.	Privatverein zur Unterstützung erwachsener Blinden beiderlei Geschlechts	—
12.	Armen-Institut	227
13.	Findelhaus	228
14.	Säugammen-Institut u. Schutzpocken-Impf-Anstalt	—

	Seite
15 Gebärhaus	229
16. Bürgerspital u. Versorgungshaus zu St. Marx	230
17. Andere Versorgungshäuser	231
18. Wohlthätige Vereine	—
19. Handlungs-Verpflegs-Institut	—
20. Kleinkinder-Bewahr-Anstalten	232

XVIII. Sanitäts-Anstalten · · · **234**

1. K. K. allgemeines Krankenhaus, nebst: · —
   a) Irrenheilanstalt · · 235
   b) Die Kliniken der k. k. Universität · —
2. Militär-Garnisons-Hauptspital · · 236
3. Oeffentliche Kranken- und Impfungs-Institut für kranke Kinder · · 237
4. Priester-Krankenhaus · —
5. Spital u. Rekonvaleszentenhaus der barmherz. Brüder · —
6. Handlungskranken und Verpflegs-Institut 238
7. Krankenhaus der Elisabethiner-Nonnen · 239
8. Institut der barmherzigen (grauen) Schwestern · —
9. Privat-Heilanstalt für Gemüthskranke · 240
10. Arrestanten-Spital · —
11. Spital der Israeliten · —
12. Heil- und Verpflegsanstalt für armer Kinder · —
13. Privat-Heil- u. Verpflegsanstalt des Dr. Pelzel 241
14. Orthopädisches Institut · —
15. Rettungsanstalt für Scheintodte · —
16. Todtenbeschreibungsamt · 242
17. Kirchhöfe und Begräbnisse · · 243

Dritter Abschnitt.

Die Umgebungen von Wien.

		Seite
1. Baden	. . . .	246
2. Hernals	. . . .	249
3. Hiezing	. . . .	250
4. Hütteldorf	. . . .	252
5. Kahlengebirg	. . . . . .	254
6. Lachsenburg	. . . .	257
7. Mödling	. . . .	259
8. Nußdorf	. . . .	262
9. Rodaun	. . . .	266
10. Schneeberg	. . . .	269
11. Schönbrunn	. . . .	270
12. Sulz	. . . .	272
13. Währing	. . . .	273

Vierter Abschnitt.

Schlußbemerkungen in Beziehung auf die Abreise von Wien.

I. Empfehlenswerthe Erzeugnisse der Gewerbs-Industrie	. . . .	275
1. Bettdecken	. . . .	—
2. Blechwaaren, lackirte	. . . . .	—
3. Bronzewaaren	. . . . . .	276
4. Buchbinderarbeiten	. . . . .	—

Seite

6. Drechslerwaaren 276
6. Eisengußwaaren . . . . . . —
7. Fortepiano . . . . —
8. Glaswaaren . . . . . . —
9. Kappen 277
10. Leder-Galanteriewaaren . . . . —
11. Mathematische u. optische Instrumente . —
12. Nürnbergerwaaren . . . . . —
13. Papiertapeten . . . . . . —
14. Parfümerie . . . . . . —
15. Perlenmutter u. Schildkröt-Galanteriewaaren —
16. Pfeifenköpfe aus Meerschaum . . . —
17. Plattirte (Silber-) Waaren . . . 278
18. Porzellan . . . . —
19. Spielkarten . . . . . . —
20. Teppiche . . . . . . —
21. Wiener Wagen . . . . . . —

II. Erfordernisse zur Abreise und die Art derselben 279

Erster Abschnitt.

Allgemeine Bemerkungen für Reisende nach Wien.

I.

'Entfernung einiger Hauptstädte, Bäder und anderer besuchten Oerter von Wien.

Wien, die Haupt= und Residenzstadt des Oesterreichischen Kaiserthums, ist nach der gewöhnlichen Reiseroute entfernt von

Achen	125 deutsche Meilen.	
Amsterdam	152 »	»
Antwerpen	160 »	»
Augsburg	69 »	»
Baden, bei Wien . . .	4 »	»
Baden=Baden, über Regensburg	99 »	»
Bamberg	76 »	»
Basel, über München . .	103 »	»
Berlin, über Prag . . .	82 »	»

Der Fremde in Wien. 4. Aufl.   1

19

Wien, ist entfernt von

Bern	119	deutsche Meilen.
Braunschweig	92	» »
Breslau	56	» »
Brüssel	146	» »
Brünn	18	» »
C, siehe K.		
Darmstadt	98	» »
Dresden	61	» »
Düsseldorf	130	» »
Eger, über Prag	65	» »
Ems, Bad, über Frankfurt a. M.	107	» »
Erlangen	70	» »
Fiume, über Laibach	74	» »
Florenz	135	» »
Frankfurt am Main	96	» »
Frankfurt an der Oder	62	» »
Freiburg, im Breisgau	96	» »
Gastein, Wildbad, üb. Salzburg	61	» »
Genf	132	» »
Genua	168	» »
Glatz	44	» »
Gmunden, am Traunsee	35	» »
Göttingen	97	» »
Grätz	28	» »
Haag, in Holland	146	» »
Hamburg	112	» »
Hannover	101	» »
Hermannstadt	114	» »
Innsbruck	70	» »
Karlsbad	59	» »

Wien ist entfernt von

Karlsruhe	100	deutsche Meilen.
Kassel	107	» »
Koblenz	150	» »
Krakau	60	» »
Leipzig	70	» »
Linz	27	» »
London	204	» »
Mailand	126	» »
Mannheim	96	» »
München	61	» »
Neapel	264	» »
Nürnberg	67	» »
Odessa	224	» »
Ofen, s. Pesth		
Paris	172	» »
Passau	38	» »
Pesth (Ofen)	37	» »
Petersburg	300	» »
Prag	43	» »
Regensburg	54	» »
Riga	223	» »
Rom	196	» »
Salzburg	45	» »
Straßburg	102	» »
Stuttgart	92	» »
Töplitz	53	» »
Trapezunt	478	» »
Triest	72	» »
Turin	161	» »
Ulm	79	» »

*

Wien ist entfernt von

Venedig	84 deutsche Meilen.
Verona	109	» »
Warschau, über Krakau .	101	» . »
Wiesbaden, üb. Frankfurt a. M.	101	» »
Würzburg	80	» »
Zürch, über München . .	94	» »

Eine deutsche Meile hat 4000 österr. Klafter; auf eine einfache Post werden zwei deutsche Meilen gerechnet. Station heißt der Ort, wo die Pferde gewechselt werden. Die sogenannte Poste-royale besteht darin, daß bei der Abreise mit Post-pferden aus gewissen Hauptstädten für die erste Station die Hälfte des gesetzlich bestimmten Ritt- und Trinkgeldes mehr bezahlt wird.

II.

Erfodernisse zur Reise.

A. Der Paß. Jeder Reisende nach Wien, oder überhaupt nach dem Oesterr. Kaiserstaat, muß mit einem regelmäßigen, zugleich auch von dem in sei-nem Vaterlande befindlichen k. k. Gesandten, Ge-schäftsträger oder Konsul unterzeichneten, Passe sei-ner Ortsobrigkeit versehen seyn.

B. Geldmittel. Die beste Münzsorte auf der Reise in Oesterreich ist Silbergeld nach dem

Konventionsfuße, drei Zwanzigkreuzerstücke (Zwanziger) auf einen Gulden gerechnet. Demselben gleich sind die österr. Banknoten. Sie werden in allen Zahlungen angenommen, überall bereitwillig gewechselt und gewähren den Vortheil, daß der Reisende keine große Barschaft mit sich führen darf.

Die näheren Verhältnisse des Geldwesens sind aber folgende:

1) Gerechnet wird in der Regel nach dem Zwanziggulden=Konventionsfuß. Der Reichs= oder Vierundzwanzig=Guldenfuß (Reichswährung) ist nur noch gebräuchlich in einigen Theilen Tyrol's, im Salzburgischen und von da abwärts nach Wien bis Lambach in Oberösterreich. Von hier an zahlt man in Konventionsgulden zu 60 Kreuzern oder zu 20 Groschen à 3 Kreuzer (Silbermünze oder Banknoten), mitunter auch in der noch vorhandenen, obgleich schon seltenen Wienerwährung, d. i. Einlösungs= oder Anticipationsscheinen. Diese hat zum Silbergelde einen fest bestimmten Kurs, nämlich den von 250 zu 100, so daß Ein Gulden Wienerwährung 24 kr. K. M. gilt. Jedoch findet diese Rechnung nur im Privatverkehre Statt.

2) Von den Münzsorten haben gesetzlichen Kurs:

a) Goldmünzen, in der Regel mit Agio; in K. M.:

Kaiserliche und Kremnitzer Dukaten à 4 fl. 30 kr.; dergleichen doppelte 9 fl.; Niederländische ganze Souverain'dors à 13 fl. 20 kr.; dergleichen halbe 6 fl. 40 kr.; Holländer Dukaten, alte geränderte à 4 fl. 30kr.

Und aus dem Lombardisch-Venetianischen Königreich:

Sovrana, oder 40 Lirestück à 13 fl. 20 kr.; Mezzo Sovrano, oder 20 Lirestück à 6 fl. 40 kr.

Nicht vollwichtige Goldstücke werden in öffentlichen Kassen gar nicht, in Münz- und Einlösungsämtern aber, oder von Privaten als Material angenommen und berechnet.

b) Silbermünzen:

K. k. Niederländische ganze Kronenthaler à 2 fl. 12 kr. K. M.; dergl. halbe 1 fl. 6 kr.; Viertelkrone 33 kr.; Oesterr. Speciesthaler; oder andere nach dem 20 fl. Konv. Fuße geprägte à 2 fl.; dergleichen halbe oder Guldenstücke à 1 fl.; Zwanziger (Kopfstücke) à 20 kr.; alte Siebenzehner, k. k. (selten) à 15 kr.; Zehner (halbe Kopfstücke) à 10 kr.; alte Siebener (selten) à 6 kr.; Fünfkreuzer- und Groschenstücke, nach dem Nennwerthe.

Und aus dem Lombardisch-Venetianischen Königreich:

Scudo, oder 6 Lirestück à 2 fl.; detto halber oder 3 Lire à 1 fl.; Lire, ganze à 20 kr.; detto halbe à 10 kr.; Viertel-Lire à 5 kr.

Durchlöcherte Silbermünzen sind außer Umlauf gesetzt.

c) Kupfermünzen:

Dreißigkreuzerstücke, alte, gelten in Wienerwährung 6 kr.; Fünfzehnkreuzerstücke 3 kr.; Dreikreuzer alte 2 kr.; Dreikreuzer neue (W. W.) 3 kr.; Kreuzer und halbe nach dem Nennwerthe; Konventionskreuzer 2½ kr.

3) Von ausländischen Münzen gelten in Oesterreich:

Französische 20 Frankenstücke à 7 fl. 35 kr. K.M.
Italienische . . . . . . 7 » 35 » —
Venetianische Zechinen . . 4 » 32 » —
Baierische ganze Kronenthaler 2 » 12 » —
Spanische Matten oder Säu-
lenthaler . . . . . 2 » 3 » —
Mailänder ganze Scudi . 1 » 45¼ kr. —

Beschnittene oder beschädigte Münzen dieser Art werden als nicht gewichtig behandelt. (Vergl. 2.)

4) Der Werth des auswärtigen Geldes nach dem österr. Konventionsfuße stellt sich so, daß

Ein Dänischer Thaler Courant gleich ist 1 fl. 45 kr.
» » Reichsthaler Species — 2 » 10 »
» Französischer Frank — — » 23 »
» Hamburger Mark Banco — — » 43³/₁₀ »
» Hannöverischer Thaler — 1 » 39 »
» Holländischer Gulden — — » 49⁴/₁₀ »
» Lübeck'sche Mark Courant — — » 35 »
» Neapolitaner Dukaten — 1 » 37 »
» Preußischer Thaler — 1 » 25 »
» Schwedischer Thaler — 2 » 12 »
» Schweizer Frank — — » 34²/₃ »
» Pfund Sterling — 9 » 22³/₁₀ »
» Türkischer Piaster — — » 32⁹/₁₀ »
» Westphälischer Thaler — 1 » 15 »

5) Wird der Vierundzwanzig-Guldenfuß (Reichs-fuß, Reichswährung) in den österr. Konventionsfuß reducirt, so sind

```
 6  kr.  N. W.  gleich  —   5 kr. K. M.
12   »       —      —  — 10 »    —
24   »       —      —  — 20 »    —
 1 fl.       —      —  — 50 »    —
 2   »       —      —  — 1 fl. 40 »  —
 6   »       —      —  — 5  »  u. f. w.
```
, und um=
gekehrt in gleichem Verhältniß.

Zum Aus= und Einwechseln der ausländischen
Münzsorten ist in Wien vielfältige Gelegenheit vor=
handen, insbesondere aber dieserhalb, wie zum Ver=
kauf und Einkauf von Staatspapieren, zu empfeh=
len die Wechselstube: August Wedel, am Peter
Nr. 160, im 1. Stock links, und jene des Groß=
händlers D. Zinner, auf der Brandstadt, dem St.
Stephans=Dome gegenüber.

C. Empfehlungsbriefe. Wem es darum
zu thun ist, Wien in allen Richtungen und in mög=
lich kurzer Zeit kennen zu lernen, suche sich mit Em=
pfehlungen an Personen verschiedener Stände
zu versehen, und den Rathschlägen oder sonstigen
Eröffnungen derselben volles Vertrauen zu schenken.
Gefälligkeit und Aufrichtigkeit sind Grundzüge im
Charakter des Wieners.

III.

Gegenstände, deren Einfuhr dem Reisenden gestattet ist.

1) Zeuge und Stoffe aller Art sind zoll-frei, wenn sie zu Kleidern verarbeitet und bereits getragen sind. Unverarbeitete Zeuge und Stoffe zah-len die im Mauth- (Zoll-) Tarif bestimmten Einfuhr-gebühren.

2) Altes und neues Hausgeräth, Wä-sche und Bettzeug, selbst neue Kleidungsstücke welche Reisende zum eigenen, ihrem Stande ange-messenen Gebrauche mit sich führen, sind in der Ein- und Ausfuhr zollfrei, doch müssen sie bei dem betreffenden Zollamte erklärt und mit den Freibol-leten belegt werden.

3) Gold, Kleinodien, Ringe und Uh-ren sind gleichfalls bei der Einbruchsstation anzu-zeigen. In so weit sie dem Bedürfnisse und dem Range des Reisenden angemessen sind, wird darüber ein Freibollet ertheilt, welches zugleich zur Si-cherung der zollfreien Ausfuhr dient.

4) Vom ausländischen Tabak ist zwar eine bestimmte Quantität gegen Erlegung des Zolles und der Monopoltaxe erlaubt, worüber die Anzeige bei der Einbruchsstation zu machen ist. Es wird in-deß besser seyn, sich damit nicht zu befassen, zumal ziemlich gute Sorten Rauch- und Schnupftabak in jeder Provinzialstadt und in Wien auch ausländi-sche Sorten zu haben sind.

5) Bücher sind ohne Unterschied der Quanti=
tät zollbar. Auch werden sie bei der Einfuhr ob=
signirt und von dem k. k. Central=Bücher=Revisions=
amte in Wien, Stadt Nr. 152, durchgesehen, die
erlaubten dem Eigenthümer zurückgegeben, die ver=
botenen aber bis zu dessen Rückreise oder doch so
lange aufbewahrt, bis die Verabfolgung derselben
von der Obersten k. k. Polizei= und Censur=Hofstelle
erwirkt ist. Der Reisende wird daher wohl thun,
wie bei 4 zu verfahren.

6) Hebräische, im Auslande gedruckte, Ge=
bet= und Religionsbücher sind einzuführen gänz=
lich verboten, und die Einfuhr illyrischer und
wallachischer Bücher, die in Oesterreich nicht
erzeugt sind, wird nur gegen besonders ertheilte
Pässe gestattet.

IV.
Art und Weise der Reise nach Wien.

Zur Reise nach Wien bedient man sich der Land=
kutschen, der Eil= und Extrapost, und aus Würtem=
berg, Baiern und Oberösterreich auch der Schiffe
auf der Donau.

1. Landkutschen. Das mit einem Landkut=
scher zu treffende Uebereinkommen wird als bekannt
vorausgesetzt, und nur wegen der Rück= oder Ab=

reife von Wien auf den letzten Abschnitt dieses Wer=
kes verwiesen.

2. Die **Eilfahrt**, oder die **Eilwagen=
fahrt** besteht im Oesterr.Staate seit 1823, und dehnt
sich jetzt fast über alle Straßenzüge aus. Die gedeck=
ten Wägen gehen zu bestimmten Stunden ab und
treffen in gleicher Weise am Bestimmungsorte ein.
Genaue Auskunft darüber und über die nach Um=
ständen wechselnden Fahrtage wird in der Expedition
der Eilposten zu Wien, Dominikanerplatz No. 666,
ertheilt. Der Durchschnittspreis für eine Post von
zwei deutschen Meilen möchte aber etwa 48 kr. K. M.
seyn. Die Anmeldung zur Reise geschieht in dem er=
wähnten Lokale einige Tage früher und das Passa=
gierporto wird für die ganze Fahrt gegen einen
Vormerkschein entrichtet, der jedoch nur für
diese und keine andere Fahrt gültig ist. An Gepäcke
sind 20 Pfund frei sogleich mitzunehmen; andere
30 Pfund oder auch alle 50 Pfund werden mit dem
Post= oder Brankardwagen portofrei voraus= oder
nachgeschickt. Das Gepäck darf nur in Mantelsäcken
oder in leicht unterzubringenden Packeten bestehen
und keine Waaren enthalten; jedes einzelne Stück
muß gesiegelt, mit der Adresse des Reisenden und
der Bemerkung des Abgabeorts versehen seyn und
am bestimmten Tage zur Hauptexpedition gebracht
werden. Außerdem hat jeder Reisende bei der Vor=
merkung einen **Passierschein** von der k. k. Po=
lizei=Oberdirektion, oder als Militär von dem k. k.
Militär = Platzkommando mitzubringen. **Hunde**
werden im Eilwagen nicht gelitten und das Ta=

12

bakrauchen aus geschlossenen Pfeifen ist nur mit allgemeinem Einverständniß gestattet.

Bieten die gewöhnlichen Eilwagen keinen Platz mehr, oder einige Personen, wenigstens vier, wollen an Tagen, wo jene nicht abgehen, ohne Begleitung eines Kondukteurs nach irgend einem Hauptort reisen, so stehen Beikaleschen bereit, oder die Reiselustigen können auch mittelst einer Separatfahrt und mit Beigebung eigener Stundenpässe in leichten und bequemen Wägen weiter befördert werden. Die Bestellung einer solchen Separatfahrt muß wenigstens einen Tag vor der Abreise erfolgen, und die Station, wo ein Aufenthalt statt finden oder übernachtet werden soll, namhaft gemacht werden. Die Fahrtaxe für jede Person und die einfache Post beträgt hier im Durchschnitt etwa 56 kr. K. M. — Eine Reise= und Influenzkarte der Eilpost=Diligence und Packwagen=Kurse von mehr als 150 Städten in dem Kaiserthum Oesterreich und in Mitteleuropa von Franz Raffelsperger (Wien, beim Kunsthändler J. Bermann, am Graben Nr. 619, Preis 1 fl. 36 kr. K. M.), und die Uebersicht des Abganges und der Ankunft der k. k. Posten in Wien, von J. Bierthaler, ist den Reisenden zu empfehlen.

3. Die fahrende Extrapost. Das Rittgeld wird hier an den Fütterungspreisen bestimmt, nach jenem das Kaleschegeld bemessen, solches zeitweise öffentlich bekannt gemacht und der Tarif in jedem Posthause offen gehalten. Die neueste, von der k. k. obersten Hofpostverwaltung in Wien unterm 1. December 1838 erlassene Postverord=

nung für Reifende mit Extrapoft enthält
folgende Hauptbeftimmungen, welche mit dem 1. Mai
1839 in Ausführung treten. Der Poftmeifter, oder
deffen Stellvertreter ift verbunden, fich auf Verlangen des bei dem Pofthaufe angekommenen Reifenden
zu ihm zu begeben, alle feine Beförderung betreffenden Auskünfte zu ertheilen und denfelben während
des Umfpannens unentgeldlich im Pofthaufe
aufzunehmen.

Die Anzahl der Pferde zur Befpannung
der Wägen wird nach Befchaffenheit diefer und der
Schwere der Ladung in Wiener-Gewicht beftimmt.
Wagen von der leichteften Bauart, als offene
Kalefchen, unbedeckte vierfitzige und halbgedeckte zweifitzige bis 6 Centner Ladungsgewicht, bekommen
2 Pferde, über 6 Centner 3 Pferde; von leichter
Bauart, als zweifitzige ganz gedeckte, vierfitzige halbgedeckte oder mit einem leichten Vordache verfehene
Wägen bis 5 Ctr. Ladungsgewicht 2 Pferde, über
5 bis 8 Ctr. 3 Pferde, über 8 Ctr. 4 Pferde; von
fchwerer Bauart, als zweifitzige ganz gedeckte und
gefchloffene, und derlei vierfitzige Wägen bis 6 Ctr.
Ladungsgewicht 3 Pferde, über 6—8 Ctr. 4 Pferde,
über 8 Ctr. 6 Pferde. Zum Behuf der Ermittelung
des Ladungsgewichtes werden die Perfonen
im Wagen, oder an einem äußeren Platze deffelben
(mit Ausfchluß des Poftillons) fo in Anfchlag gebracht, daß eine Perfon über 12 Jahre zu 100 Pf.,
ein Kind von 5—12 Jahren mit 50 Pf., zwei Kinder im Alter bis 5 Jahren mit 10 Pf., und ein Kind
von 5 Jahren und darunter gar nicht in Anrech-

2

nung kommt. Ueber das Alter der jungen Personen
gelten unbedingt die Angaben der Reisenden.

Bei dem G e p ä c k wird ein Koffer, ein Bettsack
und eine Vache (bei einem viersitzigen Wagen über
die ganze Wagendecke reichend), jedes mit 100 Pf.,
eine Vache bei einem zweisitzigen ganz gedeckten oder
bei einem halbgedeckten Wagen über die ganze Wagendecke, oder eine halbe Vache, oder ein am Wagen angebrachtes Magazin, jedes mit 50 Pf.; ein
Felleisen oder ein Mantelsack, am ä u ß e r e n Wagen 2 Schuh lang 1½ Schuh breit angebracht, oder
auch über dieses Maß, jedes mit 50 Pfund berechnet. Außer Berechnung bleiben am äußeren Wagen
angehängte lederne Taschen, Hut- und Haubenschach-
teln und darin angebrachtes Gepäck im Innern des
Wagens, welches sich unverschlossen im Wagen befindet, oder in Sitztruhen, Beuteln und Mantelsäcken, in Felleisen, Schachteln und Chatoullen un-
tergebracht ist.

Im Fall auf einem zweispännigen Wagen k e i n
S i t z für den Postillon vorhanden ist, muß (mit
Ausnahme im lombardisch-venetianischen Königreich)
ein drittes Pferd zugespannt werden. Auch können
außerordentliche Elementar-Ereignisse für b e t r e f-
f e n d e Strecken eine Zuspannung nöthig machen.

Die B e s t e l l u n g d e r P o s t p f e r d e erfolgt
wenigstens 2 Stunden vor der zur Abfahrt bestimmten Zeit beim Postamte, und der Reisende hat sich
bei demselben mit Reisepässen und Passirscheinen
auszuweisen, seinen Namen, Stand und das Haus,
wohin die Pferde zu stellen sind, die Zahl der Pferde

und die Stunde der Abfahrt anzuzeigen; jedoch können die Pferde auch noch eine Stunde vorher ab-
bestellt werden. Im Unterlassungsfall zahlt der Reisende ¼ des Rittgeldes für eine einfache Post, und
wenn die Pferde bereits zur Wohnung gestellt waren, auch noch ¼ des gesetzlichen Trinkgeldes.

Das Umspannen der Pferde muß bei Tage
in **10** Minuten, bei Nacht in **15** Minuten von der
Ankunft beim Posthause gerechnet, geschehen. Ist
der Postillon zur Abfahrt bereit, so gibt er das
Zeichen mit dem Posthorn, wiederholt es nach jeder
halben Stunde, und darf nach vergeblichem Warten von Einer Stunde im Winter und von zwei
Stunden in andern Jahreszeiten die Pferde wieder
ausspannen und in den Stall führen. Für die erste
halbe Stunde des Zuwartens von Seite des Postil-
lons hat der Reisende nichts, für jede folgende halbe
Stunde aber ¼ des gesetzlichen Ritt- und Trinkgeldes für eine einfache Post und jedes Pferd zu entrichten.

Das Aufladen des Pferdefutters, der
Sättel ꝛc. ist nur mit ausdrücklicher Billigung
der Reisenden zulässig.

Das Umspannen und die Abfahrt mehrer bei
einer Station angelangten Wägen erfolgt in der
Ordnung, wie sie angekommen sind, und ein Vor-
fahren darf nur dann stattfinden, wenn der früher von der Station Abgefahrne auf der Straße
halten läßt, oder durch einen Unfall zum Stillhal-
ten genöthigt wird, oder sein Wagen aus irgend einer Ursache langsamer gefahren wird. Kourier-

mäßig beförderte Reisende sind befugt, andern
mit der Post Reisenden vorzufahren.

In der Regel wird die Meile in ³⁄₄ Stunden
zurückgelegt. Der Postillon soll kein höheres
als das gesetzliche Trinkgeld ansprechen, ohne
Bewilligung der Reisenden unter keinem Vorwande
sich vom Wagen entfernen, und ohne deren
Zustimmung keine Wechselung der Pferde
vornehmen.

Im Fall der Reisende die Fahrt unterbricht und
aus was immer für einem Grunde auf irgend einem
Punkte zu verweilen wünscht, hat auf dessen Ver=
langen der Postillon im Winter Eine Stunde und
in den übrigen Jahreszeiten zwei Stunden zuzu=
warten.

Zur Beschleunigung der Reise sind aber
noch folgende Einrichtungen getroffen:

a) Die kouriermäßige Beförderung,
bei welcher in der Regel die Meile in 35 Minuten
zurückgelegt und das Umspannen auf den Stationen
bei Tag in 5 Minuten, bei Nacht in 10 Minuten
geschehen wird. Das Ladungsgewicht wird um ⅓
geringer angenommen, als oben bemerkt wurde.
Bei dieser Art zu reisen ist außer dem gesetzlichen
Rittgeld ein Zuschlag von 15 kr. in Galizien, und
von 20 kr. in allen übrigen Provinzen für ein Pfund
und eine einfache Post, und zu dem gesetzlichen Trink=
geld ein Zuschlag von 5 kr. K. M. (1839) festgesetzt.

b) Die Benachrichtigung der Postmei=
ster oder Poststallhalter von der bevor=
stehenden Fahrt (Aviso) für die ganze Reise

oder für einen Theil derselben. Das Verlangen dazu
kann an jede Poststation mit der schriftlichen An=
zeige gestellt werden, welche Bespannung der Rei=
sende benöthigt, an welchem Tage und zu welcher
Stunde die Abfahrt erfolgen, ob sie ununterbrochen
fortgesetzt werden, oder an welchem Orte und wie
lange der Aufenthalt statt finden wird. Diese Be=
nachrichtigung kann durch eine Staffette, oder mit=
telst eines Laufzettels gegen Entrichtung von
24 kr. K. M. bewirkt werden, welcher letztere jedoch
wenigstens 12 Stunden vor der Abfahrt des Reisen=
den mit der Briefpost abgehen muß. Jeder Postmei=
ster muß alsdann zur Zeit des möglichen Eintreffens
des Reisenden und noch zwei Stunden darüber die
bestellten Pferde bereit halten.

c) Reise mit dem Stundenpasse, wäh=
rend welcher der Reisende, kouriermäßig oder nicht,
von der Unbequemlichkeit, die Aerarial=, Mauth=
und Postgelder, die Ueberfahrtgebühren, Weg= und
Brückengelder selbst entrichten zu müssen, enthoben
wird, indem er die Vorausbezahlung derselben bei
dem Amte leistet, wo diese Beförderungsweise nach=
gesucht wird. Es kann solches nur geschehen für
Hauptpoststraßen bei den Oberpostämtern in den
Hauptstädten, bei Post=Inspektoraten und Grenz=
Postämtern und bei jenen Aemtern, welche dazu die
Berechtigung erhalten werden. Außer dem Gesammt=
betrage der Gebühren für die ganze Reise sind noch
zehn Perzent für Rechnung der Postanstalt, und
auf der Straße nur die allfälligen Privat= u. Mauth=
gebühren, und eine außerordentliche Zuspannung

zu entrichten. Der ausgefertigte Stundenpaß wird
in der letzten Reisestation an das Postamt abgegeben.

Beschwerden der Reisenden sind in das soge=
nannte Beschwerdebuch einzutragen, welches je=
der Postmeister oder Poststallhalter in dem zur Auf=
nahme der Reisenden bestimmten Zimmer vorzurich=
ten verpflichtet ist.

4. Die Donaufahrt, und zwar:
a) mit gewöhnlicher Schiffsgelegenheit.
Reisende, welche auf der Donau in Schiffen von
Ulm, Lauingen, Stadtamhof und Regensburg
sich nach Wien zu begeben pflegen, sind rücksicht=
lich der Pässe und Einfuhrartikel den nämlichen
Polizei= und Mauthvorschriften, wie die zu Lande
Reisenden, unterworfen. Für sie ist Engelhardszell die k. k. Grenzmauth, woselbst ih=
nen auch der Paß abgenommen, und derselbe
erst in Linz zurückgestellt wird.

b) Mit dem Dampfschiff von Ulm und Re=
gensburg nach Linz, und von Linz nach
Wien. Dieses treffliche, Zeit und Kosten spa=
rende Verbindungsmittel besteht seit 1838. Das
baierische Dampfschiff »Therese« brachte die Rei=
senden in Einem Tage von Regensburg nach
Linz, und die österreichische »Maria Anna« am
folgenden Tage in 8—9 Stunden von Linz nach
Wien. Im Jahre 1839 versahen den Dienst
von jeder Seite zwei Dampfschiffe, die an Be=
quemlichkeit nichts vermissen lassen. Die Fahr=
taxe ist sehr billig und nach den Zwischensta=
tionen bemessen, so daß man die Reise in be=

stimmten Entfernungen mitmachen kann. Oeffentliche Blätter zeigen die Tage an, wenn die Dampfboote ankommen, und die Stunden der Abfahrt, nebst dem Tarif nach Haupt= und Nebenstationen. Gesorgt ist auch für anständige und billige Bewirthung der Reisenden. Das Gepäck derselben (60 Wiener Pfund frei) muß mit deutlicher Adresse des Eigenthümers und des Bestimmungsortes versehen seyn; für die Wiederabnahme hat jeder Reisende selbst zu sorgen. Kranke Personen werden nicht aufgenommen, und Hunde dürfen nur mitgenommen werden, wenn solche auf dem Vorderdecke angebunden bleiben und für sie bezahlt wird, z. B. von Linz bis Wien pr. Stück 1 fl. 30 kr. K. M. Die mit dem Dampfboot von Regensburg kommenden Passagiere werden in Engelhardszell nicht aufgehalten; die Paßvisirung und Verzollung erfolgt in Linz. (Vergl. den Abschnitt Abreise, am Schlusse.)

Behufs näherer Kenntniß der Donaufahrt sind zu empfehlen: J. A. Schultes, Donaufahrten (Bd. 1. Wien 1819, Band 2. Stuttgart 1827); Reisetaschenbuch von A. J. Groß, (Wien 1830, 16), mit einer von Frühwirth lithographirten Stromkarte und 5 Ansichten; Carte du cours de Danube depuis Ulm jusqu'à son embouchure dans la mer noire. Ein großes Blatt, colorirt 2 fl. Wien, Artaria, besonders in Beziehung der bestehenden Dampfschiffahrtsverbindung; Panorama der Donau in Vogelperspektive, von K. A. Ed-

len v. Lilienbrunn, ein acht Schuh langes Ta-
bleau, gebunden in 4. nebst 1 Band Text von Mathias Koch; die Donaureise von Linz nach Wien,
Pr. 1 fl. 5 kr. Wien, 1838; Pittoreske Donaufahrt von Ulm nach Konstantinopel, nebst einer Uebersicht der Dampfschifffahrt auf der Donau
und einer Stromkarte. Wien, Gerold. 12.

V.

Der beste Zeitpunkt zur Reise nach Wien.

Im Frühling erscheint Wien ohne Zweifel am
Glänzendsten. Die kaum zählbaren, geschmackvollen
und reichen Equipagen, die nach alter Sitte vom
Ostermontag an bis gegen Ende des Monats Mai
ihren Zug aus der Stadt in den Prater nehmen,
gewähren einen überraschenden Anblick, und die reizenden Umgebungen der Residenz, deren in gleicher
Zahl keine andere Hauptstadt sich erfreuen dürfte,
sind dann in Frische und Blüte ungemein anziehend.
Später begibt der Adel sich auf seine Güter oder in
Bäder; der wohlhabende Mittelstand bezieht Landhäuser, oder wandert nach dem nahen Hietzing und
Penzing, nach Döbling und Heiligenstatt, nach Mödling und Baden, und Wien verliert zwar nicht an

Merkwürdigkeit, wohl aber an regem Leben. In welcher Jahreszeit jedoch der Fremde auch Wien besuchen mag, immer wird ihm genügender Stoff verbleiben zum Vergnügen, zur Belehrung und zur heiteren Rückerinnerung.

Zweiter Abschnitt.

Bemerkungen für den Fremden in Beziehung auf Ankunft und weitere Anwesenheit in Wien.

I.

Die Abgabe des Reisepasses an der Stadtlinie (Barriere).

Jedem in Wien ankommenden Reisenden wird an der Stadtlinie von dem dort aufgestellten Polizei= posten der Reisepaß abgenommen und ihm darüber eine in deutscher, französischer und italienischer Sprache abgefaßte Bescheinigung eingehändigt, worin die Verpflichtung für den Reisenden ausgedrückt ist, sich innerhalb 24 Stunden bei der k. k. Polizei=Oberdi= rektion persönlich zu melden. Zur Beantwortung der zugleich gestellten Frage, wo der Fremde ein= kehren werde, kann allenfalls das in Nr. III mitge= theilte Verzeichniß der Gasthöfe dienen.

II.

Die Mauth= (Zoll=) Revision.

An jeder Linie der Stadt Wien befindet sich auch ein Mauthamt, und der Reisende, welcher sich einer Landkutsche, der eigenen Gelegenheit oder der Extrapost bedient hat, kann sein Gepäck sogleich an der Linie untersuchen lassen, oder verlangen, auf die Hauptmauth im Innern der Stadt begleitet zu werden. Waaren aber und versiegelte, dem Zoll unterliegende Packete werden ohne Ausnahme von der Hauptmauth untersucht. Ueberhaupt ist nichts zu verschweigen, was zollbar ist. Führt der Reisende großes Gepäck oder mehre Koffer mit, so ist die Revision auf der Hauptmauth und zur Beschleunigung derselben ein Anmelden beim Oberamte selbst zu empfehlen. Gegen diese Untersuchung des Gepäcks schützen die Grenzbolleten nicht, denn die Linien Wiens werden wie eine Einbruchsstation behandelt; doch dient ein Vorzeigen jener Bolleten, um der genauen Visitation überhoben zu seyn. Das mit dem Eilwagen ankommende Gepäck wird auf der Hauptpostwagen = Direktion von einem Beamten der Hauptmauth revidirt, das der Reisenden auf der Donau aber in Nußdorf untersucht oder auf die Hauptmauth gebracht.

III.

Gasthöfe in der Stadt Wien und in den Vorstädten.

Die vorzüglichsten Gasthöfe sind folgende:

a) Im Innern der Stadt:

Zum römischen Kaiser, Freiung Nr. 138.

Zur Kaiserin von Oesterreich, Weihburggasse Nr. 906.

Zum Erzherzog Karl, Kärntnerstraße Nr. 968.

Zum wilden Mann, daselbst Nr. 942.

Zum Schwan, Neuer Markt Nr. 1044.

Zur Stadt Frankfurt (vormals zum goldenen Ochsen), Sailergasse Nr. 1086.

Zum Matschakerhof, daselbst Nr. 1091.

Zur Ungarischen Krone, Himmelpfortgasse Nr. 961.

Zum Ungarischen König, große Schulenstraße Nr. 852.

Zur Stadt London, der Hauptmauth gegenüber Nr. 684.

Zum weißen Wolf, alter Fleischmarkt Nr. 691 (besonders für die aus Ungarn Kommenden).

b) In den Vorstädten:

Der Gasthof zum schwarzen Adler, Leopoldstadt, Hauptstraße Nr. 316.

Zum weißen Roß, daselbst Nr. 321.

Zum goldenen Lamm, Pratergasse Nr. 581; alle drei in bequemer Lage für Reisende, die über Prag und Brünn ankommen.

Der Gasthof zum goldenen Kreuz, auf der Wie=
den, Hauptstraße Nr. 11.

Zum goldenen Lamm, daselbst Nr. 24; beide
für Reisende aus Steiermark und Kärnten.

Fast ausschließlich von Italienern besucht wird
der Gasthof zu den drei Kronen, daselbst
Nr. 21.

NB. Hat der Fremde einen von diesen Gasthö=
fen im Voraus bereits gewählt, oder ist ihm einer
besonders empfohlen, so beharre er darauf, in
denselben geführt zu werden, damit er nicht der
Laune oder dem Interesse der Fuhrleute und dergl.
unterliege.

IV.

Der Aufenthaltschein.

Dem Inhalte der an der Linie erhaltenen Paß=
bescheinigung gemäß, meldet der Reisende sich in der
bestimmten Zeit bei der k. k. Polizei=Oberdirektion
im Paß=Konskriptions= und Anzeigeamte
Stadt, Spänglergasse Nr. 564. Ist er ein Auslän=
der, so wird er an die Fremdenkommission
daselbst gewiesen, und wenn er sich über seinen Rei=
sezweck, die Dauer des Aufenthalts, und über die
nöthigen Subsistenzmittel durch Wechsel oder Kre=
ditbriefe u. dergl. gehörig erklärt hat, ihm ein auf
eine bestimmte Zeit lautender Aufenthaltschein

3

ertheilt, deſſen Verlängerung nach abgelaufener Friſt nachzuſuchen iſt. Der Paß wird bis zur Abreiſe des Fremden ämtlich aufbewahrt, und nur die Geſchäfts= zahl dem Aufenthaltſcheine beigefügt. Reiſende aus den Provinzen des öſterreichiſchen Kaiſerſtdates pfle= gen den Paß ſelbſt zu ihrer Legitimation zurück zu empfangen.

V.

Beſondere Andeutungen für Fremde.

Die innere Stadt Wien iſt durchgängig und der größere Theil der Hauptſtraßen in den Vorſtädten mit einem Trottoir verſehen. Dem Fußgeher iſt daher Vorſicht auch nur an Stellen nöthig, wo Seitenſtraßen in die Hauptſtraßen auslaufen, oder die Straßen ſich durchſchneiden.

Bei dem ſehr lebhaften Verkehr zwiſchen Stadt und Vorſtädten beſteht dennoch keine Regel des Aus= weichens der Fußgeher. Indeß bemerkt man leicht, daß öfter links ausgewichen wird, und das mag ſich der Fremde ebenfalls zur Regel nehmen. Ueber ein zufälliges, ſelbſt unſanftes Zuſammentreffen macht der Wiener durchaus kein Gerede.

Das Tabakrauchen iſt im Innern der Stadt, auf den Brücken, auf der Baſtei und ſtark beſuchten Promenaden, auch in der Nähe einer Schildwache, nicht geſtattet.

Ein an den Häusern herabhängendes Kreuz, oder eine der Mauer angelegte Latte bezeichnet die an dem Dache oder Gesimse des Hauses vorgenommene Ausbesserung, und ist in so fern ein Warnungszeichen für die Vorübergehenden.

Ausgestellte Kavallerieposten an den Hauptzugängen der k. k. Burg zeigen eine stattfindende Hoffeierlichkeit an, bei andern Staßenecken, daß die Durchfahrt für Wägen gesperrt ist.

Weinhandlungen und Weinhäuser pflegen außer ihrem Schilde und der Inschrift noch grüne Tannenreiser auszustellen, oder ein Bündel derselben zierlich in Blech nachbilden und färben zu lassen. Bierhäuser machen sich mit einem Büschel Hobelspäne, ehemals in natura, jetzt gemalt, oder in Blech nachgebildet, kennbar. Selbst die unterirdischen Weinschenken (Weinkeller) schmücken ihren oft schmutzigen Eingang mit Tannenreisern.

Im Umgange wird jeder gebildete Mann Herr von genannt, die Gattin Frau von, und aufsteigend Gnädige Frau, und Ew. Gnaden; die Tochter des Hauses heißt Fräulein, gnädiges Fräulein. Was es mit diesem Adelsprädikat für ein Bewandtniß hat, weiß Jedermann; doch ist die Sitte bequem und der Fremde wird sehr wohl thun, sich derselben zu fügen.

Hohe Staatsbeamte und der höhere Adel wird seinem Range gemäß titulirt.

Reisende, die Länder und Menschen gesehen, bedürfen ihres weiteren Verhaltens wegen keiner

Erinnerung. Für Andere kann die allgemeine Bemerkung genügen, daß jeder Staat seine eigenthümlichen Einrichtungen hat, und zum Auffassen und
Beurtheilen derselben doch wohl mehr gefodert wird,
als ein oberflächlicher Hinblick und ein Zeitraum von
wenigen Tagen oder Wochen.

VI.

Die Mittel, schnell in Wien orientirt zu seyn.

Zuvörderst mache der Fremde sich mit dem diesem Buche beigefügten Plane der inneren Stadt bekannt, merke sich die Namen der vorzüglichsten Straßen und nehme bei seiner Wanderung durch dieselben die Stephanskirche zur Stütze und zum Mittelpunkt.

Um aber die Stadt im Ganzen und in ihren
Theilen vergleichungsweise mit dem Plane aufzufas-
sen, zugleich auch einen Ueberblick der Vorstädte zu
gewinnen, besteige der Reisende den Stephansthurm
bis zur Gallerie, wozu im Sommer die Abendstunden besonders geeignet sind. Die Erlaubniß dazu wird
im Kirchenmeisteramte zu St. Stephan, Nr. 874,
ertheilt.

Die Lage der Vorstädte lernt der Fremde am
leichtesten kennen, wenn er die innere Stadt theils
auf der Bastei, theils wiederholt auf dem Glacis

umſchreitet. Der beigegebene Plan zeigt die Thore
an, die aus der Stadt über das Glacis an die Vor=
ſtädte führen. Von der Baſtei überſieht er die Lage
der Vorſtädte aus einem erhöhten Standpunkte, auf
dem Glacis befindet er ſich mit ihnen in gleicher Li=
nie. Dieſe Doppelanſicht befördert ungemein die Be=
kanntſchaft mit den Oertlichkeiten und wenige Fra=
gen, die ſelbſt jeder ihm Begegnende gern beant=
wortet, werden hinreichen, ſolche zu vollenden.

Dieſe Fragen ſind auf hervorragende Gebäude
und Kirchen, insbeſondere auf Anſtalten in den Vor=
ſtädten, die der Fremde zu ſehen wünſcht, zu rich=
ten. Mehre Gebäude, worin dergleichen ſich befin=
den, ſind auch von der Baſtei theils mit freiem Auge
zu erkennen, theils ihrer Lage nach genau zu be=
zeichnen. Nimmt man nämlich die Rückſeite der Haupt=
mauth zum Anfangspunkt der Wanderung und ſetzt
dieſe in der Richtung nach Weſten fort, ſo erblickt
man von der Baſtei, mehr und minder deutlich,
folgende: das Invalidenhaus, die Kanonenbohrerei,
das Thierarznei=Inſtitut, das große Münzgebäude,
den fürſtl. Schwarzenbergiſchen Sommerpalaſt und
Garten, das Belvedere, die Karlskirche, das poly=
techniſche Inſtitut, das Freihaus, das Theater an
der Wien, den k. k. Marſtall, die Ingenieur=Aka=
demie, den Palaſt des Fürſten Auersperg, das Ge=
bäude der Ungariſchen Garde, das neue Kriminal=
gefängniß, die Alſerkaſerne und das allgemeine Kran=
kenhaus, das rothe Haus, die k. k. Gewehrfabrik
und im Hintergrunde die k. k. Joſephiniſche Akade=
mie, die Sommerpaläſte der Fürſten Dietrichſtein

und Liechtenstein, dann die Badhäuser am Schanzel, am scharfen Eck und das Dianabad, nebst den unweit davon entfernten Kaffeehäusern an der Ferdinandsbrücke, welche in die Leopoldstadt und in den Prater führt.

Ist nun der Fremde in erwähnter Weise mit der Lage der entfernteren Anstalten, wie sie hier auf einander folgend benannt sind, bekannt geworden, so kann er auch leicht die Auswahl treffen und das Gewählte zweckmäßig verbinden. Zur Besichtigung derselben bediene er sich jedoch, der Zeitersparung wegen, eines Fiakers. Die Beigabe eines Plans der Vorstädte schien nach dem genommenen Standpunkte überflüssig, indeß ist ein solcher unter Andern auch bei dem Verleger dieses Buchs, C. Armbruster, Singerstraße Nr. 878 zu haben.

VII.

Verschiedene Nachrichten, die Stadt Wien, ihre innere Beschaffenheit und Einrichtung betreffend.

Wien, die Hauptstadt des Erzherzogthums Oesterreich unter der Enns und des Kaiserthums Oesterreich überhaupt, ist seit Maximilian I., gest. am 12. Jänner 1519, auch die beständige Residenz der Herrscher. Mit dem Namen Wien bezeichnet man

jedoch nicht allein die innere Stadt, sondern auch die Vorstädte.

1) Wien liegt auf einer Anhöhe vom südlichen Donauufer im 34. Grade, 2 Minuten, 16 Sekunden östlicher Länge, und im 48°, 12′ und 22″ nördlicher Breite.

Die Höhe des mittleren Standes der Donau unter der Franzensbrücke ist 79,95; die der Terrasse der Universitäts-Sternwarte 103,85, und die des Fußes des St. Stephansthurmes 87,000, genauer $87^{78}/_{100}$ Wienerklafter über dem Spiegel des Adriatischen Meeres.

Der Mittelpunkt der inneren Stadt ist die Peterskirche, und der Flächeninhalt innerhalb der Bastei möchte etwa 412,000 Quadratklafter betragen. Der Umkreis der Stadt und sämmtlicher Vorstädte beträgt, da das Stadtgebiet an mehren Stellen weit über den Liniengraben hinausreicht, nach genauer Abmessung 23,272 Wr. Kl. oder 5¾ österr. Postmeilen, d. i. 5.95 geographische Meilen. Die ganze Länge von der St. Marxer- bis zur Nußdorfer-Linie ist auf 3250 Kl., und die gesammte Breite von der Gumpendorfer-Linie bis zum Ende der Jägerzeil auf 2650 Kl. berechnet. Dieses auf den Katastralplan sich stützende Ausmaß ist aus Blumenbach's höchst anziehendem Gemälde der österr. Monarchie (Bd. I. S. 242) und aus dessen trefflichem Werke: Neueste Landeskunde von Oesterreich unter der Enns (Bd. 2. S. 234), entnommen.

Die Häuserzahl in der inneren Stadt betrug (1838) 1217, in den Vorstädten 7031, die

Kirchen, Magazine und sämmtliche Nebengebäude nicht mitgerechnet. Alle Häuser sind numerirt, mit rother Farbe in der inneren Stadt, mit schwarzer in den Vorstädten, dort 3—5, hier 2—3 Stockwerke hoch, die Treppen von Stein, die Dächer fast durchgängig mit Ziegeln, Schiefer oder Kupfer eingedeckt und mit Wasserrinnen versehen. Die Hausmiethe im Ganzen beträgt jährlich mehr als 10 Millionen Gulden K. M., wovon die größere Hälfte den Vorstädten zufällt.

Die innere Stadt ist von der Bastei umgeben, welche mit Bäumen bepflanzt, mit einfachen Gartenanlagen und Ruhesitzen ausgestattet, innerhalb Einer Stunde im mäßigen Schritt umgangen werden kann. Nach ihren verschiedenen Bezirken und anderen Umständen hat sie auch verschiedene, auf dem Plane verzeichnete Benennungen.

Zwischen der Stadt und den Vorstädten befindet sich das Glacis (Esplanade), ein etwa 600 Schritt breiter Wiesengrund, mit verschiedenen Baumsorten bepflanzt, nach allen Richtungen von Fahr- und Fußwegen durchschnitten und Abends durch Laternen beleuchtet. Die Säule der Madonna außer dem Burgthor auf dem Glacis ist Eisenguß, aus dem Werke zu Mariazell und vom Stifte Schotten als Grenzzeichen gesetzt.

2) Der günstigste Standpunkt, die innere Stadt zu übersehen, ist der Balkon eines Gemäldesaals im k. k. Belvedere auf dem Rennwege nach dem Garten zu. Von der Gartenterrasse ist der Anblick schon beschränkter. Zum Ueberblicken von Wien

überhaupt und der nahen Umgebung eignet sich vorzüglich der Punkt des Wienerberges, wo die sogenannte Spinnerin am Kreuze steht. Die Säule, welche diesen Namen führt, ist nach J. E. Schlager und der Bau und die Benennung des Spinnerkreuzes, (aus handschriftl. Quellen, Wien 1836, 8.) von Hans Purbaum 1451—1452 an die Stelle eines alten verwüsteten Kreuzes erbaut, ist zuvörderst das neue steinerne Kreuz, dann das große oder hohe Kreuz am Wienerberg, die Martersäule u. s. w. genannt worden. Da aber auch eine Säule vor Wiener-Neustadt aus dem Ende des 14. Jahrhunderts die Spinnerin am Kreuz heißt und diese Benennung im Rathsprotokoll der dortigen Stadt schon 1671 vorkommt, die Säule am Wienerberge den gleichen Namen, eigentlich den der Kreuzspinnerin, zuerst 1709 erhalten hat, so findet hier offenbar ein enger Zusammenhang statt und die Ursache der Benennung liegt in der äußeren Gestalt. Die Filigransteinverzierungen lassen die Säule nämlich wie mit Spinnenfäden überzogen erscheinen, und daher unterschied man sie von anderen Säulen durch den Namen Spinnerin, der von der feiner gearbeiteten Neustädter-Säule auf diese übertragen ist. (Vergl. auch C. F. Böheim's Beiträge zur Landeskunde unter der Enns). Die Spitze der Säule am Wienerberge ist übrigens nicht, wie gewöhnlich behauptet und geglaubt wird, im Niveau jener des Stephansthurmes gleich; sie befindet sich vielmehr nach M. L. Kraiatz's dreimaliger Nivellirung 30 Kl. 1 F. $1^2/_3$ Zoll, das ist

181.466 Fuß unter der Spitze jenes Thurmes.
(S. Blumenbach's neueste Länderkunde, Bd. 1.
S. 172).

3) Die Umgebungen von Wien sind frucht=
bar und reich an Naturschönheit. Dagegen ist das
Klima sehr veränderlich und der oft schnelle Tem=
peraturwechsel höchst empfindlich. Der Fremde ver=
meide daher im Sommer eine zu leichte Kleidung.
Im Durchschnitt ist die Luft mehr trocken als feucht
und der sich fast täglich gegen Mittag erhebende Wind
zwar unangenehm, für die Reinigung des Dunst=
kreises aber sehr wohlthuend. Nach zwanzigjähriger
Berechnung ist die mittlere Temperatur des Jah=
res in Wien 80.56 Reaumur; die größte Som=
merwärme beträgt in der Regel 25—27°, die
größte Kälte nicht über 19°.

4) Das Trinkwasser ist in den niedrig lie=
genden Stadttheilen, besonders in der Leopoldstadt,
nicht vorzüglich. Der Fremde trinke es daher anfäng=
lich mäßig, oder besser mit Wein gemischt.

5) Die Donau theilt sich eine Stunde von
Wien bei der Ortschaft Nußdorf in zwei Arme, die
unterhalb der Stadt sich wieder vereinigen. Einer
derselben, der Donaukanal genannt, scheidet die
Leopoldstadt von der übrigen Stadt und diesen müs=
sen alle Wien auf= und abwärts vorbeigehenden
Schiffe befahren.

Die Hauptbrücke über die Donau, welche
die Stadt mit der Leopoldstadt verbindet, ist die
1819 erbaute Ferdinandsbrücke, deren Mit=
telpfeiler aus Quadersteinen, in einem Senkkasten er=

richtet, ein Gewicht von 27,585 Centner hat. Ihr zunächst stromabwärts befindet sich die F r a n z e n s = b r ü c k e zur Verbindung der Vorstädte unter den Weißgärbern und der Leopoldstadt, deren 81 Ctr. schwerer Grundstein vielleicht der größte in Deutsch= lands Brückenbau ist. Aufwärts führt noch eine h ö l = z e r n e Brücke hinter dem sogenannten Schanzel über die Donau aus der Stadt durch die Augartengasse in die Leopoldstadt.

Zwischen diesen Brücken bestehen für Fußgeher zwei K e t t e n b r ü c k e n , die K a r l s = und S o = p h i e n b r ü c k e . Jene ist die erste Stahlkettenbrücke Wiens nach der Erfindung des Ferd. Edl. v. Mitis; diese, die Vorstadt Erdberg mit dem Prater ver= bindend und mit zwei Spannketten versehen, ist nach dem Plan des Ritters von Kudriafsky erbaut. Die Uebergangsgebühr für die Person ist 1 kr. K. M.

6) Ein an sich unbedeutender, im Wienerwalde entspringender, bei starken Regengüssen aber rei= ßender Bach, die W i e n , oder der W i e n f l u ß , durchfließt von Westen nach Norden einige Vorstädte und fällt unter den Weißgärbern in die Donau. Seine bisherigen, bei niedrigem Wasserstande sehr lästigen Ausdünstungen wurden durch die an den bei= den Seiten desselben angelegten Abzugskanäle ganz beseitiget.

Mehre Brücken und Stege über den Wienfluß verbinden die Stadt mit den Vorstädten und diese unter sich. Unter diesen ist der etwas schwerfällige K e t t e n s t e g in der Nähe des Theaters an der Wien von J o s e p h J ä c k e l ; die K e t t e n b r ü c k e , auch

mit Laſten zu befahren, zwiſchen den Vorſtädten
Wieden und Laimgrube von Ant. Kobauſch, und
die hübſche Bohlenbrücke bei Gumpendorf von
Ant. Behſel erbaut.

Dem Wienfluß ähnlich iſt auf der andern Seite
der Stadt der im Gebirge hinter Dornbach entſprin=
gende und in den Donaukanal ſich endende Al=
ſerbach.

7) Der Neuſtädterkanal (ſeit 1797) iſt von
der ungariſchen Grenze bei Pötſching über Wiener=
Neuſtadt (daher der Name) nach Wien gezogen, hat
auf der Oberfläche eine Breite von 28, auf dem Bo=
den 26 und in der Tiefe 4 Fuß, überhaupt auch
32 Schleuſen. Seine Länge beträgt etwas mehr als
8¼/₃ geogr. Meilen und ſeine Beſtimmung iſt, die
Zufuhr von Holz, Steinkohlen und Mauerziegeln
zu befördern. Er endet in einem Baſſin beim In=
validenhauſe und hat von dort einen Abfluß in den
Donaukanal.

8) Die Bevölkerung Wiens betrug im Mo=
nat Februar 1838: 349,032 Köpfe; und zwar Frauen
107,986; Männer 94,722; Fremde, d. i. nicht
Eingeborne 132,910; die Garniſon 13,414, über=
haupt alſo in Stadt und Vorſtädten, wie bemerkt,
349,032 Köpfe. Darunter befinden ſich gegen 800
Geiſtliche, über 3,300 Adelige, 5,000 Beamte, und
etwa 9,000 Gewerbsbeſitzer, Künſtler und Kunſt=
zöglinge. Die Zahl der ſämmtlichen Dienſtboten iſt
gegen 30,000.

9) Der Urſprung des Wiener Bürger=Mi=
litärs wird in die Zeit der türkiſchen Belagerung

Wiens im Jahre 1529 zurückgeführt. Ein ordentli=
ches Bürgerkorps entstand schon 1637; bestimmtere
Organisationen folgten später, besonders seit 1805,
und jetzt beträgt der Stand dieses Bürger=Militärs
mehr als 12,000 Mann.

10) Innerhalb der Linien Wiens sind über
6000 Pferde vorhanden, die des k. k. Hofes, der
Garden u. dgl. nicht eingerechnet, und etwa 1500
Kühe. Die Zahl der Hunde beträgt etwa 20,000.

11) Die Sterblichkeit ist in Wien, wie in
allen großen Luxusstädten, bedeutend, und das Ver=
hältniß wie 1 zu 24.

12) Die Konsumtion ist in Wien noch im=
mer groß, und steht, wie überall, im genauen Ver=
hältniß mit der Fruchtbarkeit des Bodens, dem
billigen Preise der Lebensmittel, dem leichten Er=
werbe und der verbreiteten Wohlhabenheit. Mit dem
allmäligen Versiegen dieser Quellen vermindert sich
auch die Konsumtion. Es war daher, wie oft ge=
schehen, eben so kindisch, dem Wiener eine über=
große Konsumtion zum Vorwurf zu machen, als ihn
dagegen zu vertheidigen. Im Durchschnitt verbraucht
Wien jährlich

Bier	350,000	Eimer.
Wein und Weinmost .	400,000	—
Brennholz, hartes, weiches und in Bürdeln .	100,000	Klafter.
Holz= und Steinkohlen .	130,000	Centner.
Eier . . .	42,000,000	Stück.
Hühner und Tauben .	8,000,000	—
Milch aus der Umgebung	8,200,000	Maß.

Der Fremde in Wien. 4. Aufl.   4

Ochsen, Kühe, Kälber bis 1 Jahr 180,000 Stück.
Gänse, Enten, Kapauner . 28,000 —
Lämmer, Spanferkel, Schafe . 100,000 —
Schweine und Frischlinge . 120,000 —
u. s. w.

In den Vorstädten Wiens bestehen 7 Brau=
häuser, in der Nachbarschaft mehre. Das Bier ist
aber weder wohlfeil noch von vorzüglicher Güte. Die
beste Gattung wird gegenwärtig im Brauhause des
Herrn Held in Liesing bei Wien erzeugt. Der un=
gemein große Verbrauch des Bieres ist wohl nur
durch das starke Tabakrauchen zu erklären.

Die Gebirge um Wien liefern auch die besten
Weinsorten, Weidlinger, Klosterneuburger, Grin=
zinger, Sievringer, Nußberger, Gumpoldskirchner,
alten Maurer, Brunner, Vöslauer. Die Land=
oder Donauweine (vom linken Ufer) sind wenig
beliebt; die aus Ungarn eingeführten Weine da=
gegen sehr feurig und selten mit Wasser zu mischen.
Die sogenannten Ausbrüche sind größtentheils
Fabrikate.

Wien hat noch keine Weinhalle, d. i. keinen
Vereinigungsort für österreichische und ungarische
Weine, um das In= und Ausland damit zu versor=
gen. Indeß ersetzt diesen Mangel einigermaßen das
stabile Lager von 6000 Eimern ausgezeichneter Weine
mit möglich billig festgesetzten Preisen des Alois
Schwarzer, Weinhändler en gros, Stadt, ho=
her Markt, Krebsgasse Nr. 510.

13) In Wien werden jährlich zwei Haupt=
märkte gehalten, der erste vom Montage nach

Jubilate, der andere vom Tage nach Allerheiligen, jeder von vierwöchentlicher Dauer, doch ohne besondere Bedeutung, außer daß die Fabriken alsdann im Kleinen verkaufen können und aus den Provinzen verschiedene Waaren, Gläser, Leinwand, Eisengeschirr u. dgl. eingebracht werden. Die Vorstadt Leopoldstadt hat aber auch noch im Juli einen eigenen 14tägigen Markt, und die Roßau zu gleicher Zeit einen großen Markt von Töpferwaaren und im September einen von Holzgeräthschaften. Der Pferde-, Körner-, Hafer-, Heu- und Strohmarkt wird an bestimmten Tagen, und der Gemüse-, Obst- (am Schanzel, Hof und Naschmarkt), Mehl-, Hülsenfrüchte-, Butter-, Eier-, Geflügel- und Wildpretmarkt täglich abgehalten.

14) Die herrschende Sprache in Wien ist die deutsche; neben derselben wird französisch, italienisch und böhmisch gleich stark, weniger englisch, polnisch u. s. w. gesprochen.

15) Die Staatsreligion in den k. k. österr. Staaten ist die römisch-katholische. Der Fürsterzbischof und das Metropolitankapitel haben ihren Sitz in Wien. Das Konsistorium ist in geistlichen und Disziplinar-Angelegenheiten die erste, jedoch der Landesregierung untergeordnete, Instanz.

Die Regular-Geistlichkeit in Wien besteht aus dem Stifte Schotten, aus 12 männlichen und 5 weiblichen Klöstern, unter welchen das der Redemtoristinnen (Klosterfrauen vom Orden des heiligsten Erlösers) seit dem 11. November 1830 konstituirt ist. Die männlichen Klöster zählen gegen

400, die weiblichen gegen 160 Individuen. Die Kurat=Geistlichkeit kann aus 170 Priestern bestehen, welchen die 29 Stadtpfarren nebst 19 Benefizien und Nebenkirchen zur Obsorge anvertraut sind.

Die einzige hochfeierliche Kirchenprozession in Wien ist die Frohnleichnam=Prozession am zweiten Donnerstage nach Pfingsten. Die regelmäßige Begleitung derselben vom Monarchen oder dessen Stellvertreter schreibt sich von Ferdinand II. 1622 her. Bei dem k. k. Hofe finden indeß noch zwei andere Feierlichkeiten Statt: die öffentliche Fußwaschung, welche I. I. M. M. selbst oder durch Stellvertreter am Gründonnerstage an 12 armen alten Männern und 12 dergl. Frauen verrichten, und die Feier der Auferstehung Christi am Charsamstage in der k. k. Burgkapelle, mit einer Prozession in Begleitung des a. h. Hofes auf dem inneren Burgplatz.

Die Zahl der Protestanten, gegen 10,000, und die der Griechen in Wien wird ziemlich gleich seyn. Jene haben ein eigenes Konsistorium. Weniger zahlreich sind die Juden, etwa 1600, und die Muhamedaner fast nur vereinzelte Erscheinungen.

16) Den Hofstaat Sr. M. des Kaisers bilden 4 oberste Hofämter, 8 Hofdienste, 3 Leibgarden, sämmtliche Orden= und Civil=Ehrenkreuze, die geheimen Räthe und wirklichen Kämmerer, die Truchsesse und die Edelknaben.

Die Obersthofämter sind dem Range nach:

der Oberſthofmeiſter, Oberſtkämmerer, Oberſthof=
marſchall und der Oberſtſtallmeiſter.

Die Hofdienſte ſind: der Oberſtküchenmei=
ſter, Oberſtſtabelmeiſter, Oberſtjägermeiſter, Ge=
neral = Hofbaudirektor, Hofbibliothekpräfekt, Hof=
muſikgraf und Oberſter = Ceremonienmeiſter.

Die Leibgarden ſind: die deutſche ade=
lige (Arcieren=), ſeit 1760, die älteſte und im
Range die erſte, durchaus gediente ausgezeichnete
Offiziere; die ungariſche adelige, ſeit 1764;
und die Trabanten=Leibgarde, ſeit 1767.
Dieſe Leibgarden haben ein eigenes Dienſtreglement
und leiſten insbeſondere Sr. M. den Eid der Treue.—
Die deutſche und ungariſche Leibgarde bezieht täglich
die Wache in dem Vorzimmer des Kaiſers; die
Trabantengarde beſetzt die äußeren Poſten der Burg.
Chef und Oberſter ſämmtlicher Garden iſt der jedes=
malige Oberſthofmeiſter Sr. M. des Kaiſers.

Die Beſtimmung der im Jahre 1802 errichteten
k. k. Hofburgwache iſt: in den inneren Gän=
gen der Burg Anſtand, Ordnung und Sicherheit
zu erhalten. Zu gleichem Zweck wird ſie auch in den
k. k. Luſtſchlöſſern Schönbrunn und Laxenburg ver=
wendet.

An Ritterorden zählt der öſterr. Kaiſer=
ſtaat:

1) den Orden des goldenen Vließes,
   geſtiftet 1430 von Philipp dem Guten;

2) den militäriſchen Maria-Thereſia=Orden, ſeit
   1757, mit jährlichen Penſionen von 160—600 fl.,

Commandeurs desselben mit 800 fl. und Groß=
kreuze mit 1200 fl. K. M.;

3) den von Maria Theresia 1764 gestifteten St.
Stephansorden für Civilbeamte und Geist=
liche;

4) den Leopoldsorden seit 1808 für Ver=
dienste um den Staat und das Haus Oesterreich;

5) den Ritterorden der eisernen Krone, seit
1816 Hausorden, mit gleicher Bestimmung;

6) die Elisabeth = Theresianische Mili=
tärstiftung seit 1750, erneuert 1771, für
langgediente Offiziere, die keine Gelegenheit
zur Auszeichnung im Felde gehabt haben, doch
wenigstens Oberste seyn müssen. Es sind dazu
21 bestimmt, wovon sechs jährlich 1000 fl., acht
800 fl. und sieben 500 fl. K. M. Pension ge=
nießen.

7) Das Civil=Ehrenkreuz von Gold und
Silber, zur Belohnung ausgezeichneter Ver=
dienste für den direkten Zweck des Krieges 1813
bis 1814 gegen Frankreich.

Die Zahl der geheimen Räthe über=
steigt 200, die der wirklichen Kämmerer beträgt
gegen 1700; k. k. Truchsesse sind 9; k. unga=
rische 22; wirkliche Edelknaben 6; unbesoldete
4; supplirende 3.

17) Die Gerichts= und Rechtsangele=
genheiten werden von den verschiedenen Gerichts=
stellen in drei Instanzen besorgt. Außerdem befin=
det sich in Wien eine genügende Anzahl von Hof=

und Gerichtsadvokaten, k. k. Hofagenten, Hofkriegs=
rathsadvokaten und Agenten u. s. w.

18) Der Magistrat in der Stadt Wien be=
steht seit 1199, und hat 1 Bürgermeister, 2 Vice=
Bürgermeister, mehr als 70 Räthe, die nöthigen
Sekretaire u. a. Beamte. Seine Sitzungen hält er
in der Wipplingerstraße Nr. 385, und besitzt auch das
Recht, eine Medaille von Gold, die s. g. St. Sal=
vator=Denkmünze, an Bürger und andere um
die Stadt Wien verdiente Personen vertheilen zu
können. Der Magistrat theilt sich in drei Senate,
in den politischen, Civiljustiz= und Kri=
minal=Senat; auch hält er in den Vorstädten
acht Gerichtsverwaltungen, neben welchen noch mehre
Grundherrschaften und Ortsobrigkeiten bestehen.

Der äußere Stadtrath zählt etwa 250 Mit=
glieder, meist Gerichtsbeisitzer und Armenväter zu=
gleich, oder Richter in den Vorstädten.

19) Das dem Magistrat untergeordnete Ober=
kammeramt besorgt die Einkünfte und die Aus=
gaben der Stadt Wien und des Magistrats; das
Unterkammeramt trifft Vorsorge für die gute
Beschaffenheit des Straßenpflasters, für Reinigung
und Beleuchtung der Stadt und für die Feuerlösch=
anstalten.

a) Das Straßenpflaster, ein schwarz=
grauer im Viereck behauener Granitstein, ist vor=
trefflich und mit demselben die ganze innere Stadt,
die Fahrwege über das Glacis und ein großer Theil
der Vorstädte versehen. Versuche mit der Asphalt=
pflasterung sind ebenfalls schon gemacht. Die

unterirdischen Kanäle, welche die Stadt durchschnei=
den und in die Donau einmünden, nehmen die Un=
reinigkeiten aus den Häusern durch Seitenkanäle und
den durch üble Witterung aufgehäuften Straßen=
schmutz auf. Dieser wird nämlich ungesäumt von
einigen hundert Tagelöhnern in die Mitte der Stra=
ßen zusammengekehrt, und in die dort befindlichen,
mit beweglichen eisernen Gittern versehenen, Kanal=
öffnungen eingeschwemmt, oder bei trockener Witte=
rung auf zweiräderigen Karren weggeführt. Im
Winter aber wird das Eis in den Straßen sorgsam
aufgehackt, zusammengeschaufelt und sogleich auf
Wägen aus der Stadt geschafft. Bei dieser muster=
haften Einrichtung wird die Reinigung der Stadt
mit unglaublicher Schnelligkeit bewirkt.

Zur Abwendung des Staubes werden in den
Sommermonaten die Trottoirs der Stadt, die
Hauptstraßen in den Vorstädten und selbst die Haupt=
allee des Praters täglich einige Mal mit Wasser
bespritzt. Das Aufspritzen in der Stadt war schon
in der letzten Zeit Friedrich's IV. in Gebrauch ge=
kommen, wurde aber durch eine Verordnung Kaiser
Joseph's II. 1782 förmlich eingeführt.

b) Für die Beleuchtung ist ebenfalls gut
gesorgt; sie erstreckt sich auf die innere Stadt, die
Bastei und auf Fußwege und Fahrstraßen auf dem
Glacis. Das Anzünden der Laternen erfolgt zu be=
stimmten Stunden und das Zeichen dazu wird mit
dem f. g. Laternenglöckel bei St. Stephan gegeben.
Ohne alle Ausnahme sind täglich gegen 4000 Later=
nen angezündet, die bis 2 Uhr früh und länger bren=

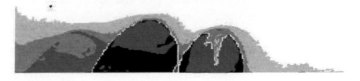

nen. In der Art der Beleuchtung wird stets nach Verbesserung gestrebt, und die in Wien bestehende Gesellschaft zur Beleuchtung mit Gas verbreitet allmälig ihre Röhren mit laufendem Gase durch die Stadttheile. Uebrigens wurde die Stadt Wien und die kaiserl. Burg zum ersten Mal 1588 (nach Tschischka's Beschreibung Wien's) beleuchtet, einer andern Angabe zu Folge die innere Stadt erst 1687, ganz am 4. Juni 1688, und die Wege auf dem Glacis 1777. Die Zahl 1588 ist wohl ein Druckfehler.

Die Vorstädte beleuchten auf eigene Kosten.

c) Die Trefflichkeit der Feuerlöschanstalten in Wien ist hinreichend bekannt. Jedes Haus muß die vorgeschriebenen Löschgeräthschaften besitzen. Eine gewisse Zahl von Feuerknechten, Rauchfangkehrern, von Pferden zur Bespannung der Spritzen u. s. w. ist stets in Bereitschaft. Jede entstandene Feuersbrunst wird vom Stephansthurme herab angezeigt. Seit 1836 ist daselbst ein Instrument, das Toposcop (Ortspäher) angebracht, durch welches der Thurmwächter in den Stand gesetzt wird, den Ort einer Feuersbrunst bei Tag und Nacht mit gleicher Sicherheit anzugeben. (Beschrieben von C. L. v. Littrow. Wien, Gerold, 1837. 8.) Die zum Löschen verwendeten Kosten entrichtet binnen drei Tagen das Unterkammeramt und zieht den Betrag innerhalb 4 Wochen vom Eigenthümer des durch den Brand beschädigten Hauses ein, dem dann der Anspruch an die schuldtragende Partei verbleibt.

20) In Wien sind zwei Brandschadenversicherungsanstalten vorhanden; die erste

österr. Versicherungsgesellschaft, Doro=
theergasse Nr. 1116, und die k. k. privilegirte
wechselseitige, obere Bäckerstraße Nr. 757.
Außerdem haben die Triester Versicherungsanstalt
gegen Feuerschäden auf Gebäude, Einrichtung, Waa=
ren, Vorräthe, Viehstand, Fahrnisse u. s. w. eine
Generalagentschaft hier in Wien bei D. Zinner u.
Comp., Köllnerhofgasse Nr. 739, und die Mai=
länder gegen Hagelschlag die ihrige Dorotheergasse
Nr. 1107. Die Generalagentschaft der k. k. privil.
Assecurazioni generali Austro-Italiche, Schul=
gasse Nr. 750, besorgt auch Versicherungen auf das
Leben des Menschen und auf Leibrenten.

21) Wien hat drei Gefängnisse: Das Mi=
litär=Stabsstockhaus, bei dem neuen Thore auf der
Elendbastei Nr. 199; das Polizeihaus für Polizei=
übertreter, böse Schuldner und Bankerottmacher,
am hohen Markt (im Lokale des bisherigen Civil=
Kriminalgefängnisses), und das neue Civil=Kriminal=
gefängniß, in der Alservorstadt, am Eck der Hauptstraße.

In Verbindung mit der Polizei= und Kriminal=
einrichtung steht:

a) das Zwangsarbeitshaus, Windmühl
Nr. 17, 1804 errichtet, zur Beschäftigung müßiger
und bettelnder Leute auf so lange, bis sie als nütz=
liche Glieder in das bürgerliche Leben zurücktreten
können. Die mit dem Arbeitshause verbundene Bes=
serungsanstalt ist für junge Leute beiderlei Geschlechts
bestimmt, um sie durch zweckmäßige Mittel, jedoch
unter Beobachtung vorgeschriebener Förmlichkeiten,
von betretenen Abwegen zurückzuführen.

b) Das Provinzial=Strafhaus (Zucht=
haus), Leopoldstadt Nr. 231, eine 1671 errichtete
Arbeitsanstalt für Personen beiderlei Geschlechts, die
wegen Vergehen oder Verbrechen abgeurtheilt sind,
musterhaft eingerichtet und auch von Fremden, Sonn=
und Feiertage ausgenommen, zu besichtigen. Ein=
trittskarten werden nachgesucht im Gebäude der k. k.
Polizei=Oberdirektion bei der Ober-Inspektion des
Strafhauses.

22) Die vielen in Wien befindlichen Fabriken
und Werkstätten werden unterschieden in lan=
desprivilegirte Fabriken, in einfache Fa=
briksbefugnisse und in noch zünftige Meister=
rechte. Die zahlreichen außerdem noch bestehenden
ausschließlichen Privilegien gelten für eben
so viele Fabriksbefugnisse. Nach den Listen des Steuer=
amtes üben hier über 6500 Bürger und etwa 5000
zur Arbeit für eigene Rechnung Befugte ihre Ge=
werbe aus; darunter gegen 1600 Schneider, 1800
Schuster, gegen 900 Tischler und Weber, gegen 200
Putzmacherinnen u. s. w.

23) Wien ist auch der Haupthandelsplatz
der österr. Monarchie, dessen Wechselgeschäfte sich
über ganz Europa verbreiten. Es gibt hier Groß=
und Klein= oder Detailhandlungen, beide
wieder in verschiedene Klassen geschieden. Mehre
Großhändler sind zugleich Wechsler.

Die Zahl der Handlungen aller Art in
Wien, die vermischten Waarenhandlungen eingerech=
net, ist etwa 830; die der eigentlichen Kräme=
reien etwa 150; der bürgerlichen Hand=

l u n g s r e ch t e auf einzelne Artikel über 1200, und der darauf Befugten mehr als 3000. Unter den beiden letzten Klaſſen befinden ſich 100 Fleiſchhauer, 70 Fleiſchſelcher, 450 Milchmeier, über 9000 Victualienhändler, gegen 900 Wirthe u. ſ. w.

Aus den Provinzen haben etwa 100 Fabriken ihre Niederlagen in Wien, und dann ſind auch noch zu erwähnen einige hundert Hauſirer, zu welchen man füglich die Käſe= und Salami=Männer, die mit Pomeranzen, Zitronen und Feigen herumwandernden Gotſcheer, die Bandel= und Zwirnmänner, die Leinwandmänner (Slovaken aus Ungarn von den Karpathen = Gegenden), die Zwiebeln und Kinderſpielzeug feilbietenden Weiber von dort zählen kann, und eine große Zahl (über 600) von Ständ= chenbefugniſſen, wohin auch die ſogenannten Fratſchlerinnen gehören.

24) Die k. k. Börſe, errichtet 1771, Weihburggaſſe Nr. 939 iſt täglich von 11—1 Uhr geöffnet, mit Ausnahme der Sonn= und Feiertage, des Faſchingdienſtags und Gründonnerſtags. Der Eintritt ſteht Jedem offen, der nicht ein Minderjähriger, Kridarius oder erklärter Verſchwender iſt. Hier werden jene Geſchäfte geſchloſſen, wobei es auf Kauf, Verkauf und Austauſch von Staatspapieren und förmlichen Wechſelbriefen ankommt. Der größeren Sicherheit wegen wende der Unkundige ſich an einen der beſtellten Börſeſenſale. Ueber den täglichen Kurs der Staatseffekten erſcheint an jedem Nachmittag im Börſegebäude ſelbſt ein Kurszettel, der am nächſtfolgenden Tage in der k. k. priv. Wienerzeitung

abgedruckt ist. Die von sogenannten Geldnegotian=
ten aller Art gebildete **Vor=** und **Nachbörse,** im
Kaffeehause Nr. 834, Grünangergasse, verdient des
charakteristischen Treibens wegen, die Beachtung eines
jeden Fremden.

.25) Die **privilegirte österreichische
Nationalbank,** Herrengasse Nr. 31, besteht seit
1816, hat vier Abtheilungen: die Zettel=, Eskompt=,
Hypothekenbank, und die Verwaltung des Tilgungs=
fonds, und ist als Privatinstitut das vollständige
Eigenthum der Aktionäre, weil sie durch Einlagen
oder Aktien gegründet wurde. Sie besorgt die Ein=
lösung und Vertilgung der noch vorhandenen Wie=
nerwährung und der verzinslichen Staatsschuld. Ihre
Zahlungsanweisungen heißen **Banknoten zu 5,
10, 25, 50, 100, 500, 1000 fl. K. M.**, und wer=
den im Verkehr überall als bares Geld angenom=
men, oder von der Bank selbst auf jedesmaliges
Verlangen nach dem vollen Metallwerthe ausgewech=
selt. Den sehr ausgedehnten Kreis der Wirksamkeit
dieser Nationalbank ersieht man am besten aus der
am Schlusse eines jeden Jahres veröffentlichten Be=
richterstattung.

26) Die **Garnison** von Wien beträgt über
14,000 Mann; doch ist ihre Zahl von Umständen
abhängig. Zeitweise erfolgt auch die Ablösung durch
andere Truppen aus den Provinzen. Das zweite
Feldartillerie = Regiment und das etwa 1000 Mann
starke Bombardierkorps, die eigentliche Pflanzschule
der Artillerie=Offiziere, bleiben immer in Wien.

Die innere Stadt ist von jeder **Militär=Ein=**

5

quartierung und von Durchmärschen befreit, weil sie auf eigene Kosten zwei Kasernen hat erbauen lassen. In Beziehung auf den Durchmarsch macht das Regiment Graf von Hardegg (einst Dampierre) allein eine Ausnahme wegen der bekannten Befreiung Ferdinand's II. in der von den Aufrührern bestürmten Burg. Es hat sogar das Recht, alsdann auf dem Burgplatz eine Werbung zu halten. — Die Vorstädte aber genießen bei Truppenmärschen diese Freiheit nicht.

Die geräumigsten Kasernen sind: die große Infanteriekaserne, Alservorstadt Nr. 196, mit 3 Stockwerken, 7 Höfen, und über 6000 Mann fassend; die des Bombardierkorps und des 2. Artillerie-Regiments auf dem Rennwege (Landstraße) an der St. Marxer-Linie, mit großen Höfen und vielen Unterrichtsfälen; die Kavalleriekaserne in der Josephstadt, Kaiserstraße Nr. 168, und jene in der Leopoldstadt Nr. 149.

27) Alle gewöhnlichen Lokal-Polizeiangelegenheiten besorgt die k. k. Polizei-Oberdirektion, Stadt Nr. 561. Die innere Stadt ist in vier Polizei-Bezirke eingetheilt, und jedem derselben steht ein Polizei-Oberkommissär vor. Letztere befinden sich im Gebäude der Polizei-Oberdirektion. Die Vorstädte sind in 8 Bezirke geschieden, deren jeder einen Polizei-Bezirksdirektor an der Spitze hat. Die Polizei in Wien unterhält übrigens eine militärische Wache von etwa 600 Mann zu Fuß, und 50 zu Pferde, in hechtgrauer Uniform mit grünen Aufschlägen, einem Csako oder Helm, und einer nu-

merirten Patrontasche. Sie sind zur Bewahrung der Ordnung an verschiedenen volkreichen Plätzen und Straßen aufgestellt, auch an Orten, wo öffentliche Schauspiele, Feierlichkeiten u. dgl. stattfinden. Die berittene Polizei wird noch zu nächtlichen Patrouillen verwendet. Die Bezirks = Polizeidirektionen haben außerdem eine auf ähnliche Art gekleidete Civil= Polizeiwache, aber ohne Csako und Patrontasche.

28) In den Vorstädten besorgen die Grund= gerichte das Lokal=Polizeiwesen und die Verwal= tung des Gemeindevermögens. Die Grundrichter, die Beisitzer und die Gemeindeausschüsse werden von den Hauseigenthümern gewählt, der besoldete Ge= richtsschreiber aber und die ebenfalls uniformirten Grundwächter, die ihre Diensttauglichkeit nachzu= weisen haben, von der Bezirks=Polizeibehörde in Eid und Pflicht genommen.

VIII.

Merkwürdigkeiten im Innern der Stadt.

1) **Thore.** Die Stadt Wien hat 12 Thore. Neun derselben sind für die Wagenfahrt, drei für die Fußgeher bestimmt, nämlich das Karolinen=, Schanzel= und Josephstädter=Thor. Ein Durchgangs= thor befindet zur Aushülfe sich noch zur Seite des Rothenthurmthores.

Das neue Burgthor ist ein schönes Bauwerk dorischer Ordnung, mit 3 Durchfahrten und 2 Bogen für Fußgeher. Die Länge des Mittelgebäudes ist 14 Klafter, 4 Schuh; die Gesimshöhe 9, die Attika 7. Den Plan entwarf der k. k. Hofbaurath Peter Nobile. Diesem Thore zunächst liegen die Vorstädte Mariahilf, Spittelberg und Josephstadt; der Weg aus demselben führt nach Oberösterreich, Baiern u. s. w.

Vor dem neuen und dem alten Kärntnerthor liegen die Vorstädte Laimgrube und Wieden, durch welche der Weg nach Steiermark, Kärnten und Italien führt.

Aus dem Stubenthor gelangt man durch die Vorstadt Landstraße nach Ungarn; durch das Rothenthurmthor (ursprünglich Rottenthurm, von Maximilian I. 1511 erbaut, weil da die Rotten (Kompagnien) sich versammelten) über die Ferdinandsbrücke durch die Leopoldstadt nach Böhmen, Mähren, Schlesien u. s. w. Das sogenannte Mauththor dient den Wägen zur Einfahrt in die Hauptmauth über das Glacis, das Neuthor und Fischerthor zur Verbindung mit einigen Vorstädten, und aus dem Schottenthor kommt man in die Alservorstadt, Währingergasse und in die Roßau. Dieses Thor, welches kürzlich noch mehre Gebäude auf der Bastei trug, ist von denselben befreit worden, und wird eben neu aufgebaut.

2) Straßen und Gassen. Diese willkürlich angenommene Benennung bezeichnet keine eigentliche Verschiedenheit. In der Stadt beträgt ihre Zahl 127,

die Namen sind an den Eingangsecken bemerkt. Die längsten derselben sind die Kärntnerstraße und die Herrengasse, jedoch auch nicht in gerader Linie fortlaufend und in der Breite beschränkt.

3) Oeffentliche große Plätze findet man 9 in der inneren Stadt; kleinere 10. Der Parade= oder äußere Burgplatz ist der größte und regelmäßigste (nicht der Hof) vor dem alten Burgthor, 164 Wiener=Klafter lang, 110 Klafter breit, mit doppelten Baumreihen, Abends mit 150 Laternen beleuchtet. Sein Flächeninhalt hat 18,040 Quadratklafter. An der einen Seite ist der Volks= garten, an der entgegen gesetzten der k. k. Hof= garten.

Der innere Burgplatz, begränzt von der Burg und der vormaligen Reichskanzlei, ist ein längliches Viereck, 59 Klafter lang, 35 Kl. breit.

Der Hof, so genannt, weil dort Heinrich Ja= somirgott die erste Burg erbaute, ist 71 Kl. lang, und 30—52 Kl. breit. Die metallene Säule der h. Maria, in der Mitte des Platzes, mit den Figuren 205 Centner schwer, wurde 1667 von Balthasar Herold, die Statuen aus weichem Metall auf den Seitenbrunnen von Martin Fischer 1812 ge= gossen, und die Brunnen selbst sind eine Arbeit Mathielly's.

Der hohe Markt, ein längliches Viereck, 68 Kl. lang, 18—24 Kl. breit, zeigt in einem mar= mornen Denkmal die Vermählung des heil. Joseph mit Maria im Tempel, gestiftet von Kaiser Karl VI. 1732. Den Tempel verfertigte der berühmte Archi=

rühmte Ar.

tekt Fischer von Erlach, die Figuren Anton
Coradini aus Venedig. Das vorzüglich gute Was=
ser der beiden Springbrunnen ist von dem Dorfe
Ottakring hergeleitet.

Der Graben, zwischen dem Stephansplatz
und Kohlmarkt, eigentlich eine etwa 90 Kl. lange
und 16 Kl. breite Straße, ist mit einer Dreifaltig=
keitssäule geziert, aus weißem Salzburger=Marmor,
66 Schuh hoch, von Kaiser Leopold I. (1693) zur
Erinnerung an die in Wien 1679 geherrschte Pest
gestiftet. Die Zeichnung besorgte Oktavian Bur=
nacini, die Ausführung angeblich Fischer von
Erlach; die Gruppen am Fußgestell verfertigten
die Bildhauer Strudel, Frühwirth u. Rauch=
müller. Richtiger jedoch ist wohl die Bemerkung
in der österreichischen Zeitschrift für Geschichts= und
Staatskunde (1835. Nr. 5), daß die Brüder Paul
und Dominik Strudel diese Säule ausgeführt
haben. Wenigstens Rauchmüller konnte nur Re=
paraturen bewirken, da er erst um 1780 in Thätig=
keit war. Die Statuen des heil. Joseph und Leopold
auf den beiden Brunnen daselbst sind ein Werk des
Prof. Martin Fischer vom Jahre 1804.

Auf dem Neuen Markt (Neumarkt, Mehl=
markt), 85 Kl. lang, 14—31 Kl. breit, wurde der
1630—31 errichtete Springbrunnen am 4. Novemb.
1739 mit einem geräumigen Bassin von Stein
und mit schönen Figuren aus Bleikomposition, ge=
gossen von Rafael Donner, umgeben. In der
Mitte steht die sinnbildliche Figur der Vorsehung;

die Figuren auf dem Rande stellen die vier österr. Flüsse vor: die Enns, Yps, March und die Traun.

Der Josephsplatz, 13 Kl. lang, 32–43 Kl. breit, ziert die Statue Kaiser Joseph's II. zu Pferde, die der verewigte Kaiser Franz I. dem Andenken seines Oheims, qui saluti publicae vixit non diu sed totus (nach der Inschrift), widmete. Statue und Pferd sind vom Prof. Franz von Zauner, jene 1800, dieses 1803 trefflich gegossen. Die Höhe des Pferdes vom vorderen Standfuße bis über die Kopfmähne ist 2 Kl. 1' 3''; die Länge 2 Kl. 2' 3''. Die Figur des Kaisers würde stehend 13¼ Schuh hoch seyn. Das Monument wurde 1805 aufgestellt, und dessen gesammte Höhe beträgt 5 Kl. 3' 8''. Das Fußgestell aus schwarzgrauem Granit ist mit Inschriften an der vorderen und hinteren Seite, und an den beiden andern mit zwei Basreliefs aus Metall versehen, den Ackerbau und Handel darstellend. Die vier Eckpilaster zeigen 16 kleinere Basreliefs, nach wirklichen Münzen gearbeitet, welche auf die denkwürdigsten Ereignisse unter Kaiser Joseph's Regierung geprägt sind.

Der St. Stephansplatz, vormals ein Kirchhof (Stephansfriedhof), umschließt die berühmte Stephanskirche, welche hier am besten zu übersehen ist, wenn man dem Haupt- oder Riesenthor gegenüber stehend, an den Seitenhäusern rechts und links wechselnd sich fortbewegt. Der Thurm aber (jetzt einer großartigen Ausbesserung unterliegend) erscheint in der Abendbeleuchtung und besonders bei mondhellen Nächten am ergreifendsten.

56

Mit dem Stephansplatz in Verbindung steht der **Stock im Eisenplatz**, so genannt von einem 7 Schuh hohen Baumstamme, der mit einem eisernen Bande an die Mauer des Hauses Nr. 1079 befestigt und mit einem Schlosse versehen ist, welches mit Hülfe des Teufels als nie aufsperrbar ein Schlosserlehrling verfertigt haben soll. Von wandernden Schlossergesellen ist dieser Baumstamm ganz mit eingeschlagenen Nägeln bedeckt, an sich aber nebst dem Stephansthurm das wichtigste **Wahrzeichen** von Wien, wozu auch noch der große Schlußstein des Neuthores am Salzgries gezählt zu werden pflegt. Einer andern Sage zufolge soll bis zu diesem Stamme sich in früher Zeit der Wienerwald erstreckt haben.

Die übrigen kleineren Plätze bieten außer dem **Franziskanerplatz** nichts Merkwürdiges; der Brunnen auf diesem aber ist mit einer schönen Statue Moses, Wasser aus dem Felsen schlagend, aus weichem Metall vom Professor Martin **Fischer** versehen.

4) **Paläste und ausgezeichnete Gebäude.** Unter diesen steht die k. k. **Hofburg** oben an, von der kaiserlichen Familie bewohnt. Der östliche Theil ist schon im 13. Jahrhundert erbaut. In seiner Mitte liegt der **Schweizerhof**, der den Namen von der ehemals hier bestandenen Schweizerwache führt. Beachtenswerth daselbst sind die schöne und kühn gebaute **Botschafter-** und die **fliegende Stiege** nach Jadot's Zeichnung. Im Mittelgebäude nach Süden befinden sich die großen **Säle** zu den Hoffeierlichkeiten und der prachtvolle gegen die Bastei

ausſpringende Ritterſaal (ſeit 1805). Die k. k. Burgwache iſt neben dem inneren Durchfahrts= thor. Der weſtliche Theil der Burg heißt der Ama= lienhof, nach der Kaiſerin Amalie, Joſeph's I. Witwe. Die innere Einrichtung der Burg iſt unge= mein koſtbar.

Der Burg gegenüber ſteht eines der ſchönſten Gebäude, die ehemalige Reichskanzlei, erbaut von Fiſcher von Erlach 1728 *). In einem ihrer Säle ſieht man drei enkauſtiſche Gemälde von Pe= ter Kraft, Scenen aus dem Leben Kaiſers Franz I. darſtellend. Die ſteinernen Gruppen an den beiden Thorbogen ſtellen vier bekannte Arbeiten des Herku= les vor, und ſind von Lorenz Mathielli gearbeitet.

Dem öſtlichen Theile der Burg angebaut, mit dem Haupteingang vom Joſephsplaß, iſt die k. k. Reitſchule, vielleicht die ſchönſte in Europa, un= ter Kaiſer Karl's VI. Regierung ausgeführt nach dem Plane Fiſcher's von Erlach 1729. Oeffentlicher Eintritt an Wochentagen von 11—1 Uhr Mittags.

Der Palaſt des Erzherzogs Karl auf der Baſtei Nr. 1160, neben und hinter dem Auguſti= nerkloſter.

Die k. k. geheime Hof= und Staatskanzlei, Ballhausplaß Nr. 19.

---

*) Fiſcher von Erlach ſtarb 1724. Wird daher ſein Name bei ſpäter vollendeten Bauwerken genannt, ſo bezieht derſelbe ſich auf die von ihm entworfenen Pläne. Sein Taufname war Johann, der ſeines Sohnes Joſeph Emanuel.

Der Palast des Erzherzogs Franz von Modena, Herrengasse Nr. 27, und der gegenüber stehende Palast des Fürsten Liechtenstein Nr. 251.

Das seit 1513 bestehende Niederösterreich. Landschaftshaus, daselbst Nr. 30, jetzt prachtvoll neuerbaut, mit, wie glaubwürdig versichert wird, Beibehaltung des großen Saales, dessen schöne Freskogemälde von dem Jesuiten-Frater Andr. Pozzo verfertigt und von Ant. Palluzzi (Balluzzi) restaurirt sind. Die Decke der Rathsstube ist ein Meisterwerk der Holzschneidekunst.

Das Gebäude der k. k. priv. Nationalbank, daselbst Nr. 34, und der prachtvolle Schottenhof an der Freiung, auch der Melkerhof, dem Schottenhof Nr. 103 gegenüber.

Das Majoratshaus des Fürsten Liechtenstein, vordere Schenkenstraße Nr. 44, von Dominik Martinelli durch den Baumeister Alex. Christian aus Innsbruck erbaut.

Die königl. Siebenbürger- und die königl. Ungarische Hofkanzlei, daselbst Nr. 47. 48.

Das Gebäude des Hofkriegsraths, am Hof Nr. 421, und das bürgerliche Zeughaus daselbst Nr. 322.

Die k. k. vereinigte Hofkanzlei, Wipplingerstraße Nr. 381.

Das Magistratsgebäude, das. Nr. 385. Die Plafondmalerei im Rathssaale ist von Michael Rottmayr; die lebensgroßen Bilder österreich. Regenten, von Karl V. an, von verschiedenen Mei-

ſtern; der Springbrunnen im Haupthofe zeigt An=
dromache's Befreiung durch Perſeus, Meiſterwerk
aus weichem Metall von Rafael Donner.

Der k. k. Hofkammerpalaſt (Münzamt),
erbaut von Fiſcher von Erlach, Himmelpfortgaſſe
Nr. 916.

Der zweite Hofkammerpalaſt, Johan=
nesgaſſe Nr. 971.

Das herzogl. Savoyiſche Damenſtift,
daſelbſt Nr. 976, mit einer Statue der unbefleckten
Empfängniß Mariä, die Samaritanerin und Chri=
ſtus, von Franz Meſſerſchmidt. Das Steinbild
gegenüber an der Rückſeite des kleinen Mariazeller=
hofes vom Jahre 1482 ſtellt das Modell der Kirche
dar u. ſ. w.

Mehre andere Paläſte und ausgezeichnete Bau=
werke wird der Fremde beim Beſuche der weiter
unten erwähnten Gärten, der Kunſt= und wiſſen=
ſchaftlichen Anſtalten zu bemerken Gelegenheit haben.

Die größten Häuſer in der Stadt ſind
das ſogenannte Bürgerſpital, am Kärntner=
thortheater Nr. 1100, und Trattner's Frei=
hof, am Graben Nr. 618. Jenes hat 10 Höfe, 20
Stiegen, gegen 200 Wohnungen, mehr als 1000
Einwohner, und einen jährlichen Zinsertrag von
beinahe 80,000 fl. K. M.; dieſer: 5 Stockwerke,
4 Höfe, 59 Wohnparteien, mehr als 300 Einwoh=
ner, und einen jährlichen Miethsertrag von mehr als
40,000 fl. K. M. Er wurde von Peter Mollner
erbaut, und die Statuen an den Thoren ſind von
Tobias Koegler gearbeitet. Durch Größe zeichnet

sich noch aus das vor einigen Jahren erbaute Graf Bellegardische Haus, Landskrongasse Nr. 543.

Das höchste Haus in Wien ist das zur großen Weintraube, am Hof Nr. 329; vom tiefen Graben angesehen zeigt es sieben Stockwerke.

5) Kirchen, Klöster, Kapellen und Bethäuser in der Stadt.

1. Die Metropolitankirche zu St. Stephan *) ist ein Meisterwerk altdeutscher Baukunst, gegründet vom Herzog Heinrich II., Jasomirgott genannt, i. J. 1144, wahrscheinlich durch den Baumeister Octavian Falkner aus Krakau. Der Bau in heutiger Gestalt wurde 800 Jahre später vollendet.

Die Kirche, durchaus von Quadersteinen, ist 55 Kl., 3' lang, und enthält in der größten Breite 37 Klafter; die äußere Mauer hat eine Höhe von 13 Kl., 1', und an derselben steigen 31 Glasfenster, jedes mit 192 Tafeln in 48 eisernen Rahmen zum Gewölbe auf, dessen Gesimse mit jenen bei altdeutschen Bauwerken oft wiederkehrenden Thiergestalten mit seltsamen, auch menschlichen, Köpfen umgeben ist, und mit zwei Riesendächern, deren Zimmerwerk über 2900 Baumstämme erfoderte, geschirmt wird. Das erste, aus der Zeit Rudolph's IV. ist 17 Kl., 3', 6''; das zweite unter Kaiser Friedrich III., ohne Zweifel vom Meister Erhart aus Wien erbaut,

*) Vergleiche Franz Tschischka, der Stephansdom in Wien u. s. w. Wien, 1832. Folio.

11 Kl. 1' hoch. Die inneren und äußeren Verzierungen der Kirche wurden von Heinrich Kumpf
aus Hessen und von Christoph Horn aus Dünkel-
spül gearbeitet.

Die Kirche hat fünf Eingänge; das Haupt-
oder Riesenthor befindet sich an der Vorderseite
mit vielen, selbst abenteuerlichen Verzierungen, in
dem Portal das Steinbild des Erlösers und Skulp-
turarbeiten in den Vertiefungen. Die beiden Thürme
an der Vorderseite (Heidenthürme) sind 33 Kl.
4' hoch, wohl aus der Mitte des 12. Jahrhunderts.
Im Innern der Thürme hängen 6 Glocken, deren
größte von Franz Scheichel aus Wien, 1772 gegossen, 81 Centner wiegt.

An den Umfangsmauern der Kirche sind beachtenswerth: der Grabstein des Riemermeisters Joh.
Siegenfelder von 1517 bei dem Eingange unter dem hohen Thurme, und des Kirchenmeisters
Johann Straub, gest. 1540, beide den Abschied
Jesu von seiner Mutter darstellend; der, leider ver-
stümmelte, Kreuzweg nach Golgatha von
1533; die kürzlich restaurirte steinerne Kanzel,
gegen den Bischofshof, auf welcher der h. Capistran
an 28 Tagen 1541 predigte, und zunächst des Adlerthors
unter dem nicht ausgebauten Thurm, das Grabmal
des bekannten Gelehrten und Dichters Protucius
Celtes (Konrad Pickel), gest. 1508.

Neben dem Eingange in die Halle zunächst der
Kreuzkapelle sieht man ein schönes Eccehomo-
Bild von 1625, im Innern der Kapelle eine Ge-
heimschrift Rudolph's IV. (hier ist begraben von

6

Gottes Gnaden Rudolph der Stifter), und ein treff=
liches Steinbild, der Tod und die Krönung Mariä.

Der Hochaltar ist ein Werk des Bildhauers
Johann Bock, das Altarblatt von seinem Bruder
Tobias Bock. Dem schönen Marmorportale der
Sakristei gegenüber, zur Linken des Hochaltars,
befindet sich die sehenswerthe Schatzkammer;
an beiden Seiten des hohen Chors sind sehr künst=
liche, vielleicht von Jörg Syrlin (Sürlin),
aus Ulm oder dessen Sohn, gegen Ende des 15. Jahr=
hunderts geschnitzte Chorstühle. Beide hatten durch
ihre Bildhauerarbeiten im südlichen Deutschland sich
großen Ruf erworben und der Vater war in Wien
gestorben. Jede Chorseite enthält 20 Vorder= und
23 Rücksitze, bei welchen der architektonische Theil
der Hinterwand ganz besonders ausgezeichnet ist.

Der Carlo=Borromeo=Altar hat ein
Gemälde von Rottmayr; der große Frauen=
altar die Himmelfahrt Mariä von Tobias Bock;
der des heil. Anton von Padua ein Gemälde
von Mich. Angelo Unterberger, und der Pas=
sionsaltar die Kreuzigung Christi von San=
drart. Neben dem Frauenaltar steht das Ceno=
taphium Rudolph's IV. und seiner Gemalin
Katharina, aus Sandstein von einem unbekannten
Künstler zu Anfange des 15. Jahrhunderts, und vor
dem Passionsaltar der prachtvolle Sarkophag
Kaiser Friedrich's IV., gest. 1493, das größte
Meisterwerk damaliger Zeit, aus Salzburger=Mar=
mor mit mehr als 210 Figuren geziert, unter Mit=
wirkung einiger andern Künstler von dem Straß=

burger **Nikolaus Lerch 1513** verfertigt. Die
Länge des Sarkophags beträgt 12' 8''; die Breite
6' 4''; die Höhe 5'. Das den Sarkophag umgebende
Marmorgeländer eingerechnet, ist die ganze Länge des
Denkmals 19' 2'', und die Breite 11' (sic) 2''.
Die auch hier als Denkspruch Friedrich's erscheinen=
den Buchstaben A. E. I. O. V. hat der rühmlichst be=
kannte Schriftsteller Emil in Wien aus den Archiv=
akten der k. k. Hofkanzlei also erklärt: »Friedrich
(III. IV. V., je nachdem Friedrich der Schöne oder
Friedrich von Braunschweig als deutscher Kaiser auf=
geführt werden) ließ die fünf Selbstlauter auf der
in Wien neu erbauten Burg eingraben, als er mit
seinem Bruder Albrecht und dem Grafen von Cilly
in Streit lebte und erklärte sie, als darunter die
boshafte Bemerkung gefunden wurde: Aller Erst Ist
Oesterreich Verdorben, mit: En! Amor Electis,
Injustis Ordinat Vltor. Sic Fridericus ego rex
mea jura rego; deutsch nach der alten Urkunde:
Sehet ich bin geordnet lieb den erwellten und ver=
her den ungerechten, also regier Ich kunig Fridrich
mein recht.« (Oesterr. National=Encyklopädie. Heft
1. Wien 1835.) Friedrich hatte übrigens dieses Buch=
stabenräthsel 1437 in sein Tagebuch eingeschrieben,
doch wurde es bei der Wahl Albert's (V.) II., ein Jahr
später (1438), zum römischen Kaiser als Devise be=
nutzt, und die Auslegung veranlaßt: Albertus
Electus Imperator Optamus Vivat.

Das große **Basrelief**, die Krönung Mariä
von der heil. Dreifaltigkeit, ist hier besonders deß=
halb merkwürdig, weil die drei göttlichen Personen

*

...eren ganz gleich abgebildet sind, eine in ...heit und Einheit Gottes begründete und ...ungewöhnliche Darstellung.

Die Wände und Pfeiler der Unterkirche zeigen ...Bilder von Rottmayr, Gries, Unter= ...r u. A.; von vorzüglichem Werthe sind je= ...Altomonte's Gemälde in der oberen, und ...Stucco-Arbeit in der unteren Sakristei.

Dem Mittelpfeiler jener das Mittelschiff von der ...Seite trennenden Reihe ist die herrlich ver= ...Steinkanzel angebaut. Aus ihren vier ...durchbrochenen Vertiefungen sehen lebensgroß ...Kirchenlehrer hervor und die schlanken Zwi= ...feiler sind mit kleinen Heiligenbildern geziert. ...ig 6 Zoll hohe Statuen umgeben den Kanzel= ...und in den Abtheilungen des spitzigen Daches ...die sieben Sakramente bildlich dargestellt. Die ...dieses bewunderungswerthen, durch die geschick= ...Steinmetzen Andreas Grabner und Peter ...Nürnberg, nebst Anderen, 1430 verfertigten ...werkes beträgt 27', 6''.

Das unter der Kanzel befindliche Brustbild ...Stein, welches im vergrößerten Maßstabe am ...des alten Orgelchors bei dem St. Peter= ...Paulaltare nochmals erscheint, glaubt Tschisch= ...auf alte Kirchenrechnungen gestützt, nicht auf ...Pilgram aus Brünn, sondern auf Hans ...chsbaum, unter dessen Leitung die Steinkan= ...vollendet und der Bau des oberen Kirchtheils ...t wurde, beziehen zu müssen.

...den vier Kapellen des Doms enthalt

die Kreuzkapelle das Grabmal des Prinzen Eugen von Savoyen und des General=Feldmarschalls Emanuel aus der Familie dieses Prinzen. Außerhalb des Kapellengitters, an der linken Kirchenseite ist das schöne Denkmal des Geschichtschreibers Johann Cuspinian (Spießhammer), gest. 1529, und über die Kapelle erheben sich zwei andere, die des Johann des Täufers und des heiligen Bartholomäus.

In der Barbarakapelle ist das treffliche Altarblatt von Altomonte; das in der Katharinenkapelle neben dem ausgebauten Thurm von Schmidt dem Aelteren (Mart. Joachim). In letzterer steht noch ein ausgezeichnetes Kunstwerk von 1481, nämlich ein Taufstein in Gestalt eines zwölfeckigen Beckens, 5 Schuh im Durchmesser, äußerlich umgeben von den Figuren der Apostel. Die Ueberreste alter Glasmalerei aus der zierlichen Bartholomäuskirche, deren Gemälde auf dem Flügelaltar schön, und aus Albrecht Dürer's Zeit sind, erblickt man in den Fenstern ober den Eingängen des hohen Thurmes und in einigen Kapellen.

Die schönste Kapelle im Dom ist unstreitig die Eligiuskapelle mit ihren großen Fensterbogen und dem Rosenfenster; sie hieß ehemals die Taufkapelle.

Ober dem Riesenthor befindet sich der große Musikchor und die 1720 von Georg Neuhauser gestiftete Orgel mit 32 Registern. Von hier ist der Anblick der Kirche am großartigsten. Den zweiten Musikchor, dem kaiserlichen Oratorium gegenüber, ziert eine vorzügliche Orgel von Ferdinand Römer.

Rudolph IV., der Stifter genannt, veranlaßte sowohl die Umgestaltung der Kirche in die jetzige Form, als auch den Aufbau des riesenhaften Thurms, zugleich eines der schönsten in Europa. Nach Tschischka's Untersuchungen entwarf den kühnen Plan desselben ein armer, doch kunsterfahrener Mann, Meister Wenzla aus Klosterneuburg bei Wien, schritt 1359 zur Ausführung und brachte den Bau bis auf ⅔ der Höhe. Nach seinem Tode 1404, arbeitete Meister Peter von Brachawitz an der Vollendung des Thurms bis 1429, allein erst seinem thätigen Polier Hans Buchsbaum (Puchsbaum) gelang es am 4. Tage nach Michael 1433, dessen Spitze zu krönen. Der Bau hatte mithin 74 Jahre gedauert.

Die Höhe des Thurms wird verschieden angegeben; allein die im J. 1832 ausgeführten Messungsoperationen *) weisen nach, daß die höchste Spitze des Stephansthurms über dem Kirchenpflaster erhöht steht: 71 Kl., 2′, 7.104″ Wiener-Maß, oder:

Wiener-Fuß	=	428.592, d. i.
Pariser-Fuß	=	417.064.
Franz. Metres	=	135.479.
Rheinländ. Fuß	=	431.592.
Bairische Fuß	=	464.193.

*) Vergl. Beiträge zur Landeskunde Oesterreichs unter der Enns. Bd. II. S. 218. Wien, Fr. Beck, 1832.

Ueber den beweglichen Doppeladler auf der Thurmspitze erhebt sich ein 6', 7'' hohes Kreuz im Gewicht von 120 Pfund, anstatt des am 14. Juli 1686 herabgenommenen Halbmondes mit dem Kern, jetzt im bürgerl. Zeughause befindlich. Weiter abwärts ist ein mit 12 Pyramiden gezier=ter Gang, von welchem Graf Rüdiger von Stah=remberg 1683 das Lager der damals Wien bela=gernden Türken zu beobachten pflegte. Jakob Oberkirchner hat die Thurmuhr verfertigt 1699; die Höhe der Tafeln ist 2 Kl., 5''; die Stun=denzeiger 1 Kl., 5'' lang; die Ziffern sind 2 Schuh lang. Der Durchmesser des Thurms am Fuße ist 7 Kl., 4', 3'', und die Dicke des Mauerwerks ver=hält sich zu demselben wie 1 zu 4.

Die Thurmstiege hat 553 steinerne und 200 hölzerne Stufen. Die Spitze ist nur auf Leitern zu erreichen. Die Erlaubniß zum Besteigen des Thurms, von welchem man eine unbeschreiblich schöne und weite Aussicht genießt, ertheilt das in der Nähe befindliche Kirchenmeisteramt, Nr. 814.

Von den fünf in diesem Thurme hängenden Glocken ist die größte von Johann Achamer aus erbeuteten türkischen Kanonen 1711 gegossen. Mit Inbegriff des Helms und Schwengels hat sie eine Schwere von 402 Ztn., und wird nur bei feierlicher Gelegenheit geläutet.

Hans Buchsbaum unternahm auch den Bau des zweiten, unvollendet gebliebenen Thurms, zu welchem am 13. August 1450 der Grundstein gelegt wurde. Nach seinem Tode (1454) setzten denselben

verſchiedene Meiſter, und erſt mit dem Beginne des
16. Jahrhunderts Georg Khlaig von Erfurt
und Anton Pilgram von Brünn fort. Der
Ausbau wurde zwar 1516 aufgegeben und 63 Jahre
ſpäter 1579, nachdem Hans Saphoy den Thurm
mit einem kleinen Aufſaß verſehen hatte, durch
Michael Schwingelkeſſel, Kupferſchmied in Wien,
ein kupfernes Dach aufgeſetzt. Seine Höhe bis zum
Adler iſt 31 Kl., 1'. Die darin hängende Glocke,
die Pummerin genannt, wiegt 20,850 Pf., iſt
mit 6 Heiligenbildern geziert und 1558 von Urban
Weiß gegoſſen.

Den unterirdiſchen Theil der Stephanskirche bilden 34 große ſehenswerthe Gewölbe,
jedes 8 Kl. lang, 3 Kl. breit, 2 Kl. hoch, und die
Fürſtengruft. Mehre andere Grüfte mögen wohl
mit Leichen gefüllt auf immer verſchloſſen ſeyn. Auch
hier bewundert man die Großartigkeit des Baues
in ſeinen Verhältniſſen zu den äußeren Theilen.
Der Eingang zu dieſen Gewölben iſt im ſ. g. deutſchen Hauſe, der Wohnung des Thurmwächters an
der Südſeite gegenüber, durch eine kleine Thür, und
die Erlaubniß zum Eintritt wird von der k. k. Hof-
baudirektion, Kärntnerthorbaſtei Nr. 1159, oder
auch im Kirchenmeiſteramte zu St. Stephan Nr. 874
ertheilt.

Die Fürſtengruft, von Rudolph IV. gegründet, war von 1365—1576 ein Familien-Be-
gräbnißort der öſterr. Fürſten. Dann gerieth ſie in
Vergeſſenheit, und als ſie ſpäter wieder aufgedeckt
wurde, war bereits eine neue Gruft bei den PP. Ka-

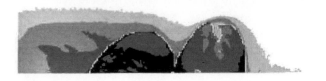

puzinern erbaut. Nach der Verordnung Kaiser Fer=
dinand's III. wurden daher in der Fürstengruft bei
St. Stephan nur die Eingeweide der verstor=
benen Glieder des kaiserl. Hauses in kupfernen Ur=
nen beigesetzt, die Leichname in die Todengruft
bei den PP. Kapuzinern gebracht und die Herzen
in der Lorettokapelle der Augustinerkirche aufbewahrt,
wie solches auch gegenwärtig noch stattfindet.
Der äußere Eingang zur Fürstengruft ist neben der
steinernen Kanzel des h. Capistran.

   2. Die St. Katharinenkapelle, dem
unausgebauten Thurm der Stephanskirche gegen=
über im Zwettelhofe, wurde schon 1214 eingeweiht.
Das alte Gemälde von einem unbekannten Meister
stellt vor den Domherrn Johann Grus, gest. 1400,
in der von Rudolph IV. für das Domherrenkapitel
zu St. Stephan vorgeschriebenen Kleidung.

   3. Die k. k. Burgkapelle im Schweizer=
hofe der Burg, zuerst erwähnt 1298, auf Verord=
nung Kaiser Friedrich's IV. erweitert und 1449 ein=
gerichtet, ist zugleich eine Pfarre. Das Kruzifix auf
dem Hochaltar ist von Rafael Donner, das
schöne Altarblatt auf dessen rechten Seite von Do=
menico Feti aus Mantua, das zur linken Seite von
Maurer. Die treffliche Musik in dieser Kapelle
wird alle Sonntage von 18 Hofsängern, worunter
10 Hofsängerknaben aus dem k. k. Konvikt, und von
28 Hofmusikern ausgeführt, die unter einem k. k.
Hofmusikgrafen (s. S. 41) stehen, und mit Einschluß
einer Hofharfenmeisterin und zweier Hofsängerinnen
das Musikchor der k. k. Hofkapelle bilden.

4. Die k. k. Kammerkapelle (St. Jo=
sephs=, auch St. Michaelskapelle), der Reichskanzlei
gegenüber, wird nur bei besonderer Veranlassung
geöffnet. Das Hochaltarblatt ist von Karl Ma=
ratti, die Gemälde der Seitenaltäre sind von dem
Freiherrn Peter von Strudel, und die der
12 Apostel von Anton Maulbertsch. In die=
ser Kapelle befindet sich alljährig das heilige Grab zum
Besuche des Allerh. Hofes am Charfreitage.

5. Die Kirche der Italiener am Mino=
ritenplatz, 1276 angefangen, vollendet 1305 — 30,
hat eine sehenswerthe Steinmetzarbeit an der Haupt=
fronte, wahrscheinlich vom Baumeister Schein=
pfeil (1310). Das Hochaltarblatt malte Chri=
stoph Unterberger. In der Fastenzeit werden
hier Bußpredigten in italienischer Sprache gehalten.

6. Die Schotten=Abtei und die Kirche
auf der Freiung wurde 1158 den aus Schottland
eingewanderten Benediktinern überlassen, und 1418
von deutschen Mönchen dieses Ordens in Besitz ge=
nommen. Das Hochaltarblatt und die Gemälde der
Seitenaltäre sind von Sandrart; Mariä Him=
melfahrt, den h. Benedikt und Sebastian malte
Tobias Bock; der h. Gregor ist von Pachmann,
und die h. Anna und Barbara von Hieronymus
Jochmus (1653 — 59). Die schöne Orgel verfertigte
Franz Kober 1801. Auch befindet sich in dieser Kirche
das Grabmal des Grafen Rüdiger von Stahrem=
berg (s. S. 67).

7. Die Pfarrkirche der Barnabiten
bei St. Michael, am Michaelsplatz, gegrün=

det 1220, in der Eingangshalle mit meisterhaften,
den Sieg des Erzengels Michael über den Drachen
darstellenden, Statuen von Lorenzo Mathielli
versehen. Das Marienbild auf dem Hochaltar ist
von einem griechischen Künstler; das Altarblatt
in der Johanneskapelle malte Prof. Joh. Schindler; die Blätter auf den Altären des h. Paulus,
Carlo Borromeo und Alex. Sauli sind von Ludwig von Schnorr; das neue h. Grab von Käsmann, und die Gemälde der andern Altäre von
Tobias Bock, Carlo Carlone u. A. In
der Gruft ruht der Dichter Metastasio, gest.
1781. Auch befindet sich hier das Grabmal der Gemalin Hansens von Lichtenstein, der berühmten
weißen Frau.

8. Die Pfarrkirche auf dem Hof, erbaut
1386, war früher den Karmelitermönchen, später
den Jesuiten eingeräumt. Den trefflichen Fronton
der Kirche ließ die Kaiserin Eleonora durch den
Baumeister Silvester Carloni 1662 errichten.
Das Hochaltarblatt, Maria, Königin der Engel,
malte Joh. Geo. Däringer 1798 unter Aufsicht des verstorb. Prof. Maurer. Die Vermählung
Mariä, die Flucht nach Aegypten, die Opferung im
Tempel sind von Sandrart; die h. Jungfrau
mit dem Jesukinde, dem h. Liborius erscheinend, von
Ludwig Caracci (trefflich) in der Kapelle links,
und die Freskomalerei in der andern von Maulbertsch. Vorzüglich schön ist der Chor der Kirche.

9. Die Pfarrkirche zu St. Peter auf
dem Petersplatze, angeblich uralt (792), ist in ihrer

jetzigen Gestalt 1702 gegründet und von Fischer
von Erlach nach dem Muster der St. Peterskirche
in Rom erbaut, das schöne Portal aus grauem Marmor mit Bleifiguren von Koll geziert; die Freskogemälde an der Kuppel der Kirche und an den Decken
der Kapelle von Rottmayr; die an der Decke
des Chors von Anton Galli-Bibiena; das Hochaltarblatt und die Altarblätter der zwei ersten Kapellen
von Altomonte, die der zwei folgenden von
Rottmayr und Sconians, und die der zwei
letzten von Altomonte Reem. Zur Linken des
Eingangs sieht man das Grabmal des Geschichts-
schreibers Wolfgang Lazius.

10. Die Hofpfarrkirche der Augusti-
ner, errichtet 1330—39, in der Nähe der k. k. Hofburg. Den schönen Hochaltar aus Tiroler-Marmor
erbaute der Hofarchitekt Joh. Ferd. v. Hohenberg 1784; das große Freskogemälde, der heilige
Augustin in der Glorie, ist von Maulbertsch; das
Altarblatt von Tobias Bock; die h. Anna von
Spielberger. In der Maria-Loretto-Kapelle,
welche Ferdinand's II. Gemalin, Eleonora von Mantua, 1627 erbauen ließ, werden die Herzen der
verstorbenen Glieder der kaiserl. Familie in silbernen
Urnen aufbewahrt (s. S. 68). In der Todtenka-
pelle befinden sich die Grabdenkmale Kaiser Leopold's II., von Zauner, und des Feldmarschalls
Daun, von Anton Moll. Das vordem hier
befindliche des Gerard van Swieten ist in verän-
derter Gestalt im Saale der k. k. Hofbibliothek aufgestellt worden. Das schönste Denkmal dieser Kirche.

in Kunſthinſicht vielleicht das erſte in Europa, iſt aber das Grabmal, welches Herzog Albert von Teſchen ſeiner verſtorbenen Gemalin, der Erzherzogin Chriſtina 1805 durch Canova errichten ließ. Es koſtete 20,000 Dukaten. Eine Beſchreibung deſſelben erſchien u. d. T.: Mauſoleum J. k. Hoheit Maria Chriſtina, ausgeführt von Anton Canova, Wien, Artaria, 1805.

11. Das Bethaus der evangeliſchen Gemeinde augsburgiſcher Konfeſſion, Dorotheergaſſe Nr. 1113, zugleich die Wohnungen der Prediger und das Schulhaus enthaltend, hat eine gute von Deutſchmann 1807 gebaute Orgel und ein Altarbild, Chriſtus am Kreuze, von Franz Lindner.

12. Das Bethaus der evangel. Gemeinde helvetiſcher Konfeſſion neben dem vorigen Nr. 1114, vom Hofárchitekten Nigelli geſchmackvoll gebaut, enthält ebenfalls die Wohnungen der Prediger.

13. Die Kirche der Kapuziner auf dem Neumarkte, gegründet 1622, iſt ſehr einfach. Die drei Altarblätter und ein geſchätztes Bild im Chor, Mariä Opferung, ſind von dem Kapuziner Norbert Baumgartner. Die kaiſerliche Kapelle in dieſer Kirche hat einen ſehenswerthen Schatz und ein ſchönes Altarblatt von Gabriel Matthäi aus Rom. Das Vesperbild aus weißem Marmor in der Kapelle gegenüber iſt vom Statuar Bacazzi. Zwei große Altarblätter, für die öffentliche

Andacht zu Mariä Verkündigung und zu Weihnach=
ten 'bestimmt, sind von Ludwig von Schnorr.

Die hier befindliche k. k. Todtengruft ließ
die Kaiserin Anna, Mathias' Gemalin, in jener Zeit
erbauen, als die bei St. Stephan verschollen war
(f. S. 68). Ihre und ihres Gemals (gest. 1619)
Grabstätten sind die ältesten. Leopold I. (gest. 1705)
vergrößerte die Gruft durch eine Kapelle, deren Al=
tar mit 6 Statuen von weißem Marmor der Archi=
tekt Peter Freiherr v. Strudel verfertigte.
Eine fernere Erweiterung der Gruft bewirkte Maria
Theresia und bestimmte den Zubau für die Glieder
des Hauses Habsburg=Lothringen. Die Decke malte
Ignaz Müldorfer. Den jüngsten Zubau ließ
Kaiser Franz I. 1826 ausführen. Am 2. Novem=
ber (Allerseelentag) jedes Jahres wird die Gruft
für Besuchende geöffnet, dem Fremden jedoch auf
Ersuchen auch außer dieser Zeit die Besichtigung ge=
stattet.

14. Die Kirche zum heil. Johannes
in der Kärntnerstraße wurde (1200) von den Malthe=
sern gebaut. Das Hochaltarblatt ist von Tobias
Bock, und das links am Eingange befindliche Haut-
relief stellt die Festung Malta dar. An Sonn= und
Festtagen wird hier in ungarischer Sprache gepredigt.

15. Die Kirche zu St. Anna in der Anna=
gasse, gebaut 1415, hat schöne Gemälde von Da=
niel Gran und Martin Schmidt. Das Mut=
tergottesbild und die Kuppel sind von dem Jesuiten=
Frater Andr. Pozzo. Alle Sonntage ist hier Pre=
digt in französischer Sprache.

16. Die Kirche zur heil. Ursula (Ursulinerkirche) in der Johannesgasse, ist 1675 eingeweiht, hat sieben Altäre mit Gemälden von Spielberger und Franz Wagenschön. Die 1660 von Lüttich eingewanderten Nonnen des mit der Kirche verbundenen Klosters beschäftigen sich sehr zweckmäßig mit dem Unterricht der Mädchen, besonders aus den niederen Ständen.

17. Die Kirche des Deutschen Ordens in der Singerstraße wurde zu Ehren der heiligen Elisabeth 1316 von Georg Schiffering aus Nördlingen vollendet. Das Altarblatt malte Tobias Bock, und besonders ausgezeichnet ist unter den Denkmälern der Abschied Jesu von seiner Mutter, 1521, im Hautrelief.

18. Die Franziskanerkirche, am Franziskanerplatz, erbaut von Pater Bonaventura Daum und eingeweiht 1611. Das Architekturgemälde am Hochaltar verfertigte Andr. Pozzo. Von den Altarbildern malte Martin Schmidt den heil. Franz und die unbefleckte Empfängniß; Carlo Carlone ein Kruzifir; Wagenschön die Marter des heil. Capistran, und Rottmayr ebenfalls eine unbefleckte Empfängniß.

19. Die Universitätskirche am Universitätsplatz, 1627 vollendet und 1631 eingeweiht, besteht aus einem einzigen, auf 16 Marmorsäulen ruhenden Gewölbe. Sämmtliche Altarblätter und das Kuppelgemälde sind Arbeiten des Andr. Pozzo, in neuester Zeit durch den k. k. Gallerie-Direktor P. P. Kraft restaurirt. In hohem Grade ausge-

zeichnet ist Pozzo's Gemälde am Hauptaltar, »die
Schlacht auf dem weißen Berge am 8. Nov. 1620
zwischen Pfalzgraf Friedrich und K. Ferdinand II.,«
besonders in abendlicher Beleuchtung.

20. Die Pfarrkirche der Dominika=
ner zur heil. Maria=Rotunda auf dem Platze
gleiches Namens, von Leopold dem Tugendhaften
1186 für die Templer erbaut, 1226 den Domini=
kanern aus Ungarn eingeräumt und nach erfolgter
Zerstörung in der Belagerung Wiens von den Tür=
ken durch Ferdinand III. 1631 wieder hergestellt,
besitzt mehre gute Altarblätter, von welchen To=
bias Bock den heil. Dominikus, die heil. Drei=
faltigkeit und die heil. Jungfrau; Spielberger
die Anbetung der Hirten und die Marter der heil.
Katharina; Röettiers die heil. Katharina von
Siena und den heil. Vincenz Ferrerius; Pach=
mann aber den heil. Thomas von Acquin gemalt
haben. Das Freskogemälde der Kuppel ist von An=
dreas Pozzo, die Fresko=Medaillons von Den=
zala. Beachtung verdient auch das Grabmal der=
Kaiserin Claudia Felicitas, zweiten Gemalin Kai=
ser Leopold's I.

21. Die Kirche zu St. Ruprecht, der
Sage nach die älteste in Wien, im Jahre 700 er=
baut, liegt am Kienmarkt. Das Hochaltarblatt ist
von Rottmayr, die Gemälde auf den Seitenal=
tären von Adam Braun, die Glasmalerei auf
den Fenstern von Gottl. Mohn, und die Aufschrift
des kleinen Taufsteins ist alt=chaldäisch. Diese
Kirche ist in neuester Zeit im Innern restaurirt wor=

den, und hat zugleich von Außen einen neuen Fronton in gothischem Geschmack mit einem Standbild
des heil. Rupertus erhalten.

22. Die Kirche zu St. Salvator in der
Salvatorgasse ist gegen Ende des 13. Jahrhunderts
erbaut, und erhielt das schön in Holz geschnitzte Brustbild Christi auf dem Hauptaltare 1459. Bemerkenswerth sind die zierlichen Säulen und die Steinbilder
am Haupteingange von 1520. Das Bild auf dem
neuen Salvatoraltar malte Meidinger. Die
Fastenpredigten werden hier in polnischer Sprache
gehalten.

23. Die Kirche zu Maria-Stiegen in der
Passauergasse, angeblich schon 882 entstanden, wurde
1154 von einem Passauer Bischof ausgebaut und
1820 dem Orden der Redemtoristen (Liguorianer)
eingeräumt. Die steinernen Figuren ober dem Haupt-
und dem ersten Seiteneingange rechts verdienen be-
achtet zu werden. Das Innere ist mit vielen Heiligenbildern aus Stein verziert. Auf einigen Fenstern
sieht man noch alte, auf andern neue Gemälde, letztere nach Ludwig von Schnorr's Zeichnungen
von dem verstorb. Gottlieb Mohn ausgeführt.

Der siebeneckige, 30 Klafter hohe Thurm mit
224 Stufen gehört zu den schönsten Ueberresten der
mittelalterigen Baukunst. Der Fremde unterlasse ja
nicht, denselben zu besteigen; er gewährt eine herrliche Aussicht über die Stadt, das nahe Gebirge und
über das Marchfeld.

24. Die Kirche der unirten Griechen,
vom Jahre 1775 auf dem Dominikanerplatz neben

der Hauptmauth, hat ein Altargemälde, den heil. Nikolaus, von Johann Kastner, und den heil. Spiridion, von Palamino.

25. Die zwei Kirchen der nicht unir= ten Griechen stehen auf dem alten Fleischmarkt und auf dem Hafnersteige.

26. Die vom Architekten Kornhäusel pracht= voll erbaute und 1836 eröffnete Synagoge der deutschen Juden befindet sich unweit vom Kien= markt, Nr. 494. Der Gottesdienst in seiner zum Theil modernisirten Form wird den eintretenden Fremden gewiß ansprechen.

Von den kleineren Kapellen, deren ei= nige sich auch in Privathäusern befinden, wird die im Churgebäude, der St. Stephanskirche ge= genüber, nicht selten zu Trauungen benutzt.

IX.

Die Vorstädte.

Vier und dreißig Vorstädte umgeben die innere Stadt Wien und werden selbst wieder durch die sogenannte Linie, bestehend aus einem Gra= ben und einem 12 Fuß hohen Wall, eingeschlossen. Diese Linie hat 11 Ausgänge oder Thore, die nach 10 Uhr Abends zwar geschlossen, zu jeder Stunde aber dem Reisenden geöffnet werden. (Vergl. S. 31.)

Die eigentliche Entstehung der Vorstädte ist erst in das Jahr 1684 zu setzen; denn Erdberg, Thury, die Landstraße, Leopoldstadt und Mariahilf, die früher vorhanden gewesen, wurden in den Jahren 1529 und 1683 beim Anrücken der türkischen Belagerungs=Armee abgebrannt und die Ueberreste von den Türken vollends zerstört.

Wird der Standpunkt auf der Bastei am Rothenthurmthore genommen, so daß man die Ferdinandsbrücke im Auge hat, und umschreitet dann rechts nach Osten die Stadt auf der Bastei selbst, so liegen die Vorstädte in folgender Ordnung ausgebreitet:

1) Die Leopoldstadt;

2) Die Jägerzeil, einst die Venediger Aue;

3) Unter den Weißgärbern;

4) Erdberg, eine der ältesten Vorstädte, schon bekannt 1192 durch die Gefangennehmung des Königs Richard Löwenherz;

5) Die Landstraße und der Rennweg;

6) Die alte und die neue Wieden;

7) Der Schaumburgerhof;

8) Hungelbrunn oder Hungelgrund;

9) Der Laurenzergrund;

10) Matzleinsdorf;

11) Nikolsdorf;

12) Margarethen, ehemals eine Komthurei;

13) Reinprechtsdorf oder Rampersdorf;

14) Hundsthurm;

15) Gumpendorf;

18

16) Magdalenagrund (Ratzenstadel);

17) Die Windmühle, wegen vormals hier vorhandener Windmühlen;

18) Die Laimgrube und An der Wien;

19) Mariahilf;

20) Der Spittel- (Spital-)berg;

21) St. Ulrich (Platzel und Mariatrost);

22) Neubau (Unter-Neustift) und Wendelstatt;

23) Das Schottenfeld (Ober-Neustift);

24) Alt-Lerchenfeld;

25) Die Josephstadt;

26) Der Strozische Grund;

27) Die Alservorstadt (Alsergrund und Währingergasse);

28) Breitenfeld;

29) Der Michelbeuern'sche Grund, genannt nach dem Stifte Michelbeuern im Salzburgischen;

30) Der Himmelpfortgrund, ehemals den Chorfrauen zur Himmelspforte in der Stadt Wien gehörig;

31) Am Thury, vom Gründer Jos. Thury;

32) Das Lichtenthal und die Wiesen, der ehemaligen Lage wegen so benannt; als Vorstadtgrund vom Fürsten Hans Adam Liechtenstein bestimmt, dessen Name als Besitzer schon 1254 vorkommt;

83) Der Althan, einst ein Garten des Grafen Althan, 1714 vom Magistrat erkauft; und

34) Die Roßau.

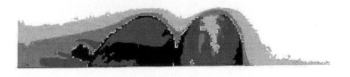

Die volkreichsten unter diesen Vorstädten sind die alte Wieden mit etwa 37,000; die Landstraße und der Rennweg gegen 27,000; die Leopoldstadt gegen 24,000; das Schottenfeld etwa 20,000; der Neubau gegen 18,000 und die Alservorstadt mit etwa 17,000 Köpfen.

Die Dörfer Hernals, Währing, Fünfhaus und Simmering, außerhalb der Linie, werden in polizeilicher Hinsicht noch zur Stadt Wien gezählt.

Prachtgebäude und Anstalten, die auf diesem Wege um die Stadt von der Bastei aus zu erblicken und zu bezeichnen sind, wurden bereits Seite 29 namhaft gemacht.

X.
Baumerkwürdigkeiten in den Vorstädten.

1. Brunnen und Wasserleitungen.

a) Die Albertinischen Wasserleitungen, zur Abhilfe des Wassermangels in den südwestlich gelegenen Vorstädten, vom Herzoge Albrecht von Sachsen-Teschen und seiner Gemalin der Erzherzogin Maria Christina mit einem Aufwande von 400,000 fl. K. M. in den Jahren 1803—5 ausgeführt. Das Wasser ist von der hohen Wand hinter Hütteldorf bis zu diesem Dorfe in einem gemauerten

Kanal 5½ F. tief und 2 F. breit zu einer großen
Brunnstube, und aus dieser in mehr als 16,000
eisernen Röhren durch eine 7155 Klafter lange Strecke
unter der Erde in jene Vorstädte geleitet, so daß
Gumpendorf 2, Mariahilf 3, die Laimgrube 2, die
Josephstadt 2, dann die Gründe Neubau, Schot=
tenfeld und St. Ulrich jeder 1 Brunnen mit trink=
barem Wasser besitzen.

b) Die Kaiser = Ferdinands = Wasser=
leitung, als Ergänzungsmittel der eben erwähn=
ten, für die Vorstädte Mariahilf, Spittelberg,
St. Ulrich, Neubau, Laimgrube, Windmühle, Mag=
dalenagrund, Breitenfeld, Schottenfeld, Joseph=
stadt, Strozischer Grund, Altlerchenfeld', Marga=
rethen, Nikolsdorf, Gumpendorf, Wieden und einen
Theil der Alservorstadt, in 13 Bassins mit 2—3
Ausläufen, 93 Auslaufpumpen und Speisung der
bereits vorhandenen 4 Bassins und Weiterführung
in die innere Stadt. Dieses im Gange befindliche
großartige Unternehmen hofft man im Jahre 1841
beendigt zu sehen. Auf diese Weise sollen täglich
100,000 Eimer vermöge Dampfmaschinen aus
einem Brunnen unterhalb der Nußdorfer Linie,
70 Kl. von dem rechten Ufer des Wiener Donau=
kanals entfernt, mit 3 Reservoirs auf den höchsten
Punkten der Leitung in die genannten Vorstädte
geleitet werden. Das Wasser tritt bereits filtrirt
in einer Temperatur von 8¼ Gr. ein und ist zum
allgemeinen Genusse vollkommen geeignet. Die Länge
der Hauptleitung beträgt 2270 Kl. und das Wasser
wird vom Brunnen aus auf eine Höhe von 170 F.

über den Nullpunkt des Donaukanals gehoben und in Röhren von Gußeisen, 14 Zoll Durchmesser, geführt. Die Maschine hat 60 Pferdekraft. Die Röhren zu den Reservoirs liegen 6 F. tief unter dem Erdhorizont und sind, wie die Dampfmaschine, doppelt, für den Fall einer eintretenden Beschädigung. Die aus den Reservoirs aber laufenden Röhren haben 3—8 Zoll Durchmesser, und die Dampfmaschinen werden angefertigt von den Mechanikern Fletcher und Punshon aus dem Material von Mariazell. Die auf eine Million K. M. Gulden berechneten Kosten werden bestritten durch Sammlungen, Beiträge der Gemeinden und Verkauf des Wassers an Private, Fabriks- und Gewerbs-Unternehmungen, da der eigentliche Bedarf nur 80,000 Eimer beträgt.

c) Der Brunnen in der Vorstadt Spittelberg, in der breiten Gasse, mit einer Säule korinthischer Ordnung, Gußwerk aus Mariazell von steirischem Eisen, in der Mitte des Bassins, an der einen Seite Moses, ebenfalls Eisenguß, an der anderen Seite Antikköpfe, aus deren Mundöffnungen das Wasser quillt.

d) Der Brunnen in der Alservorstadt, Hauptstraße, ist mit einer aus Metall musterhaft gegossenen Statue, die Wachsamkeit vorstellend, von Mart. Fischer, und

e) der Brunnen in der Währingergasse vor der k. k. Josephs-Akademie mit einer Statue, die Hygiea, aus weichem Metall von dem nämlichen Künstler versehen.

f) Der Brunnen in der Vorstadt Breiten=
feld, in der Nähe des unteren Platzes, aus dem
Gußeisenwerke des Grafen von Salm in Mähren,
modellirt und gegossen unter Leitung des Dr. Karl
Reichenbach, faßt im Bassin 1231/2 Kubikschuh
Wasser, ist auf Kosten der Gemeinde errichtet und
am 4. Novbr. 1833 geöffnet worden.

g) Der Brunnen auf der alten Wie=
den, unweit der Paulanerkirche, Bassin von Stein,
ebenfalls auf Kosten der Gemeinde errichtet, und
am 4. Novber. 1834 eröffnet worden.

h) Auch die Vorstadt Matzleinsdorf hat
seit 1838 einen hübschen Brunnen rückwärts der
Pfarrkirche zum h. Florian aufgestellt.

i) Endlich wird auf Veranlassung und Kosten
der k. k. Landwirthschafts=Gesellschaft in Wien auf
dem Getreidemarkt ein artesischer Brun=
nen gegraben, der seiner Vollendung nahe ist.

k) Der Wiener = Neustädter Kanal
(s. oben S. 36).

2. Prachtgebäude in den Vorstädten.

a) Das k. k. Lustschloß Belvedere am Renn=
weg Nr. 642, vom Prinzen Eugen 1693 gegründet,
nach dem Plane des Hofarchitekten Joh. Lukas
v. Hildebrand 1724 vollendet, theilt sich in das
untere und obere Belvedere. Der Eingang zum
oberen ist, durch die Heugasse, unweit des Linien=
grabens südöstlich. In demselben befindet sich die
k. k. Gemäldegallerie, im unteren die Am=

braſer=Sammlung; den Zwiſchehraum füllt ein geräumiger öffentlicher Garten mit einigen Seiten= gängen und Baſſins, in der Mitte aber, um einen freien Anblick der Stadt zu geſtatten, von Bäumen entblößt.

b) Das im J. 1836 nach dem Plane des k. k. Raths und Prof. der mathemat. Wiſſenſchaften an der Akademie der bildenden Künſte in Wien, Paul Sprenger, auf der Landſtraße an der linken Seite des Neuſtädter=Kanals erbaute k. k. Streck= werk und die Münzſcheide.

c) Das fürſtl. Stahremberg'ſche Frei= haus (Herrſchaft Konradswörth), auf der Wieden Nr. 1, iſt des Umfangs wegen ſehenswerth. Es enthält 6 Höfe, 31 Stiegen, 301 Wohnungen, Ställe und Schupfen, gegen 900 Einwohner und trägt über 40,000 fl. K. M. Zins.

d) Der k. k. Marſtall, dem Burgthor ge= genüber, aus Karl's VI. Regierungszeit, iſt 600 F. lang und hat einen Raum für 400 Pferde. Koſtbare Pferdegeſchirre ſieht man in der Jagd= und Sat= telkammer, und die ganze Einrichtung überhaupt verdient die Aufmerkſamkeit der Reiſenden.

e) Der Palaſt der k. ungar'ſchen No= belgarde am Glacis zu St. Ulrich Nr. 1, und

f) der fürſtl. Auerspergiſche Palaſt, am Joſephſtädter=Glacis Nr. 1, beide erbaut nach dem Plane Fiſcher's von Erlach.

g) Das fürſtl. Erſterhazy'ſche Gebäude (das rothe Haus) in der Alſervorſtadt Nr. 197, mit 4 Höfen, 20 Stiegen, 150 Wohnungen, 1 Reit=

8

schule, mehren Stallungen und Wagenbehältnissen und einem jährlichen Zinsertrage von 20,000 fl. K. M.

b) Das schöne Sommer=Palais des Für=sten von Dietrichstein, in der Währinger=gasse, der k. k. Josephinischen Akademie gegenüber, mit einer englischen Gartenanlage und Reitschule.

Die Paläste des Staatskanzlers Fürsten von Metternich, der Fürsten Schwarzenberg, Liechten=stein u. a. wird der Fremde bei Erwähnung der dabei befindlichen Gärten, und die großartigen Ge=bäude der Institute beim Besuche derselben kennen lernen.

3. Kirchen, Klöster und Kapellen in den Vorstädten.

Von der großen Anzahl derselben werden fol-gende der Beobachtung empfohlen:

1) Die Pfarrkirche zum h. Leopold, Leo=poldstadt, große Pfarrgasse, erbaut 1670, nach Joh. Ospel's Entwurf 1728 vergrößert, im Innern prachtvoll verziert, mit einem Hochaltarbild wahr=scheinlich von Altomonte. Der Thurm ist aus=gezeichnet durch Stärke und Zierlichkeit.

2) Die Karmeliter=Kirche zur h. The=resia, Leopoldstadt, Taborstraße, gegründet und vergrößert unter Ferdinand II. 1624—39. Den Hochaltar von Marmor ließ Kaiser Leopold I. 1702 errichten.

3) Die Kirche und das Kloster der barm=herzigen Brüder, Leopoldstadt, Taborgasse;

der Orden wurde 1614 in Wien eingeführt, die Kirche 1692 eingeweiht. Die Zimmerarbeit der Thurmkuppel ist ein Meisterwerk.

4) Die Pfarrkirche zum h. Johann von Nepomuk, Praterstraße, ist 1780 erbaut und hat ein Eccehomo= und Muttergottesbild im Presbyterium seit 1819, von Heinrich Steg= maier.

5) Die Pfarrkirche zu St. Margaretha unter den Weißgärbern, 1690 gegründet, 1746 eingeweiht; klein, aber zierlich.

6) Die Hauskapelle im k. k. Invali= denhause, worin ein schöner Marmoraltar mit einer Kreuzabnahme von Rafael Donner.

7) Die Kirche zur h. Elisabeth und das Nonnenkloster auf der Landstraße (1709—11). Das Hochaltarblatt malte Cymbal. den Kreuz= und Columbia=Altar Baumgartner. Merkwürdige Grabschrift einer Nonne in dieser Kirche.

8) Die Pfarre zum h. Rochus und Se= bastian auf der Landstraße (1684); das Hochaltar= blatt mit diesen Heiligen ist von Peter Strudel, das des gekreuzigten Heilandes, auf Holz, von Lu= kas Kranach.

9) Die Pfarrkirche zu den h. Aposteln Petrus und Paulus (1771) in Erdberg hat ein Hochaltarbild von Georg Schilling, und ein Marienbild vom Fräulein Benko.

10) Die Kapelle zum h. Januarius, Land= straße, im k. k. Lustgebäude Nr. 389, eingeweiht 1735, hat ein Altarbild von Altomonte. Der

Künſtler der ſchönen Metallſtatue des Heiligen iſt
unbekannt.

11) Die Kirche der Saleſianerinnen auf
dem Rennwege iſt 1730 vollendet; das Kuppelgemälde von Anton Pellegkini; das Hochaltarblatt vom Niederländer Jakob van Schuppen; die Kreuzabnahme von Janſon; Petrus
und Magdalena von Pellegrini. Das mit der
Kirche verbundene Kloſter, daſ. Nr. 610, wurde
von der Kaiſerin Amalia, Joſeph's I. Witwe, am
10. Mai 1717 gegründet.

12) Die Kirche zum h. Kreuz am Garde-
gebäude auf dem Rennweg, 1755 erbaut, hat ein
Hochaltarblatt von Strudel.

13) Die Kirche zu Maria-Geburt, daſ.
neben der großen Artilleriekaſerne (1768—70),
hat ein Hochaltarblatt von Maulbertſch. Der
Erbauer war Leopold Grosmann.

14) Die Kirche und das Kloſter der Re-
demtoriſtinnen auf dem Rennwege.

15) Die Pfarrkirche zu St. Karl auf
der Wieden, ſchön und regelmäßig nach Fiſcher's
von Erlach Plan durch Philipp Martinelli 1736—37 erbaut. Die innere Höhe vom
Pflaſter bis an den Schluß des Gewölbes der Kup-
pellaternen iſt 192 F. Die innere Länge 174 F.,
die größte Breite 114 Fuß. Das Kuppelgewölbe,
die Aufnahme des h. Karl in die Herrlichkeit der
Verklärten, und die ausgezeichneten Fresko-Male-
reien der Kirche ſind von Rottmayr; auf den
6 Seitenaltären: die Heilung des Gichtbrüchigen

(das vorzüglichste Gemälde) von Pellegrini; die Himmelfahrt Mariä von Sebast. Ricci, und hat angeblich 6000 fl. gekostet; der römische Hauptmann von Daniel Gran; der h. Lukas vom Niederl. van Schuppen; die h. Elisabeth von Daniel Gran, und die Auferweckung des Jünglings von Nain von Altomonte.

Am Giebel des auf 6 korinthischen Säulen ruhenden Portals sind in halberhobener Arbeit auf weißem Marmor die Wirkungen der Pest 1718 in Wien dargestellt; zu beiden Seiten freistehende Säulen dorischer Ordnung, 41 F. hoch, 13 F. im Durchmesser, inwendig hohl, von Außen in gewundenen Reihen und in halberhobener Arbeit das Leben, die Thaten und den Tod des h. Karl darstellend. Den Entwurf zu dem seit 1813 hier befindlichen Denkmal Heinrich's von Collin gab Heinrich Füger; ausgeführt wurde derselbe vom akadem. Bildhauer Johann Soutner, dem Steinmetz Anton Clement und dem Verzierungs = Bildhauer Johann Paholik.

16) In der Kirche zu den h. h. Schutzengeln (Paulanerkirche) auf der Wieden, Hauptstraße (1627), ist das geschätzte Altarblatt von Rottmayr; der h. Kaspar und Nikolaus von Joh. Mich. Heß.

17) Die Kirche zu St. Joseph zu Margarethen (1768) hat ein Altarblatt von Altomonte; Theresia und Anna auf den Seitenaltären von Joh. Gottfr. Auerbach; den h. Leonhard, der Kanzel gegenüber, von Maulbertsch.

18) **Die Kirche zum h. Aegidius** in Gum=
pendorf (1765 — 70) mit trefflichen Altarblättern.
Die Gloria des h. Schußpatrons am Hochaltar von
Joseph Abel; die unbefleckte Empfängniß und
Johann der Täufer auf den Seitenaltären von
Schmidt, dem Kremser; Christus am Kreuz von
Prof. Joseph Redl; Martha von Kreipel.
Die Statuen der Apostel Petrus und Paulus ver=
fertigte Direktor Joseph Klieber; die Orgel
mit 16 Registern baute Deutschmann.

19) Die Pfarrkirche zu Mariahilf
(1689—1713) ist im Besitz eines sehr alten Gnaden=
bildes. Die Malerei des Kirchengewölbes von Paul
Troger, Joseph Hauzinger und Stratt=
mann; die h. Anna auf einem Seitenaltar von
Sconians, und Alexander Sauli auf einem ande=
ren von Felix Leicher. Die Orgel baute Henka.

20) Die Kirche zum h. Kreuz an der In=
genieur=Akademie auf der Laimgrube, hergestellt
1749, mit einem schönen Thurm, von Henrici
gebaut; dem Gemälde am Hochaltar von Joh.
Mich. Heß; dem oberen von Prof. Maurer,
und von Vincenz Fischer die Geburt und Auf=
erstehung Christi auf den Seitenaltären.

21) In der Pfarrkirche zu St. Ulrich,
auch Mariatrost (1721), sind nebst dem Hochaltar=
blatt die sechs Gemälde auf den Seitenaltären sämmt=
lich von Paul Troger.

22) Die Kirche zu Maria=Schuß und das
Ordenshaus der armenischen Mechitaristen=
Kongregation, in der Vorstadt St. Ulrich, war

vormals ein Kapuzinerkloster, und das erste in
Oesterreich, seit 1811 aber im Besitze der P.P. Mechitaristen. Das Ordenshaus wurde im Jahre 1837
neu erbaut. Im Refektorium befindet sich ein großes Wandgemälde, darstellend das Wunder, durch
welches Christus mit fünf Broten und zwei Fischen
eine Volksmenge von 5000 Menschen speiset. Dieses in der ersten Hälfte des Jahres 1839 vollen-
dete Gemälde ist ein Meisterwerk des berühmten
Malers Ludwig Schnorr von Karolsfeld.
Das Hochaltarbild in der Kirche der P.P. Mechitaristen aber, so wie der heil. Joseph und St. Anton
auf den Seitenaltären, sind von Johann Schindler, die Kuppel (1819) von Schilcher und ein
Gemälde in der Seitenkapelle von Maulbertsch
gemalt.

23) Die Pfarrkirche zu St. Lorenz
auf dem Schottenfeld (1784—87). Sehenswerth in
derselben ist die Grablegung Christi, halberhoben in
Blei gegossen vom Bildhauer Philipp Prokop,
der marmorne Hochaltar verfertigt nach Angabe des
Wolfg. Hagenauer; das Hochaltarbild von
Strudel; der sterbende Jesus und die unbefleckte
Empfängniß auf den Seitenaltären von Troger.
Die von Joseph Franz Christmann gebaute
Orgel mit 25 Registern gilt für die beste in Wien.

24) Die Pfarrkirche zu den sieben Zufluchten im Altlerchenfeld (1782) hat zwei Seiten-
Altargemälde, den h. Aloysius und Leonhardus, von
Ant. Maulbertsch; die vorzüglich gute Orgel
ist von Christoph Erler.

25) Die Pfarrkirche zu Maria-Treu und das Kloster der Piaristen in der Josephstadt (1698—1716), mit Frontispiz-Figuren vom Bildhauer Madeser 1752, und mit Gemälden von Felix Leicher auf den großen Seitenaltären. Das Hochaltarblatt, die Kuppel, Christus am Kreuz und Johann von Nepomuk an den kleinen Seitenaltären sind von Anton Maulbertsch; die beiden anderen wahrscheinlich von J. Christian Brand. C. Rahl, der Jüngere, ein talentreicher Sohn des allgemein geachteten k. k. Kammer-Kupferstechers, malte ein Altarblatt, Mariä Vermählung, vor wenigen Jahren um 300 fl., und wurde dieserhalb unter den Wohlthätern der Kirche im Kirchenbuche verzeichnet.

26) Die Pfarrkirche zur h. Dreieinigkeit und das Kloster der P. P. Minoriten (1695—1702), Alservorstadt, Hauptstraße. Das Hochaltargemälde ist von Joseph Ritter von Hempel; das auf dem Tabernakel dieses Altars, Maria mit dem Kinde, von Johann Kastner. Im Kreuzgange sieht man 36 Bildnisse der Ordensstifter vom 14.—18. Jahrhundert. Merkwürdig ist auch die Kirchengruft.

27) In der Kirche des k. k. Waisenhauses, Alservorstadt, Krebsgasse, ist der h. Karl Borromeo auf dem ersten Seitenaltar von Rottmayr; der h. Petrus auf dem Meere an dem andern von Roettiers, und der h. Januarius von Altomonte.

28) Die Pfarrkirche zu den vierzehn

Nothhelfern im Lichtenthal, von Karl VI. 1712 gegründet, zur Pfarre erhoben 1723, erweitert 1770, mit einem meisterhaften Gemälde im Gewölbe über dem Eingange, der betende Zöllner und der Pharisäer, von Franz Singer; der Hochaltar hat ein schönes Bild von Franz Zoller; von den Gemälden der Seitenaltäre verfertigte Ant. Maulbertsch das h. Kreuz, Jesus, Maria und Joseph; Koll den h. Franz Xaverius; Leopold Kupelwieser den Erlöser auf dem Kreuzaltar; Franz Zoller den h. Johann von Nepomuk. Die beiden Statuen, St. Florian und die schmerzhafte Mutter, in der Mitte der Kirche, sind ein Werk des Bildhauers Franz Loy.

29) Die Pfarrkirche zu Mariä Verkündigung, und das Kloster der Serviten (1651—76) in der Roßau mit einer berühmten Kapelle des h. Peregrin, die am 27. April jeden Jahres ungemein zahlreich besucht wird. Die Stucco-Arbeit im Innern ist von Johann Barbarigo.

Die übrigen Kirchen und Kapellen besitzen nichts Sehenswerthes und werden daher füglich übergangen.

Ansichten der vorzüglichsten Plätze, Kirchen und Paläste Wiens werden von mehren Kunsthändlern verkauft. — Historisch-malerische Ansichten der Residenzstadt Wien und ihrer Umgebungen, gezeichnet und gestochen von tüchtigen Künstlern, findet man beim Verleger dieses Büchleins.

Karl Armbruster, in der Singerstraße zum rothen Apfel *).

XI.

Anstalten in Beziehung auf Bedürfniß und Bequemlichkeit.

A. Ueberhaupt und unabhängig von der Dauer des Aufenthalts.

1. Speise-Anstalten. Die s. g. Wirths-tafeln, tables d'hôte, wollen bis jetzt in Wien nicht gedeihen; sie entstehen wohl zeitweise, sind aber von keiner Dauer. Oeffentliche Ankündigungen besagen in solchen Fällen immer das Nähere.

Auch gibt es in Wien nur wenige s. g. Trai-teurs oder Restaurateurs; denn außer dem gleichsam permanenten Hoftraiteur in den Sälen des k. k. Augartens findet man nur Restaura-tionen bei J. Daum und im Casino auf dem Neumarkt.

Fremde und Einheimische pflegen die Speise-

---

*) Den Besitzern oder Abnehmern dieses Büchleins wer-den auch daraus einzelne Ansichten als Er-innerungs- oder Stammbuchblätter nach eigener Aus-wahl käuflich überlassen.

Der Verleger.

fäle der Gaſthöfe, Mittags von 1—4 Uhr, Abends von 8—10 Uhr zu beſuchen und Speiſen und Getränke nach Maßgabe der vorhandenen Ver= zeichniſſe mit feſtgeſetzten Preiſen zu wählen, ſo daß Jedermann ſelbſt ſeine Rechnung abzuſchließen vermag.

Außer dieſen Gaſthöfen gibt es aber noch eine Menge von Häuſern, Gaſthäuſer genannt, in welchen man zu Mittag und Nacht ſpeiſen, doch nicht wohnen kann, wie in der inneren Stadt, z. B. das Gaſthaus bei St. Anna; zum Stern auf der Brandſtatt Nr. 629; zum h. Geiſt im Bür= gerſpital Nr. 1100; zum Steinl in der Steinl= gaſſe Nr. 429. u. ſ. w.; in den Vorſtädten das Gaſt= haus zur öſterr. Kaiſerkrone, Leopoldſtadt, große Fuhrmannsgaſſe Nr. 482; das zum Sperl, daſ. Sperlgaſſe Nr. 210; zum guten Hirten, unter den Weißgärbern, und zur goldenen Birne auf der Landſtraße. Dieſe Vorſtadt= Gaſt= häuſer ſind mit Gärten und Gartenſalons verſehen und ihre Inhaber ſorgen ſtets für anlockende Har= monie = Muſik.

Eine Anzahl von anderen Gaſthäuſern ladet zum Beſuch durch große Anſchlagzettel ein.

2. Weinhandlungen. Es gibt deren nur wenige. Man findet nämlich verſchiedene Weinſorten in jedem Gaſthauſe, in den Weinausſchank = Lokali= täten u. dgl., und man kann dieſe auch zu jeder Zeit beſuchen. Die vorzüglichſte ungariſche Weinhandlung in der Stadt Wien, in welcher

man auch mit warmen Speisen bedient wird, ist die des Achaz von Lenkey, Liliengaßl Nr. 898.

Auch einige Spezereihändler sind berech= tigt, mehre Sorten inländischer, und gegenwärtig zugleich ausländischer Weine entweder unmittelbar an Gäste auszuschenken, oder anderweit zu ver= kaufen und zu versenden. Ausgesteckte Tannenreiser an den Thürflügeln oder Tafeln mit geeigneter In= schrift bezeichnen diese Befugnisse. Die Eßwaaren werden hier nach bestimmten Preisen, alle Arten Käse, Würste, Seefische u. dgl. verkauft.

Die vorzüglichsten Spezereihändler = Schilde, unter welchen jene Weine verkauft werden, sind die zu den drei Laufern, Michaelsplatz Nr. 253; zum schwarzen Kamehl bei Joseph Stiebitz ꝛc., Bognergasse Nr. 312 (sehr besucht); zu den drei Löwen bei Ant. Schneider und Sohn, Kärntner= straße Nr. 1013 u. s. w.

3. Weinkeller, etwa 70, sind größtentheils unterirdische Ausschankslokale, zu welchen man oft mehre Klafter tief hinabsteigen muß. Um das charak= teristische Treiben der unteren Volksklasse kennen zu lernen, möge der Fremde einen oder den ande= ren derselben, z. B. den Türkenkeller auf dem Heidenschuß Nr. 237, den Greißlerkeller auf dem hohen Markt Nr. 446 u. s. w., besonders in den sonntägigen Abendstunden in Augenschein neh= men. Obgleich hier gewöhnlich nur die wohlfeilsten Weinsorten ausgeschenkt werden, machen viele der= selben doch sehr gute Geschäfte.

Die größten Keller in Wien, die zum Wein=

ausſchank benützt werden, ſind der Annakeller in der Johannesgaſſe Nr. 980, von minderem Um= fange. Jener, in welchem 2000 Gäſte bequem ſich bewegen konnten, iſt jetzt wegen des Umbaues des Seitzerhofes geſchloſſen, und es ſteht der beſſeren Klaſſe nur noch der Annakeller offen, worin Tanz= und andere Unterhaltungen veranſtaltet werden.

Den Eingang zu den Weinkellern bezeichnen ebenfalls Tannenreiſer.

4. Bierhäuſer, deren Zahl in der Stadt und in den Vorſtädten gegen 500 beträgt, erkennt man an ihrem Aushängezeichen, einem Büſchel Ho= belſpäne, gewöhnlich am Fenſterladen zierlich ab= gebildet, oder in Blech ausgearbeitet. Wo derlei Hobelſpäne und Tannenreiſer vereint ſich zeigen, wird Bier und Wein zugleich ausgeſchenkt. Einige Bierhäuſer ſind mit einfacher Inſchrift bezeichnet.

In der Stadt werden häufig beſucht die Bier= häuſer: zum Repphühnl, Goldſchmidgaſſe Nr. 593; zur großen Tabakspfeife, im Eisgrübl Nr. 618; zur Schnecke, am Petersplatz Nr. 612; auf der Brandſtatt Nr. 631; zu den drei Raben, Rabengaſſe Nr. 645; das Michaeler Bierhaus, Michaelsplatz Nr. 1153 u. a. — In den Vorſtädten iſt am zahlreichſten beſucht das Neulinger Brauhaus, Landſtraße, Unger= gaſſe Nr. 392, mit einem großen ſchattenreichen Garten umgeben. Außer verſchiedenen Bierſorten bekommt man an ſolchen Orten einige warme und kalte Speiſen; junge Leute aber, welche ihre Mit= tagskoſt ebenfalls in dieſen Bierhäuſern einzunehmen

9

pflegen, sind entweder leidenschaftliche Tabakraucher, oder in ihren Geldmitteln beschränkt. Merkwürdig ist das eben nicht.

5. Kaffeehäuser, in der Stadt über 30, in den Vorstädten über 50, gewöhnlich mit 2, oft mit 3 und 4 Billards, auch mit Zeitungen und Zeitschriften 2c. versehen. Schon im Jahre 1683 wurde hier durch Franz Koltschitzky ein Kaffeehaus errichtet; daß dieses aber nicht das erste im christlichen Europa war, ist längst erwiesen. In der Stadt sind einige der vorzüglichsten: das zur goldenen Krone, am Graben Nr. 619, und einige andere daselbst; das des I. Daum, am Kohlmarkt, Eck der Wallnerstraße; Corti's Kaffeehäuser am Josephsplatz Nr. 1153 und auf der Löwelbastei im sogenannten Paradiesgärtchen, höchst angenehm gelegen und in Verbindung mit jenem des Volksgartens; im Bürgerspital Nr. 1100; Leibenfrost, am Neumarkt Nr. 1060; Neuner, in der Plankengasse Nr. 1063, u. s. w.

Die Griechen besuchen das Kaffeehaus am alten Fleischmarkt Nr. 691; die Türken das zur Stadt London Nr. 684.

Fast täglich überfüllt sind, außerhalb der Stadt, die Kaffeehäuser jenseits der Ferdinandsbrücke, zu Anfang der Leopoldstadt an der Praterstraße. Bereits 1703 von Holz erbaut, gehören sie zu den ältesten in Wien.

6. In der Mineralwasser = Trinkanstalt auf dem Glacis, außer dem Karolinenthor, mit vielen Sitzen, Gartenanlagen und einem gut

beforgten Kaffeehause versehen, werden in den Mo=
naten Mai bis Oktober täglich von 6—12 Uhr Vor=
mittags verschiedene Mineralwässer verabreicht. Die
Bereitung künstlicher Mineralwässer ist verboten.

7. Fiaker, etwa 700, dienen zur großen Be=
quemlichkeit, sind in der Stadt und in den Vor=
städten an bestimmten Plätzen aufgestellt und von
7 Uhr Morgens bis nach 10 Uhr Abends zum Fah=
ren bereit. Viele haben bereits sehr elegante Wägen,
und alle fahren mit seltener Umsicht und Geschick=
lichkeit. Man bedient sich ihrer auch zu Landpartien,
und seit 1833 ist ihnen gestattet, unter Beobach=
tung der polizeilichen Vorschriften Pferde vor frem=
den Wägen anzuspannen. Bei einer für sie nicht
bestehenden Taxe muß vorher mit ihnen akkordirt
werden; in der Regel aber pflegt man bei Fahrten
in der Stadt 48 kr. K. M. für die Stunde, und
bei Fahrten auf das Land 5—7 fl. K. M. täglich zu
bezahlen. Man nennt den Fiaker Du, gibt kein
Trinkgeld, pflegt aber das Linien= und Weggeld
selbst zu zahlen. Der Fiaker besitzt eine große Lokal=
kenntniß, und daher darf ihm bloß die Anstalt oder
die Gasse, wohin man fahren will, genannt wer=
den. Ihre Wägen sind numerirt und sie selbst stehen
sämmtlich unter einem eigenen Kommissär der k. k.
Polizei=Oberdirektion, welchem im Fall einer Be=
schwerde bloß die Wagen=Nummer zu nennen ist.

8. Stadtlohnwagen, etwa 300 an der
Zahl, sind nicht numerirt, aber in allen Formen zu
haben, und daher für anständiger als die Fiaker
gehalten. Man kann sie auf halbe und ganze Tage,

auf Wochen, Monate und Jahre bedingen, und mit denselben Landfahrten und größere Reisen unternehmen. Zu Ausflügen in die Umgebungen sind die Fiaker vorzuziehen. Die Kutscher erhalten Trinkgelder. Den größten Vorrath an Wagen und Pferden haben die Gebrüder Janschky in der Stadt, Judenplatz Nr. 404.

9. Gesellschafts= und Stellwägen gehen nach den Umgebungen der Stadt (f. Abschnitt III.) in allen Richtungen. Leute aus den mittleren oder niederen Ständen bedienen sich in gleicher Absicht der an den Linienthoren aufgestellten sogenannten Zeiselwägen, deren es gegen 1200, und darunter einige schon ziemlich bequem eingerichtete, gibt.

10. Außerdem findet man in Wien gegen 40 Tragsessel, numerirt, in verschiedenen Gegenden der Stadt aufgestellt. Die Träger sind durch rothe Röcke ausgezeichnet.

11. Bäder. Am stärksten besucht wird das Dianabad, Leopoldstadt an der Donau Nr. 9. Das Badhaus hat zur ebenen Erde und im ersten Stock eigene Abtheilungen für Männer= und Frauenbäder, und auch einen großen Garten=Gesellschafts= saal. Das Wasser läuft aus Pipen kalt und warm ein; der geringste Preis eines Bades im Sommer ist 32 kr. K. M. Auch künstliche Bäder werden auf Verlangen bereitet und gewärmte Wäsche zum Abtrocknen besorgt.

Neben dieser Anstalt werden häufig benützt: das sogenannte Kaiserbad, oberhalb des Schanzels an

der Donau Nr. 22, und das Schüttelbad, un=
weit der Franzensbrücke Nr. 13.

Ein Schwitzbad durch Aufgießen von war=
mem Wasser auf glühenden Kiesstein, nebst Vor=
richtung zum Begießen mit kaltem Wasser, findet
man bei Josepha Matschiner, Gumpendorf,
Zwerggasse Nr. 361.

Eine Floß=, Schwimm= und Bade=Anstalt
in Verbindung mit einer Damen=Schwimmanstalt,
eröffnet 1831 unter dem Namen: »Ferdinand=
und Maria=Damenschwimm= und Herren=
Bade=Anstalt, ist im Rücken des Augartens außer
der Taborlinie errichtet und erfreut sich eines zahl=
reichen Besuchs. Zur Hinfahrt stehen Wägen am
Rothenthurmthore bereit.

Als eine unentgeldliche offene Bade=
Anstalt für Männer ist im Donauarm unterhalb der
Schwimmschule am Praterdamm eine Stelle bezeich=
net, wobei sich eine Anstalt zur Aufbewahrung der
Kleidungsstücke und zur Verabreichung der Bade=
wäsche befindet. Als geschlossenes Männer=
und Frauenbad aber dient eine Vorrichtung im
sogenannten Kaiserwasser nächst der mittleren Tabor=
brücke. Wägen zur Hinfahrt findet man am Rothen=
thurmthore.

Das Sophienbad, eine neue, von Franz
Morawetz errichtete Bade=Anstalt, ist auf der Land=
straße, rückwärts des k. k. Invalidenhauses, in der
Marxergasse Nr. 46; bestehend seit 1838 in Reini=
gungs=, Dunst=, Schwitz=, Douche=, Sturz= und
Regenbädern für Herren und Damen in abgesonder=

ten Lokalitäten und in Wannen von Porzellan oder
Steingut.

Außerdem sind in den Vorstädten einige weni=
ger bedeutende Bade=Anstalten vorhanden.

12. Kleidungsstücke, Stoffe, Leibwäsche
und Putzwaaren. Fertige Damenkleider, Hüte und
Putzwaaren aller Art bietet die Modehandlung zur
schönen Wienerin am Stockimeisenplatze. Nicht
minder finden Damen eine große Auswahl der neue=
sten Hüte und Seidenstoffe u. f. w., besonders in den
Modewaarenhandlungen am Stephansplatz,
Stockimeisenplatz, am Graben und am
Kohlmarkte, insbesondere Shawls nach türki=
schen Mustern, bei Jos. Burde, Shawlfabrikant,
Gumpendorf, Schmidgasse Nr. 108; bei Joseph
Arthaber, Eck der Goldschmidgasse; bei Lom=
mer am Graben, Eck der Spiegelgasse; in der
Shawl=Niederlage am Graben Nr. 1144; reiche
und schwere, den französischen nicht nachstehende Sei=
denzeuge in den Handlungen Franz Frischling
und Comp., am Graben zur Weltkugel Nr.
1105; Leop. Hofzinser, daselbst zum schwar=
zen Adler Nr. 1094; ein vorzüglich schönes La=
ger aller Arten Mode= und Seidenwaaren für Her=
ren und Damen bei Friedr. Bertitsch, zum
weißen Berg, am Graben Nr. 1120; in den Hand=
lungen zum Apollo und zum seidenen Hand=
schuh daselbst; in jenen der erwähnten Herren
Arthaber, Lommer u. f. w.

Als Verfertiger moderner Damenanzüge
empfehlen sich durch mitgetheilte Modenbilder in der

Wiener Zeitschrift für Kunst, Literatur ꝛc., Th. Petko, Spänglergasse Nr. 426; und J. G. Beer, Goldschmidgasse Nr. 595, 3. Stock.

Ein geschmackvoll, solid und billig arbeitender, im Einkauf der Stoffe verläßlicher Damen-Kleidermacher ist Friedrich Hesse, Riemerstraße Nr. 819, 3. Stock.

Die bekannte Modistin Madame Langer, welche neue Formen von Hüten in Abbildungen für die genannte Zeitschrift liefert, wohnt in der Goldschmidgasse Nr. 625, 3. Stock.

Leibwäsche, zierlich verfertigt bis zur ausgezeichneten Feinheit, liefert die Leinwäschhandlung Fr. Ritzenthaler, in der Kärntnerstraße, am Stockimeisenplatz Nr. 876, und die sogenannten Pfaidler, in der Kärntnerstraße, am Graben und auf dem Kohlmarkt.

Gesucht werden die Blumen und Schmuckfedern der Anna Schilde, Graben Nr. 1133, und die der Louise Dellavos, Bauernmarkt Nr. 589; der Putzwaaren-Verlag der Beatrix Steinek, zur Mode-Dame, Tuchlauben Nr. 428; die Blumen- und Strohhutfabrik und der Putzwaaren-Verlag der Frau Magdalena Slama, Stadt, Singerstraße Nr. 900; die feinen Florentiner-Hüte von Anton Bichierai, Weihburggasse, Lilienfelderhof Nr. 908; die Strohhut-Niederlage von Rud. Morawsky, Kohlmarkt Nr. 1146; die von Wilh. Zelle, Landstraße Nr. 315, nach Florentiner Art bis zu 102 Bändern im Schirme (300 fl. K. M.);

die Damen-Galanterie- und Stickwaaren-
handlung zu den drei goldenen Kronen,
Bischofgasse Nr. 634; die Spitzen- und Weißwaarenhandlung zur Erzherzogin Sophie,
am Graben, im Paternostergäßchen Nr. 572; und
die Blumenfabrik der Frau Maria Edl. von
Emperger; Bellegardehof Nr. 543, Stiege 5,
Stock 2, Thüre 48, u. s. w.

Handschuhe der feinsten Art verfertigt Georg
Jaquemar, im eigenen Hause, Laimgrube an
der Wien, Eck der Kothgasse Nr. 166; auch sind
solche in einigen Mode-Waarenhandlungen am Graben, namentlich in der zum Amor, Eck der Sailergasse, zu haben; nächst ihm Gustav Autenrieth, am Kohlmarkt Nr. 1150; Franz Jaquemar, Mariahilf, Hauptstraße Nr. 37; und
alle Gattungen französischer Handschuhe, en
gros, und echt französische und englische Parfü-
merie-Waaren verkauft Franz Hallacher,
Bauernmarkt Nr. 581, im 1. Stock.

Mieder, ohne das Maß von fremder Hand
am Körper zu nehmen, zum vollen Anzug, Morgen-
und Nachtmieder, Mieder für Kinder, das Verbeu-
gen des Körpers zu hindern, mit Anwendung des
elastischen Gummi, bestellt man bei Reithofer,
Herrngasse Nr. 253. Patentirt sind die Damenmie-
der von Otto Rhab, ohne Stahl und Fischbein,
im Trattnerhof, Stiege 3, Stock 3; es sind s. g.
Proportions-, Hüften-, Kommode- und Reisemie-
der; dann mechanische für Personen, deren eine
Schulter höher als die andere ist; alle, der Angabe

nach, zu tragen mit und ohne Achselbänder, ausge=
zeichnet durch ihre Oeffnungsfähigkeit in jedem Au=
genblick und des Anziehens ohne Beistand einer
fremden Hand.

Trauerwaaren aller Art: in dem Waaren=
lager zur Irisblume, am Hof, Eck der Glocken=
gasse; Damenschuhe: in den Niederlagen in der
Spiegelgasse, Schlossergasse, Naglergasse u. a.

Die Wiener Juwelier=Arbeiten gehören
bekanntlich zu den schönsten in Europa, und sind in
mannigfaltiger Gestalt zu haben bei Joh. Bapt.
Haas, Kärntnerstraße Nr. 1075, und in den Gold=,
Silber= und Juwelenhandlungen am Stockeisen=
platz, Graben, Kohlmarkt, wie auch in der Ga=
lanterie=Waarenfabrik des Franz Wall=
nöfer und Söhne, Singerstraße Nr. 896.

Männerkleider sind in mehr als 50 Ver=
kaufsgewölben vorräthig, und 30 Handlungen ver=
kaufen Tuch von der geringsten bis feinsten Sorte.

Die vom Kleidermacher Joseph Ritzentha=
ler vor mehren Jahren errichtete Bekleidungsan=
stalt, Dorotheergasse Nr. 1115, hat einen sehr gün=
stigen Fortgang gefunden. Nach dem zu Grunde lie=
genden Plan kann Jedermann im Abonnements=
wege sich eine vollständige Sommer= oder Winter=
garderobe besorgen. Auch werden bestellte Kleidungs=
stücke alsogleich verfertigt, zu welchem Behuf ein
solides Sortiment von Tuch und anderen
Stoffen vorräthig ist. Neue vollständige Klei=
dungsstücke sind außerdem, wie einzelne Stücke,
leihweise auf einen oder mehre Tage, auf Wo=

chen und Monate zu haben; eine besonders für Fremde erwünschte Einrichtung, worüber beim Unternehmer weitere Auskunft einzuholen ist. Endlich können bei ihm auch ganze Garderoben und einzelne abgelegte Kleidungsstücke, ohne Rücksicht, wo sie verfertigt sind, nach eigener Wahl in Stoff und Farbe gegen neue a u s g e t a u s c h t werden, und minder begüterte Personen finden jederzeit einen Vorrath von a b g e = l e g t e n Kleidern zu billigen Preisen.

In Männerkleider = M o d e n zeichnet sich der Kleidermacher J o s e p h G u n k e l aus. Er hält eine bedeutende Werkstätte und Niederlage verfertigter Kleidungsstücke nach der letzten Mode, am Graben Nr. 1114, Stock I.

Die W i e n e r Hüte zeichnen sich durch Leich= tigkeit, Schwärze und Glanz aus; man findet sie in großer Auswahl in der Kärntnerstraße, am Graben, Kohlmarkt u. s. w.; bei J a c. F l e b u s, in der Wollzeil (vorzüglich); mittelst eines Dampf=Appara= tes verfertigt bei J o h a n n M u c k, Michaelerplatz zum Vergißmeinnicht, von 3—5 fl. K. M.; leicht und zierlich verfertigte D a m e n s c h u h e und S t i e = f e l findet man in der Spiegelgasse, Schlossergasse, am Graben, Naglergasse, Sailergasse u. s. w.

W a s s e r d i c h t e S t i e f e l und S c h u h e ver= fertigt N i k o l a u s S t e i n f e l d e r, Stadt, Kraut= gasse Nr. 1092, nächst dem Graben, und ganz vor= zügliche, der englischen gleichstehende und von Eng= ländern insbesondere gesuchte, auch sehr zierliche Arbeit liefert F r a n z T h o n n e r, auf der alten Wieden, Paniglgasse Nr. 16, zum goldenen Sieb.

13. **Kleiderreinigungs= und Fleckaus= bringungs=Anstalten.** Eine derselben, beson= ders für feine Gegenstände, ist die des Vincenz Lessainsky, Stadt, Spiegelgasse Nr. 1096 ne= ben Neuner's Kaffeehaus; dann Jos. Maier's Kleiderreinigungs = Anstalt im Gundelhof, Gewölbe Nr. 20; Pötscher's Gewölbe in der Leopoldstadt, Eck der großen Ankergasse, zum weißen Wolfe Nr. 31 u. A.

14. Als **Kunststopfer** der Risse und Löcher in Tuch= und anderen Kleidern, Shawls u. dergl. sind bekannt Fr. Schönfeld, Fischerstiege Nr. 374, Stock 4; und Wenzel Michalek, Mariahilf, Nr. 15.

15. Die k. k. **Briefpostanstalt** (kleine Post) für die Stadt Wien und die Vorstädte ist 1830 aufgehoben, und eine **Stadtpost** errichtet zur Ver= mehrung der Korrespondenz=Angelegenheit, größeren Bequemlichkeit der Aufgabe und schnelleren Verthei= lung der angekommenen Briefe.

Das **Stadtpost=Oberamt,** Wollzeile Nr. 867, steht mit 5 Filial=Postämtern in den Vorstäd= ten täglich fünfmal in Verbindung durch ab= und zu= gehende Karriolwägen, so daß die Briefe täglich fünf= mal ausgetragen werden.

Bei den **Filialämtern** können aufgegeben werden: Briefe für das In= und Ausland; Gelder und Packete. Man kann darauf auf in= und (erlaubte) ausländische Zeitungen Vorausbezahlung leisten, und sich zu Eil= und Postwagenfahrten einschreiben lassen. (Circular vom 18. August 1830.)

Außer den Filialämtern bestehen in der Stadt 15, in den Vorstädten 50 Briefsammlungen.

Die Postgebühr für einen Brief bis einschließlich 4 Loth von einem hiesigen Bewohner an den andern ist 2 kr. K. M., und dann für jeden Brief, der bei einem Filialamte oder einer Briefsammlung aufgegeben wird, bei der Aufgabe 1 kr. K. M. als Sammlungsgebühr zu entrichten. Auch erstreckt diese Anstalt bereits sich über sämmtliche Umgebungen der Hauptstadt.

Die höchste Postgebühr für einen einfachen, von Wien weiter zu sendenden Brief ist 14 kr., und wenn er rekommandirt wird, 6 kr. K. M. mehr.

Das Briefaufgabeamt in der Stadt, Wollzeile Nr. 867, wird um 8 Uhr Früh geöffnet, und der Schluß der Aufgabe für die nicht rekommandirten Briefe ist beim Hofpostamte auf 4½ Uhr Nachmittags festgesetzt. Der Schluß für die zu rekommandirenden Briefe ist beim Hofpostamte um 3 Uhr Nachmittags, doch können derlei Briefe von 9 Uhr früh an unausgesetzt aufgegeben werden.

Bei den fünf Filialämtern müssen die weiter zu sendenden Briefe spätestens bis 3½ Uhr Nachmittags, und wenn sie rekommandirt sind, bis 1½ Uhr Nachmittags aufgegeben werden. Fahrpostsendungen sind daselbst nur bis 3½ Uhr Nachmittags zu bewirken.

16. Geldbriefe und kleine Fahrpostsendungen bis zum Gewichte von 3 Pfund, welche mit den Abends abgehenden Brief-Eilwägen befördert werden sollen, sind spätestens bis 4½ Uhr

Nachmittags dem **Fahrpost=Aufgabamte** (Do=
minikanerplatz Nr. 666) zu übergeben. Für andere
Geld= und Frachtstückfendungen und Beförderung
der Reisenden sorgt die k. k. **Hauptpost=Wagen=
Direktion** dafelbst.

‒‒‒●○●‒‒‒

B. **Anstalten, die der Fremde beim län=
geren Aufenthalt in Beziehung auf Be=
dürfniß und Bequemlichkeit zu be=
achten hat.**

1. **Die Monatzimmer.** Bei einem beab=
sichtigten längeren Aufenthalte des Fremden in Wien
wird er zuvörderst sein Absteigequartier im Gasthofe
mit einer Privatwohnung in der Stadt, die immer
den Vorzug verdient, oder in der Vorstadt zu
tauschen haben.

Solche Privatwohnungen sind **Miethzim=
mer,** hier **Monatzimmer** genannt, weil sie
monatweise bedungen werden, und stets in großer
Zahl zu **verlassen,** d. i. zu vermiethen. Kleine
Täfelchen oder dergl., dem Hausthor angeheftet, ge=
ben die Anzeige. Man miethet sie gleich mit den nö=
thigen Möbeln und kündigt in der Mitte des
Monats auf oder zahlt im Unterlassungsfalle den Mo=
natsbetrag als Entschädigung. Im Winter ist es
vortheilhaft, zugleich die **Beheizung** einzudingen,

Der Fremde in Wien. 4. Aufl.   10

wenn man seinen Holzbedarf nicht selbst besorgen will, wozu ohnehin ein Gelaß vorräthig ist.

Zum Reinigen der Stiefel und Schuhe ist fast in jedem Hause ein sogenannter Stiefelpu=tzer zu finden oder doch zu erfragen, der zugleich das Reinigen der Kleider besorgt und monatlich dafür 1 fl. 36 kr. bis 2 fl. K. M. erhält. Eben so verhält es sich mit den Wäscherinnen, welchen das Reinigen der Wäsche stückweise oder monatlich bezahlt wird.

Jedes nur irgend bedeutende Haus hat einen Hausmeister zur Besorgung der auf Reinlichkeit und Erhaltung desselben bezüglichen Geschäfte. In der Stadt werden die Hausthore ohne Ausnahme um 10 Uhr Abends, in den Vorstädten während der Zeit vom 24. April bis 29. September um 10 Uhr, in den andern Monaten um 9 Uhr geschlossen. Haus= schlüssel sind nur in einigen Häusern der Vorstädte noch gebräuchlich. Das Oeffnen der Hausthore be= sorgt der Hausmeister, und empfängt dafür vom Ein= oder Austretenden eine kleine Entschädigung, den sogenannten Sperrgroschen.

2. Druckwerke Behufs spezieller Notizen. Will der Fremde Wien in allen Einzelheiten und im Zusammenhange der Behörden und Einrichtungen der Monarchie kennen lernen, so findet er genügen= den Aufschluß in Dr. Joseph Kudler's (treff= lichem) Versuch einer tabellarischen Darstellung des Organismus der österr. Staatsverwaltung, Wien, Volke, 1834, Folio; in Joh. Pezzl's Beschrei= bung von Wien, 7. Auflage, verbessert und vermehrt

von Franz Tschischka, Wien, Armbruster, 1826,
in-18; im Hof= und Staats=Schematismus
des österr. Kaiserthums, jährlich neu aufgelegt in
der k. k. Hof= und Staats=Aerarialdruckerei; im
allgemeinen Handlungs = Gremial = Al=
manach für den österr. Kaiserstaat, von J. B.
Fray, Weihburggasse, in der Kanzlei des bürgerl.
Handelsstandes; in dem Handlungs=Schema,
(ehemals J. B. Schilling) von J. N. Wildauer,
Expeditor des k. k. priv. Großhandlungs=Gremiums,
eben das.; und in merkantilischer Hinsicht, um Fa=
briken kennen zu lernen u. dgl., im Adressen=
buch, umfassend das Manufakturfach von gedruck=
ten, gewebten und gewirkten Waaren der Fabriken
und Fabrikanten in Wien, von Joseph Nieder=
mayr, Wien, Mechitaristen=Buchhandlung, 1831, 8.

Anderweitige Auskünfte ertheilt

3. Das allgemeine Anfrage= und Aus=
kunfts=Komptoir, Freiung Nr. 137, von 9—12
Uhr Früh, von 3—6 Uhr Nachmittags an Wochen=
tagen, besonders über Darlehen auf Hypotheken
und Waaren, über vorhandene Natur= und Kunst=
produkte für Käufer und Verkäufer u. s. w. Ein
zweites befindet sich am Bergel, Nr. 484.

4. Neu eröffnet (seit Mai 1839) ist insbeson=
dere noch ein Auskunfts=Bureau für mu=
sikalische Angelegenheiten jeder Art in
Wien von Franz Glöggl, Kohlmarkt Nr. 260,
zu ebener Erde. Der Zweck dieser Anstalt besteht
darin, sowohl dem Künstler und ausübenden Musi=
ker als auch dem Publikum Gelegenheit darzubieten,

damit jene Beschäftigung finden und dieses seine verschiedenen musikalischen Anfoderungen leichter befrie-
digen könne.

Sonstige Geschäftskanzleien, etwa 20 an
der Zahl, bestehen als Privatanstalten, und geben
von ihrem Geschäftskreise in den öffentlichen Blät-
tern häufige Kunde.

5. Politische und periodische Blätter,
Zeitungen und Journale, deren folgende in
Wien erscheinen:

Der Adler, Welt- und Nationalchronik, Unterhaltungsblatt, Literatur- und Kunstzeitung für
die österr. Staaten. Herausgegeben von Dr. J. A.
Groß-Hoffinger; wöchentlich 3 Nummern in
Hochfolio mit Kunstabbildungen, jährlich 14 fl. K. M.
(Reichhaltig, rüstig fortschreitend und dabei sehr
wohlfeil.)

Alliance littéraire, franz. Zeitschrift,
seit Jänner 1838, von L. Waiditsch; wöchentlich
2 Nummern, Preis 6 fl. K. M.

Annalen der k. k. Sternwarte, herausgegeben von J. J. Littrow; jährlich 1 Heft in
Folio.

Annalen des Wiener Museums, von
einigen Mitgliedern der k. k. Naturalien-Kabinete,
seit 1837.

Anzeiger, allgem. musikalischer, wöchentlich 1 Blatt in-8. Preis 3 fl. K. M. jährlich.

Archiv, botanisches, der Gartenbaugesellschaft des österr. Kaiserstaates. Herausgegeben vom
Baron v. Hügel, 1837, in-gr. 8. mit Abbildun-

gen; Text in lateinischer, andere Notizen in deutscher Sprache.

Archiv für Civil-Justizpflege, politische und kameralistische Verwaltung im österr. Staate, von F. J. Schopf (1837). Heftweise.

Bauzeitung, allgemeine, von Chr. Ludwig Förster, seit 1836, jährl. auf Druckp. 16 fl. K.M.

Beobachter, Oesterreichischer, redigirt vom Hofsekretär von Pilat; täglich 1 Blatt in-4.

Gesundheitszeitung, populäre österreichische, von Dr. Beer, in-4. (Schätzbar.)

Humorist, der, herausgegeben und redigirt von G. M. Saphir, seit 1837, hat sich, ungeachtet einer schwierigen Stellung, durch Witz und Laune, Vielseitigkeit, originelle Auffassung und Durchführung der verschiedensten Gegenstände rc. ein großes Lesepublikum gewonnen. Insbesondere verdienen die stets erfolgreichen Bemühungen des Herausgebers zur Förderung wohlthätiger Zwecke unbedingte ehrenhafte Anerkennung. Es erscheinen wöchentlich 5 Blätter in-gr. 4.

Jahrbücher der Literatur, vierteljährig 1 Band, in-gr. 8. Die Herausgabe besorgt der Regierungsrath Deinhardstein.

Jahrbücher, medizinische, des österr. Kaiserstaates, fortgesetzt vom Hofrath Dr. Joh. Nep. von Raimann, Sr. k. k. Majestät erstem Leibarzte; jährlich 1 Band in 2 Heften, gr. 8.

Jahrbücher des k. k polytechnischen Instituts, redigirt vom k. k. n. ö. Regierungsrathe und Direktor J. J. Prechtl.

Jurist, der, Zeitschrift für Theorie und Praxis des gesammten österr. Rechts, von Ignaz Wildner, bei Mösle und Braumüller, seit 1839. Heftweise.

Lyra, die, musikalisches Wochenblatt von Original-Gesangs-Kompositionen, herausgegeben und redigirt von Joseph Grüner, seit Novbr. 1838, Preis jährlich 7 fl. 12 kr. K. M.

Mittheilungen aus Wien, von Franz Pietznigg, alle Monate 1 Heft.

Morgenblatt, österr., von Nikolaus Oesterlein im April 1836 gegründet, und mit Fleiß und Umsicht fortgeführt. In gleicher Weise wird es nach dem Tode des Gründers redigirt von Gerhard Dützele, Ritter von Cockelberghe.

Rivista Viennese, Monatsschrift in-8., redigirt von Dr. G. B. Bolza, als Ueberblick der besseren literarischen Erscheinungen in italienischer und deutscher Sprache, wie des Standes und Bedürfnisses der Literatur beider Nationen; seit 1838, Preis: 12 fl. K. M. jährlich.

Sammler, der, Unterhaltungsblatt; redigirt von Braun; wöchentlich erscheinen 3 Numern in-4.

Theaterzeitung, Wiener allgemeine u. s. w., mit 128 kolorirten Herren- und Damen-Modebildern, ausgezeichnet durch Mannigfaltigkeit, Geschmack und treffliche Ausführung, unstreitig die am meisten gelesene, weit verbreitetste und reichste an Notizen jeder Art. Die Theater-Rezensionen vom Prof. Meynert sind gediegen, belehrend und

milde. Wöchentlich erscheinen 5 Blätter in = 4. Prä=
numerations = Preis im Bureau derselben, Stadt,
Rauhensteingasse, auf Velinp. halbjährig 10 fl. K.M.
Herausgeber und Redakteur: Adolf Bäuerle.

Verhandlungen der k. k. Landwirth=
schafts = Gesellschaft in Wien und Aufsätze
vermischten ökonomischen Inhalts. Heftweise, neue
Folge in = 8.

Wanderer, der, Unterhaltungsblatt. Haupt=
Redakteur Ritter von Seyfried. in = 4.

Zeitschrift, österr., für den Forstmann,
Landwirth und Gärtner, wöchentlich 1½
Bogen in = 4.

Zeitschrift für und über Oesterreichs
Industrie und Handel, von Heinrich Wiese;
wöchentlich 2 Mal; Preis: jährlich 4 fl. K. M. Mit
einem Literaturblatt für Industrie und Handel.

Zeitschrift, Wiener, für Kunst, Lite=
ratur, Theater und Mode, mit einem No=
tizenblatte und seit 1838 mit einem Literaturblatte
als Beilage, wöchentlich 3 Numern in=gr. 8., ele=
gant gedruckt, ernst und umsichtig gehalten, oft
mit sehr interessanten Mittheilungen aus der Ferne,
stets mit ungemein schönen Modenbildern geziert.
Preis jährlich 24 fl. K. M., ist aber auch ohne Kupfer
zu beziehen.

Zeitschrift, österr. militärische. Re=
dakteur Ritter J. B. von Schels. Monatlich 1 Heft
in = 8.

Zeitschrift für Physik und verwandte
Wissenschaften, von Dr. Andr. Baum=

Juridisch, der, Zeitsd
ris des gesammten öster.
Bildner, bei Mösle und
Heftweise.

Lora, die, musikalisch,
ginal = Gesangs = Kompositio..
redigirt von Joseph Gru
Preis vierteljährlich 7 fl. 12 kr. K.

Mittheilungen an
Piegnigg, alle Monate 1

Morgenblatt, öste
Oesterlein im April 183
Fleiß und Umsicht fortgefül
wird es nach dem Tode des
Gerhard Dützele, Ritter von

Rivista Viennese
redigirt von Dr. G. B. Bol
besseren literarischen Erschein
und deutscher Sprache, wie
dürfnisses der Literatur beider
Preis: 12 fl. K. M. jährlich.

Sammler, der, Unt
girt von Braun; wöchentli
in = 4.

Theaterzeitung, Wi
mit 128 kolorirten Herr
bildern, ausgezeichnet
schmack und trefflic
am meisten gelese
an Notizen jeder
in

en vorzüglichsten europäischen Spra...
...Abonnement 1 fl. 30 kr. C. M. ...
...äge für deutsche Bücher beim Abonnement
...in fremden Sprachen 5 fl. Die Rück...
...im Austritte. — Entlehnen zu ...
...cher von 9—12 Uhr V. M., von 3—6
...n Wochentagen.

...Antiquar = Buchhändlers Johann
...hof Nr. 413, Eck der Pariser...
...gebühr 1 fl. 30 kr. C. M. Einlage ...

...liche Leihbibliothek der Roman...
...erstraße Nr. 896; vorzugsweise ...
...und Werke im Fache der ...
...Monatl. Abonnement ...
...gen Tag 2 kr.; Ein...
...bibliotheks=Beisatz ...
...genwärtig nicht ...
...Kongregation ...
...ung guter ...
...gen, um dad...
...gen zu ...
...allen ...

...pels, mit
...gelangt man
...chreibung des
...Halle. Wien,

...an zu jeder Stunde
...haften sammeln sich
...n letztere Zeit wird er
...nen beleuchtet.

11

gartner und Dr. J. Ritter von Holger. Seit 1832. Heftweise.

Zeitschrift für österr. Rechtsgelehr=samkeit und politische Gesetzkunde; her=ausgegeben von Dr. Thomas Dolliner, k. k. Hofrath, und Dr. Joseph Kudler, k. k. Regie=rungsrathe. Monatlich 1 Heft in=8.

Zeitschrift, neue theologische; her=ausgegeben vom Regierungsrathe, Hof= und Burg=pfarrer ꝛc. Dr. Jos. Pletz; jährlich 4 Hefte in=gr. 8.

Zeitung, k. k. priv. Wiener, nebst Amts= und Intelligenzblatt, täglich, Sonn= und Feiertage ausgenommen; in Folio.

Zuschauer, der österreichische (früher Feierstunden), für Kunst, Wissenschaft und Litera=tur, wöchentlich 3 Nummern mit einer Beilage in=gr. 8., besonders auf Vermehrung der Kenntnisse und Bildung der Jugend gerichtet, und sowohl sei=nes nützlichen als erheiternden Inhalts und des klaren Vortrags wegen, unter der Redaktion des humanen, unermüdlichen J. S. Ebersberg, mit Recht zu empfehlen. Der höchst billig gestellte Pränumerations=Preis im Bureau, Dorotheergasse Nr. 1117, ist jährlich 5 fl. K. M.

6. Leihbibliotheken, öffentliche, sind in Wien drei vorhanden:

a) Die des Karl Armbruster, Buchhänd=lers, in der Singerstraße zum rothen Apfel Nr. 837, 1. Stock, mit nahe an 10,000 mit Umsicht und Kennt=niß gewählten Werken zur Unterhaltung und Beleh=

rung in den vorzüglichsten europäischen Sprachen.
Monatliches Abonnement 1 fl. 30 kr. K.M.; vierteljäh=
rig 4 fl. Einlage für deutsche Bücher beim Abonnement
4 fl., für die in fremden Sprachen 5 fl. Die Rück=
erstattung beim Austritte. — Stunden zum Em=
pfange der Bücher von 9—12 Uhr V. M., von 3—6
Uhr N. M. an Wochentagen.

b) Des Antiquar = Buchhändlers Johann
Tauer, Schulhof Nr. 413, Eck der Parisergasse.
Monatliche Lesegebühr 1 fl. 30 kr. K.M. Einlage über=
haupt 4 fl.

c) Die geistliche Leihbibliothek der Mechita=
risten, Singerstraße Nr. 896; vorzugsweise Er=
bauungsschriften und Werke im Fache der katholi=
schen Theologie. Monatl. Abonnement: 48 kr. K. M.;
auf einen einzigen Tag 2 kr.; Einlage 4 fl. K. M.
(NB. Diese Leihbibliotheks=Befugniß wird dem Ver=
nehmen nach gegenwärtig nicht ausgeübt.)

Von dieser Kongregation ist auch der Verein
zur Verbreitung guter katholischer Bü=
cher ausgegangen, um dadurch der Masse schlech=
ter Bücher entgegen zu treten.

7. Musikalien=Leihanstalt, oder Anti=
quar = Musikalien=Handlung, Musik=Leih= und Copir=
Anstalt des F. X. Ascher, Bognergasse Nr. 316;
kauft und verkauft auch alle Gattungen gut erhal=
tener Musikalien. Monatl. Abonnement 36 kr.,
vierteljährig 1 fl. 36 kr., halbjährig 2 fl. 48 kr.,
Einlage 4 fl. Die zweite dergl. Leihanstalt: Franz
Mainzer's sel. Witwe, befindet sich nächst dem
Kärntnerthor, dem Bürgerspital gegenüber.

8. **Mufik-Inftrumenten-Leihanftalt,**
die erfte öffentliche, gegründet 1838 von Mich. Leitermayer, Stadt, Bürgerfpital, 10. Hof, 11. Stiege, im 3. Stocke, leiht gegen beftimmte Vergütung
und Sicherftellung des Werthes auf Tage, Monate
und Jahre aus: Violine, Viola, Violoncello,
Guitarre, Fortepiano und Orgel, jede in drei Gattungen. Außerdem werden F. Piano's fehr häufig
in der Wiener-Zeitung zum Ausleihen angeboten.

9. Für **Blumenliebhaber** befteht eine Anftalt des Kunftgärtners Joseph Held, in der
Weihburggaffe Nr. 921, nächft der Franziskanerkirche, mit großer Auswahl zum Verkauf von Blumen, auch zur Annahme von Aufträgen, Tifche,
Vafen u. dgl. mit Blumen zu verzieren. Der trefflich beforgte Garten des Eigenthümers, reich an
Camellien und anderen feltenen Pflanzen, ift auf
dem Rennwege Nr. 552.

Eine ähnliche Anftalt des Kunftgärtners Ro-
fenthal findet man an der Auguftinerkirche, dem
Palafte des Fürften Lobkowitz gegenüber.

Endlich verkauft die überhaupt fehenswerthe
**Pflanzen-Kultur-Anftalt der Gärten
der freiherrl. v. Pasqualatifchen Häufer.**
Nr. 125 u. f. in der Nähe des fürftl. Liechtenftein'fchen
Palais, befonders fchöne Exemplare von Blumen
und Pflanzen nach beliebiger Auswahl mit richtiger
fyftematifcher Bezeichnung.

10. Eine **Illuminations-Dekorirungs-
und Transparenten-Leihanftalt,** bei ge-
wiffen feierlichen Gelegenheiten fehr gut zu benützen,

ift in der Stadt, Kärntnerstraße Nr. 1075. Der Be-
stellungsort: Weihburggasse, Börsegebäude Nr. 939.

11. Das allgemeine Uebersetz-, Kopir-
und Schreibkomptoir von Leopold Salm
besorgt gegen angemessenes Honorar Uebersetzungen
aus allen Sprachen, Aufsätze, Druckkorrekturen,
Abschriften, kalligraphische Arbeiten, Rechnungs-
revisionen und Rubricirungen aller Arten von Hand-
lungsbüchern, in der untern Brennerstraße Nr. 1131.

12. Das Bücher = Auktions=Institut,
Bürgerspital Nr. 1100, übernimmt gegen bestimmte
Prozente zum öffentlichen Verkauf alle größeren
und kleineren Büchervorräthe, Kupferstiche, Gemälde,
Münzen u. f. w. von Privaten, und besorgt die dazu
erforderlichen Geschäfte; Eigenthum des Buchdru-
ckers Edlen v. Schmidtbauer.

XII.

Anstalten zur angenehmen Erheiterung, zum Vergnügen und zur Belustigung.

1. Lebhaft besuchte Plätze in der Stadt, auf der Bastei und dem Glacis.

a) Der beliebteste Spaziergang der
Wiener in der Mitte der Stadt ist der Graben
und der anstoßende Kohlmarkt, besonders an
Sonn- und Festtagen von 12—2 Uhr Mittags,

außerdem täglich ohne Rücksicht auf die Jahreszeit in der Mittags= und Dämmerungsstunde. Am stärk=sten aber zeigt sich das Gedränge, zugleich auch die Eleganz der Kleidung, in den drei letzten Ta=gen der Charwoche, weil alsdann das Besu=chen des h. Grabes in den Kirchen, und am Sam=stage die Feier der Auferstehung stattfindet.

b) Von der Bastei wird in den Mittags=stunden, vorzugsweise in den Frühjahr= und Herbst=monaten, jener Theil zum Spaziergange benützt, welcher von dem Burgthor zum Kärntnerthor führt. In der Nähe des ersteren bietet außerdem in den Nachmittagsstunden das Corti'sche Kaffeehaus, von einer niedlichen Gartenanlage umgeben, mit der Ansicht einiger Vorstädte und der nächsten Um=gebungen, einen Vereinigungspunkt für die schöne Welt.

c) Auf dem Glacis wird in schöner Jahres=zeit derjenige Theil am meisten besucht, welcher mit der erwähnten Promenade auf der Bastei die gleiche Richtung hält.

d) Der vorzüglichste Sammelplatz auf dem Gla=cis ist außerhalb des Karolinenthors bei der Mine=ralwasser=Trinkanstalt (s. S. 98), weni=ger in der Früh als gegen Abend. In der Regel findet man hier eine gute Harmonie=Musik und an gewissen Tagen werden auch s. g. Reunionen gegen Eintrittsgeld veranstaltet. Für Erfrischungen sorgt eine Kaffeebude daselbst.

Das kleine Gebäude an der Wien, unweit der Anstalt und des Weges in der Allee nach der Karls=

kirche, dient, beiläufig gesagt, zum Verbrennen des Papiergeldes.

2. Oeffentliche und Privat-Gärten.

a) Der Volksgarten, in Verbindung mit der Gartenanlage des Corti'schen Kaffeehauses, auf der Löwelbastei. Von der Stadt aus ist der Haupt-eingang an der rechten Seite des neuen Burgplatzes; gleich im Vorgrunde ein zierlicher Springbrunnen, rechts ein Gebäude zur Wasserleitung; links ein Kaffeehaus, bildend eine geschmackvolle, von 26 joni-schen Säulen getragene Halbrotunda; in der Mitte der Theseustempel mit Canova's Meister-werk: »der besiegte Centaur,« aus carrari-schem Marmor, 18 F. hoch, 12 F. breit, von Kai-ser Franz I. in der Werkstätte des Künstlers um 80,000 Franks erkauft. Der Tempel ist nach der Angabe des Hofbaurathes Peter Nobile dem an-tiken Theseustempel in Athen nachgebildet, in der äußeren Länge von 76 F., in der Breite 43 F., mit 10 Säulen dorischer Ordnung an der langen und mit 6 dergleichen an der kurzen Seite.

In die Katakomben dieses Tempels, mit verschiedenen Alterthümern geschmückt, gelangt man durch ein Seitengebäude. (Vergl. Beschreibung des Theseums und dessen unterirdischer Halle. Wien, in-16. Heubner, Preis 20 kr.)

In den Volksgarten kann man zu jeder Stunde des Tages eintreten. Gesellschaften sammeln sich Nachmittags und Abends. Um letztere Zeit wird er durch 209 freistehende Laternen beleuchtet.

11

Die Katakomben sind vom 1. Mai alle Freitage geöffnet von 9½—1 Uhr Mittags.

b) Der k. k. Hofgarten, an der linken Seite des neuen Burgplatzes, von der Stadt aus, enthält ein nach dem Plane des k. k. Raths von Remy prachtvoll erbautes Gartenhaus, 565 F. lang, 325 F. breit, mit zwei musterhaft eingerichteten Glashäusern, in deren Mitte ein zu jeder Zeit mit den seltensten blühenden Pflanzen gefüllter Blumensaal befindlich ist. Er wird von 8 Säulen getragen, jede 30 F. hoch, 3 F. im Durchmesser; sein Inneres ist 72 F. lang, 36 hoch und eben so breit. Die Glashäuser, zu den größten und schönsten in Europa gehörig, enthalten größtentheils die Vegetation des Vorgebirgs der guten Hoffnung und der Inseln von Australien, baumartige, seltsam gestaltete Casuarinen, Melaleuken, Mimosen, Palmen u. dgl. Zwei Konversations-Salons bilden die Endflügel des Gebäudes; in dem zur rechten Seite steht eine große edelgeformte Porzellan-Vase von blendender Weiße aus hiesiger k. k. priv. Fabrik, und durch den linken Flügel führt ein bequemer Gang zu den älteren warmen Gewächshäusern auf der Terrasse, woselbst außer einer zahlreichen Sammlung von sukkulenten und neuholländischen Pflanzen viele ost- und westindische Vögel u. s. w. vorhanden sind.

In der Mitte des Hofgartens steht die Statue Kaiser Franz I., Gemals der Kaiserin Maria Theresia, zu Pferde, ein Kunstwerk aus weichem Metall von **Balthaſar Moll**, und mit einer latein. Inſchrift vom J. 1819.

Die Erlaubniß zum Eintritt wird nachgeſucht bei dem k. k. Hofgärtner Herrn **Haker**, deſſen Wohnung im Garten befindlich iſt.

c) **Der botaniſche Garten der k. k. Joſephs-Akademie**, Alſervorſtadt, Währinger-gaſſe Nr. 121, auf Anordnung Kaiſer Joſeph's II. angelegt, verdient, obgleich wenig gekannt, wegen Eintheilung und Reichthum alle Aufmerkſamkeit. Bäume und Geſträuche ſtehen in engliſchen Partien; einjährige und perennirende Pflanzen ſind nach Lin-né's Syſtem geordnet; zahlreiche Alpenpflanzen an einer beſonderen Stelle, die Waſſerpflanzen in Baſ-ſins vorhanden; die Neuholländer- und Orangerie-Pflanzen ſehr zu beachten und die Sammlungen der Johnſonien, Pankratien u. a. als trefflich anzuer-kennen. Der Garten iſt eigentlich für die Studi-renden an der Akademie beſtimmt; doch wird der Eintritt auch Fremden auf Anſuchen im Inſtituts-gebäude gern geſtattet.

d) **Der fürſtl. Liechtenſtein'ſche Gar-ten und Sommerpalaſt**, in der Roßau Nr. 130, im engliſchen Geſchmack angelegt, vom Publikum zahlreich beſucht, hat ſehr ſchöne und zweckmäßig gebaute Glashäuſer, eine reiche Sammlung von Neuholländer-Pflanzen und eine ausgezeichnete Sammlung von Camellien. Von ganz eigenthüm-licher Art iſt der **Wintergarten**, gleichſam ein Miniaturgemälde engliſcher Anlagen in einem Glas-hauſe, ausgeſtattet mit Teich, Bach, Waſſerfall, mit verschiedenen Baumgruppen und mit grünen Rasen im Winter; eine ungemein kostspielige Anlage und nur gehörig zu würdigen, wenn sie ihrer Bestimmung gemäß im Winter gesehen wird. Ueberraschend ist der Eintrittssaal.

Der prächtige Palast, erbaut von Alexander Christian aus Innsbruck nach Dominik Martinelli's Plan, zeichnet insbesondere sich durch die schönste Stiege in Wien aus. Das Plafondgemälde über derselben ist von Rottmayr.

e) Der fürstl. Schwarzenberg'sche Garten und Palast, letzterer vom Architekten J. Emanuel Fischer v. Erlach (Sohn) 1725 vollendet, am Rennwege Nr. 641; ersterer versehen mit Teichen, Springbrunnen, schattigen Gängen, ganz an der Stadt, wird besonders in den Nachmittagsstunden ungemein zahlreich besucht.

f) Der botanische Garten an dem k. k. Theresianum, Favoritenstraße Nr. 306, ist hauptsächlich zu botanischen Vorlesungen für die Zöglinge der Akademie bestimmt.

Wählt man von hier den Weg zum oberen Belvedere (s. S. 84) Nr. 511, so befindet daselbst sich:

g) der botanische Garten für die österreichische Flora, auf Befehl K. Franz I. von Dr. Host angelegt; eine in ihrer Art einzige Anstalt, mit wildwachsenden Pflanzen aus allen Theilen der Monarchie versehen (Host, Synopsis plantarum, in Austria provinciisque adjacentibus sponte crescentium. Viennae, 1828. 8. 2. Edit.).

Der Eintritt ist nicht öffentlich, doch ohne Schwierigkeit zu erlangen. Er steht unter Aufsicht des Freiherrn v. Jacquin.

Durch den Garten des Belvedere gelangt man auf den Rennweg zu dem

h) botanischen Garten der k. k. Universität Nr. 638, von sehr bedeutendem Umfange, bereits 1756 unter Maria Theresia angelegt. In der ersten Abtheilung vom Eingange rechts bemerkt man einen Wärme= und einen Regenmesser (Ombrometer), letzterer von Horner verfertigt, und zeigt, vom 1. Jänner 1832 gerichtet, von dieser Zeit die Regenmenge in jedem Monate an.

Die einjährigen und perennirenden Pflanzen zur linken Seite des kleineren Gartens, und in der anstoßenden größeren Abtheilung sind nach Linné's System geordnet, die Wasserpflanzen in mehren Bassins vertheilt. Den ökonomischen, medizinischen und den Alpenpflanzen sind besondere Räume angewiesen. Sträucher und Bäume stehen an den Hauptgängen und in Gruppen vertheilt, wie jene Pflanzen mit dem botanischen Namen versehen. Der gegenwärtige Reichthum des Gartens beträgt in runder Zahl

Einjährige Pflanzen 1700
Perennirende, mit Einrechnung
der Alpenpflanzen 9000
Wasserpflanzen 220
Gehölz 1750
Glashauspflanzen 4900

und darunter finden sich über 100 Species Salix

und gegen 350 Rosa. Auf die von oberflächlichen
Beschauern dem Garten nachgerühmte Ehre, »in der
Gattung Rosa sicher der vollständigste in Europa
zu seyn,« wird er wohl selbst sehr gern verzichten, da
unter Andern der Garten des Erzherzogs Karl
bei der Weilburg in Baden mehr als Eintau-
send achthundert wahre Species zählt.

Der größte Theil der Salices steht ungemein
zweckmäßig in einer halbrunden Erdvertiefung im
Hintergrunde des neuen Gartens.

Die Bauart der vier Gewächshäuser entspricht
ihrer Bestimmung. Links beim Garteneingange ist
das sogenannte Kaphaus; nebenan, mit der Fronte
größtentheils nach Westen (sic), das kalte Haus,
und am Ende von diesem nach der Südseite des
Gartens das eigentlich warme Haus. Zwischen
diesem und dem Kaphause steht ein kleineres
Glashaus für Stapelien, Zwiebelgewächse und
Mesembryanthemen, mit einer, hier in Wien vor
einigen Jahren zuerst versuchten erfolgreichen Hei-
zung durch warmen Wasserdunst.

Die Sammlung der sukkulenten Pflanzen
dürfte der Specieszahl nach hier wohl die vollständigste in Wien seyn, und als Seltenheiten
zeigt man noch aus dem Nachlasse des Prinzen
Eugen, gest. 1736, die Bosca Yervamora und
die Kiggelaria africana. Direktor des, täglich dem
Besuche offenstehenden Gartens ist der k. k. Regierungsrath Freiherr von Jacquin; Obergärtner
Herr Dieffenbach. Dem botanischen Garten gegenüber liegt

i) der Garten und die schöne Sommer=
villa des Fürsten Metternich, Nr. 545.
Der Garten, ein Muster des feinen Geschmacks und
der schönen Landschaftsgartenkunst, hat die schönsten
Rasenplätze in Wien und ist mit Gruppen stets blü=
hender Pflanzen vom Frühjahr bis in den Spät=
herbst geziert. Ueberaus reich und kostbar zeigt sich
die vorhandene Sammlung von Georginien, Sem=
perflorensrosen, Camellien, der warmen ausländi=
schen Pflanzen und der englischen Pelargonien. Vor=
zügliches Interesse erregt auch eine köstliche, hier in
Töpfen gezogene Orangerie. Die Erlaubniß zum
Eintritt muß nachgesucht werden.

k) Der Garten der k. k. Gartenbauge=
sellschaft, Ungergasse Nr. 389 (Einfahrt in der
Haltergasse), vormals Privatgarten Kaiser
Franz I., ist zwar noch in der Einrichtung begrif=
fen, veranstaltet indeß schon seit 1838 jährlich ei=
nige Blumen=, Pflanzen= und Obstaus=
stellungen, mit Preisen, bestehend in der kleinen
und großen goldenen, in der kleinen und großen sil=
nen Gesellschaftsmedaille; in Gold von 30, 25, 10
Dukaten u. s. w., für ausgezeichnete, von der Gesell=
schaft bestimmte Blumen, in so fern sie nämlich
den gemachten Anfoderungen entsprechen; in Prei=
sen von 2 Dukaten für vorzügliche Blumenbouquete,
nebst Entschädigung für die abgeschnittenen Blumen;
in Ertheilung der silbernen Gesellschaftsmedaillen
für verschiedene Obstsorten in Körbchen, worüber
die vor der Ausstellung erlassenen Programme das
Nähere besagen.

Mit Vergnügen wird Jedermann diese zweck=
mäßige und auf Pflanzen= wie Obstkultur wohlthuend
einwirkende Erweiterung der früher im fürstlich
Schwarzenberg'schen Garten stattgehabten Blumen=
ausstellung erkennen.

l) Der Garten am k. k. Thierarzenei=
Institut, Landstraße, Rabengasse Nr. 541, ist
von sehr beschränktem Umfange und mit einigen
Offizinalpflanzen angebaut. Er findet hier Erwäh=
nung, weil er, zu den botanischen Gärten Wiens
gehörig, angeführt zu werden pflegt.

m) Ausgezeichnet schöne englische Anlagen bie=
tet noch der vormals fürstl. Rasumovsky'sche
Garten, Erdberg Nr. 93, unweit der Sophien=
Kettenbrücke. Er ist jetzt mit dem Palaste im Besitze
des Fürsten von Liechtenstein.

n) Die Flur der Pelargonien deutschen
Ursprungs bei Herrn Klier, unter den Weißgär=
bern, nächst der bemerkten Kettenbrücke Nr. 92,
enthält mehr als 800 Sorten veredelter Pelargonien,
in mehr als 4000 Exemplaren symmetrisch und ge=
schmackvoll geordnet. Der Besuch wird gern vom
Eigenthümer gestattet.

Verkauft und ausgetauscht werden daselbst von
Rosen im Freien und Heckenrosen Mutterpflanzen
sowohl als Ausläufer.

o) In dem Garten des Berlinerblau=
Fabrikanten J. Adam, auf der Siebenbrün=
ner=Wiese, Vorstadt Matzleinsdorf Nr. 105, findet
der Blumenliebhaber eine Sammlung von mehr als
12,000 der schönsten, seltensten, einfachen und ge=

füllten, monſtroſen, einfarbigen und kolorirten Tulpen aus wenigſtens tauſend Gattungen; nebenbei auch gegen tauſend aus Samen gezogene Aurikeln.

p) Es gibt noch viele andere, des Umfanges und der Einrichtung wegen bemerkenswerthe Gärten; allein der Eintritt iſt mit Schwierigkeiten verbunden, wohl auch gar nicht geſtattet. Eine Ausnahme machte jedoch ſchon früher der Garten des Herrn Joh. Bapt. Ruprecht, Gumpendorf Nr. 54, der ſeit einigen Jahren als ſogenannter Ausſtellungsgarten in Gumpendorf bekannt iſt. Warum nennt ihn der vielſeitig gebildete, kenntnißreiche und thätige Eigenthümer nicht nach ſeinem Namen? Was in einem Garten ausgeſtellt wird, iſt ja Nebenſache, ein Acceſſorium. In dieſem Garten alſo des Joh. Baptiſt Ruprecht finden jetzt jährlich zwei öffentliche Ausſtellungen ſtatt von einer trefflichen Sammlung Chryſanthemen (beſchrieben von J. B. R. ſelbſt, Wien, Strauß, 1833. in⸗S.), und von 400 Kartoffelſorten. Ihm gebührt auch das Verdienſt, zur Blumen⸗, Garten⸗ und Fruchtkultur dadurch mitzuwirken, daß er auf Verlangen bewurzelte Weinreben von mehr als 1200 Sorten, einzelne Kartoffeln von mehr als 400 Sorten, 150 Sorten Chryſanthemen, 40 Sorten neue engliſche Erd⸗ und Stachelbeeren, zu ſehr mäßigen Preiſen käuflich überläßt, und Beſtellungen auf neue Georginien u. dgl. übernimmt.

q) In der Nähe Wien's ſind dem Fremden noch zwei ausgezeichnete Gärten zur beſon⸗

deren Beachtung zu empfehlen. Einer derselben in
Hietzing gehört dem Freiherrn von Hügel, des=
sen Pflanzensammlung nach dem Urtheil eines Sach=
kenners den Namen einer Flora der fremden Welt=
theile und seine Sammlung der Georginien den
Ruf der ersten in Europa verdient. Der zweite Gar=
ten in Hetzendorf, vormals Eigenthum des Frei=
herrn von Pronay, jetzt des Grafen von Beth=
len, ist mit einer reichen Sammlung von schönen und
seltenen Pelargonien u. f. w. geschmückt und mit
anziehenden englischen Partien versehen. Ein Theil
desselben ist jedoch in neuester Zeit zum Bau der
Raaber = Eisenbahn abgetreten. In dem erstbemerk=
ten Garten werden durch die angestellten Aufseher
auch Pflanzen verkauft und getauscht.

r) Der k. k. botanische Garten in
Schönbrunn; f. weiter unten Abschnitt III.,
Nr. 10, Schönbrunn.

3. Der Prater, der Augarten, die
Brigittenau.

a) Der Prater, ein großer, durchaus nur
Laubholz enthaltender Lustwald, wurde 1766 vom
Kaiser Joseph II. dem Publikum geöffnet. Der ge=
wöhnliche Weg in denselben führt durch die fast in un=
mittelbarer Verbindung mit ihm stehende Jägerzeil.
Den eigentlich besuchten Prater durchschneiden
vier, von einem freien, in der Form eines Halb=
zirkels auslaufende große Alleen in verschiedener
Richtung. Die beiden links liegenden werden spar=
sam besucht; die dritte führt auf den Feuerwerks=
platz und zu den zerstreut liegenden Wirthshäusern,

zwischen welchen Ringelspiele, Schaukeln, Kegel=
bahnen u. dgl. angebracht sind. Dieser Theil, der
sogenannte Wurstelprater, ist an Sonn= und
Feiertagen der unteren Volksklassen Tummelplatz.
Die vierte oder Hauptallee rechts ist der Ver=
sammlungsort der vornehmen Welt, die breite Mitte
für Wägen, die kleinere vom Eingange rechts für
Reiter, und die zur Linken, woselbst sich auch ein
erzherzoglicher Lustgarten befindet, für die
Fußgeher bestimmt.

An dieser linken Seite findet man ein Pa=
norama, drei Kaffeehäuser und einen Trai=
teur, gegenüber dem Circus für Kunstrei=
ter; hinter den Kaffeehäusern einige Gebäude, wo=
rin optische Vorstellungen, Geistererscheinungen u.
dgl. zu sehen sind. Hin und wieder treibt auch der
Hanswurst im Kleinen noch sein kurzweiliges
Spiel. Am südlichen Ende des Praters, dicht an der
Donau, liegt das sogenannte Lusthaus, ein run=
der, freier Pavillon, eine angenehme Aussicht ge=
während; in der Nähe ein Gasthaus. Die vom An=
fange des Praters nach der Schnur in den Jahren
1537—38 gezogene Allee bis zum Lusthause hat
eine Länge von 2315 Klafter.

Der Prater wird sehr besucht. An einzelnen
Sonntagen im Sommer finden sich wohl mehr als
15,000 Fußgeher ein. Die größte Menge der Wä=
gen sieht man in den Nachmittagsstunden. Oft bil=
den sie von der Stadt aus einen Zug von zwei
Stunden Länge.

Von den Gasthäusern nahe beim Feuer=

werksplatz werden besucht das zum wilden Mann
und zum Papagei, Paperl genannt. Man speiset
daselbst nach dem Tarif oder nach bestimmten Preisen.

b) Der Augarten, unter Kaiser Ferdi=
nand III. 1655 angelegt, unter Leopold I. erwei=
tert, vom Kaiser Joseph 1775 zu einem öffent=
lichen Erholungsorte bestimmt, liegt am Ende der
Leopoldstadt, bildet ein Viereck, hat einen Flächen=
inhalt von 144,880 Quadratklaftern und steht mit=
telst zweier Alleen in Verbindung mit dem Prater.
Das Gartengebäude hat zwei große Spei=
sesäle mit 5508 Quadratschuh Bodenfläche, ein
Billard= und einige Nebenzimmer. Der Hoftrai=
teur pflegt daselbst an gewissen Tagen Tanzunter=
haltungen, Reunionen, wohl auch tables d'hôte
zu veranstalten, immer aber frühere Anzeigen darü=
ber zu erlassen. Der Augarten ist einfach, aber groß=
artig angelegt, hat in einer geschlossenen Abthei=
lung eine Rosensammlung von etwa 180 Spe=
cies und die stärkste Obstreiberei in Wien.
Auf der Terrasse, vom Haupteingange links am
Ende, genießt man eine herrliche Aussicht über die
Landhäuser, Dörfer und Weinhügel nach dem Kah=
lenberge.

Im großen Vorhofe findet alljährig im
Monat Mai eine öffentliche Ausstellung
von veredeltem Horn= und Schafvieh
statt, welche von der hiesigen k. k. Landwirthschafts=
gesellschaft veranstaltet, zwei Tage dauert. Außer
der Gesellschaftsmedaille von Silber und Bronze
werden noch Geldpreise vertheilt. In den Sälen des

Gartengebäudes verdient alsdann die aufgestellte
Sammlung landwirthschaftlicher Maschi=
nen und Modelle in Augenschein genommen zu
werden. Eintrittskarten erhält man in der Gesell=
schaftskanzlei, Heiligenkreuzerhof Nr. 676, Stock I.

Zur rechten Hand beim Eintritt in den Gar=
ten durch den Saal des großen Gebäudes steht das
einfache, im Sommer vom Kaiser Joseph II.
bewohnte Haus, nach Osten mit der Aussicht
in die große Mittel=Praterallee, noch mit den Mö=
beln damaliger Zeit ausgestattet. Der Eingang ist
neben dem Hauptthore des Augartens, und der
Fremde hat der Besichtigung wegen sich an den
Aufseher zu wenden.

c) Die Brigittenau hat ihren Namen und
die niedliche Kapelle der merkwürdigen Rettung
des Erzherzogs von Oesterreich, Leopold Wilhelm,
zu verdanken, der hier am Brigittentage 1645 der
schwedischen Armee gegenüber lagerte, und von ei=
ner neben ihm niedergefallenen feindlichen Kugel nicht
verletzt wurde. Sie liegt hinter dem Augarten, aus
welchem Fußgeher durch eine dazu bestimmte Thür
gelangen können. Im Sommer wird dieser ange=
nehme Lustwald oft besucht, am zahlreichsten an
dem Kirchweihfeste, welches sich nach dem An=
fange des Leopoldstädter Margarethen=Marktes rich=
tet und auf den Sonntag vor oder nach dem 13. Juli
fällt. Vorkommende Abänderungen werden öffentlich
bekannt gemacht. Es ist dieses ein wahres Volksfest,
während dessen zweitägiger Dauer sich 20—40,000
Menschen aus allen Klassen nach ihrer Weise und

12

auf mancherlei Art vergnügen. Dem Fremden em=
pfehle ich, zuvörderst die wogende Menge von ei=
nem erhöhten Standpunkte, bei dem sogenannten
Kolosseum (eine Erheiterungs=Anstalt) zu über=
blicken, dann beim Durchwandern die verschiedenen,
theils auf dem Grasboden gelagerten, theils an den
Tischen der eilig und kunstlos errichteten, den Thes=
viskarren sehr ähnlichen, Eß= und Trinkanstalten
(oft mit seltsamen Inschriften versehen) versammel=
ten Gruppen zu mustern, und einen eigenthümlichen
Zug des hiesigen Volkscharakters in dem Umstande
nicht zu übersehen, daß selbst Vollgenuß der Ge=
tränke wohl laute jauchzende Lustigkeit, aber keine
Neigung zu Zank und Streit erwecken kann.

1. Die Theater.

Wien besitzt fünf Theater; zwei in der Stadt,
drei in den Vorstädten. Im Innern der Stadt
nämlich:

a) Das k. k. Hoftheater nächst der Burg
Nr. 1, das Burg= oder Nationaltheater genannt,
dem Range nach das erste, ist ausschließlich dem
deutschen Schauspiel gewidmet. Es hat 2 Parterres
und 4 Gallerien nebst zwei Reihen Logen. Die Cour=
tine »Apollo und die Musen« ist ein tüchtiges Werk
von Füger und Abel. Eine eiserne Cour=
tine aber dient, bei etwa entstehender Feuersgefahr,
die Bühne von dem Zuschauersaal abzusperren.

Preise der Plätze:

Eine Loge im 1. und 2. Rang . K. M. 5 fl. — kr.

Sperrsitz im ersten Parterre . . . 1 » 24 »

Eintritt in dasselbe . . . . . . 1 » — »

Eintritt in das zweite Parterre . . — » 30 »

Eintritt in den dritten Stock . . . — » 36 »

Sperrsitz daselbst . . . . — » 48 »

Eintritt in den vierten Stock . . — » 20 »

Die Vorstellungen nehmen gewöhnlich ihren Anfang um 7 Uhr Abends. Männer treten in das Parterre mit abgezogenem Hute ein; das Eintrittsgeld wird auf Verlangen bis zum Anfange des Stückes zurückgezahlt. Die Hofschauspieler sind nach zehnjähriger Dienstleistung pensionsfähig.

b) Das k. k. Hoftheater nächst dem Kärntnerthor Nr. 1036, für deutsche und italienische Opern und für Ballets bestimmt, hat ein Parterre mit erhöhter Abtheilung und 5 Gallerien, deren drei erste zu Logen verwendet sind. Es ist verpachtet; die Eintrittspreise sind nach Umständen wandelbar und werden stets den Theaterzetteln beigefügt. Anfang der Vorstellung um 7 Uhr.

In den Vorstädten sind vorhanden:

a) Das k. k. priv. Theater an der Wien Nr. 26, das größte und schönste in Wien, und die Bühne desselben eine der breitesten und tiefsten in Deutschland. Diese faßt nämlich bei Spektakelstücken über 500 Personen und über 100 Pferde. Es hat 2 Parterre mit 8 Logen, dergleichen 10 im ersten Stock, und 4 Gallerien.

Preiſe der Plätze:

Loge im Parterre und im 1. Stock K. M. 5 fl. — kr.
Geſperrter Sitz daſelbſt . . . . . . — » 48 »
Eintritt daſelbſt . . . . — » 30 »
Geſperrter Sitz im 2. Parterre und
   2. Stock . . . . — » 36 »
Eintritt daſelbſt . . . . — » 20 »
Dritte Gallerie . . . . — » 16 »
Vierte Gallerie . . . . — » 8 »

Anfang der Vorſtellungen um 7 Uhr.

b) Das k. k. privil. Theater in der Leo=
poldſtadt, Pratergaſſe Nr. 511, jetzt Eigen=
thum des Herrn Carl, gab bisher komiſche Volks=
ſpektakelſtücke, Parodien, Traveſtien, Pantomimen
u. dgl. Hin und wieder nennt man es noch das Thea=
ter zum Kasperl, nach einem luſtigen Schild=
knappen, der in früherer Zeit der Ritter= und Ge=
ſpenſtergeſchichten ſich oft auf dieſer Bühne herum=
tummelte. Es unterliegt, wie Alles, dem Wechſel
der Zeit und büßt allmälig ſeine Eigenthümlichkeit
ein. Gegenwärtig ſpielt abwechſelnd ein Theil des
Perſonales vom Theater an der Wien auf dieſer
Bühne; und die Komiker Scholz, Neſtroy u. A.
erheitern das Publikum im Geiſte des früher hier
beſtandenen eigentlichen Volkstheaters. Der Schau=
platz beſteht aus 1 Parterre und 3 Gallerien. Die
Maſchinen waren und ſind hier vortrefflich.

Die Eintrittspreiſe, in Wiener=Währung be=
ſtimmt, ſind:

Eine Loge	W. W. 8 fl. — kr.
Parterre und erste Gallerie, Eintritt .	1 » — »
Sperrsitz daselbst	1 » 30 »
Zweite Gallerie	— » 36 »
Sperrsitz daselbst	1 » — »
Dritte Gallerie	— » 18 »

Anfang der Vorstellungen um 7 Uhr.

c) Das k. k. privil. Theater in der Jo=
sephstadt, Kaiserstraße Nr. 102, zierlich, bequem
und sicher gebaut, hat 2 Parterre, 3 Gallerien mit
14 Logen und 400 Sperrsitzen. Ehemals mit seinen
Vorstellungen gleichsam zwischen dem Theater an der
Wien und jenem in der Leopoldstadt stehend, hat es
sich in neuer Zeit bedeutend gehoben, gibt die neuesten
und besten Opern u. dgl., und wird selbst von der
Stadt aus zahlreich besucht.

Preise der Plätze in Wiener=Währung:

Eine große Loge	W. W. 12 fl.
Eine kleine Loge	8 »

Die übrigen Eintrittspreise wie beim Leopold=
städter Theater.

Anfang um 7 Uhr.

5. Das Ballhaus.

Es befindet sich hinter der k. k. Burg auf dem
Ballplatz und ist zum Ball= und Billardspiel einge=
richtet. Fremde und Einheimische können es täglich
besuchen.

6. Der kaufmännische Verein.

Seine eigentliche Bestimmung ist: Rücksprache
über kaufmännische Geschäfte, und dann erst Un=

terhaltung. Die Gesellschaft hat Direktoren und
Ausschüsse. Außer den Mitgliedern des Handelsstandes können auch Staatsbeamte, Gelehrte und Künstler mittelst Ehrenkarten eintreten. Fremde
werden von eigentlichen Mitgliedern eingeführt. Zur
Unterhaltung dienen etwa 50 deutsche, italienische,
französische und englische Zeitungen und Zeitschriften, die größte Sammlung an einem Orte in Wien.
Der jährliche Beitrag ist 30 fl. K. M., der Versammlungsort in der Spiegelgasse Nr. 1096, im
1. Stock.

Eintritt zu jeder Stunde des Tages.

7. Die Schießstätte der Wiener-
Bürgerschaft.

Sie dient zur Unterhaltung und Uebung der
Bürger im Scheibenschießen, steht unter dem Magistrat und hat einen Ober- und Unterschützenmei-
ster. Zu außergewöhnlichen Frei- und sogenannten
Freudenschießen erfolgen auch besondere Einladungen.

Da auf die Stelle des früher bestandenen Schieß-
hauses der Wiener-Bürgerschaft das neue Kriminal-
Gefängniß in der Alservorstadt erbauet worden ist,
so wurde die Schießstätte provisorisch auf den Ziegel-
schlaggrund des Hrn. Jos. Schödl auf der Wieden
in der blechernen Thurmgasse nächst dessen Behausung
Nr. 391 verlegt.

8. Tanzsäle.

Im Innern der Stadt gibt es deren nur
zwei, beim römischen Kaiser auf der Freiung
und im Casino (vormals Mehlgrube) auf dem

Neumarkt. Dort finden gewöhnlich Gesellschaftsbälle statt mit bestimmter Personenzahl; hier ist seit 1831 der große Saal, von 1152 Quadratschuh Bodenfläche, geschmackvoll und reich verziert, oft der Versammlungsort der vornehmen Welt. Zu einem unterirdischen Tanzsaal wird beim Neubau des Seitzerhofes (s. oben S. 97) nur noch das Lokale im St. Annakeller benützt.

In den Vorstädten ist fast jedes bedeutende Gasthaus mit einem Tanzsaal versehen, und die stets sich wiederholenden Ankündigungen gestatten hier eine beliebige Auswahl. Die berühmtesten Tanzsäle sind indeß die beim Sperl, Leopoldstadt Nr. 210, und der zur goldenen Birne, auf der Landstraße.

9. Die Redouten.

Die beiden überaus schönen k. k. Säle, von welchen der große 6966 Quadratschuh Bodenfläche hat, befinden sich an der k. k. Hofburg mit der Fronte nach dem Josephsplatze. Hier allein ist es gestattet, in der Maske zu erscheinen. Die besuchtesten und glänzendsten Redouten sind die Katharinen-Redoute, die am dritten Faschingssonntage, am fetten Donnerstage, und jene am Faschingsdinstage, wo die Musik mit eintretender Mitternachtsstunde schweigt und die Promenade der eleganten Welt durch die Säle beginnt. Den besten Standpunkt zum Ueberblick der Versammlung gewährt die Hauptstiege im großen Sale nach der Gallerie.

Erfrischungen, Speisen und Getränke erhält

man um festgesetzte Preise in mehren Nebenzimmern. Die Eintrittspreise aber wechseln.

10. Reunion, Konversation, Soirê.

Ankündigungen unter diesem Namen sind nichts weiter, als Einladungen zum Besuch der Gasthaus=Lokalitäten vorzüglicher Art, namentlich der Säle im Augarten, des Sperls in der Leopoldstadt, der Gasthäuser zum guten Hirten unter den Weißgär=bern, der goldenen Birne auf der Landstraße und dgl. Die Musik bei solcher Gelegenheit wird ge=wöhnlich von einem beliebten Künstler geleitet.

11. Hausbälle und Abendgesell=schaften.

Dergleichen finden noch häufig in Wien statt, und der an irgend ein bedeutendes Haus empfohlene Fremde erhält leichten Zutritt.

12. Feuerwerke.

Zur Verfertigung derselben ist Herr Stuwer privilegirt; sie werden vom Monat Mai bis in den September zeitweise gegeben. Der dazu bestimmte Platz, Feuerwerksplatz, ist im Prater. Dem großen Gerüst gegenüber, woran die Dekorationen befestigt werden, steht ein Amphitheater für die vornehme Welt; den Zwischen= und Seitenraum füllt das größere Publikum. Das Feuerwerk beginnt mit eintretender Dämmerung, zeigt gewöhnlich fünf Dekorationen und endet in $3/4$ Stunden. Den Schluß macht immer eine heftige Kanonade. An solchen Tagen versammelt die schöne Welt sich gern im Pra=ter, und nicht selten sind beim Feuerwerke selbst noch

6000 Perſonen anweſend. Der Eintrittspreis in den Prater iſt alsdann unbedeutend (24 kr. K. M.), um ſo phraſenreicher aber die vorausgeſchickte Ankündigung. Das Schauſpiel iſt jedoch impoſant und das Anſchauen jedem Fremden zu empfehlen.

Zuweilen gibt Stuwer ſogenannte Waſſerfeuerwerke auf dem großen Baſſin des oberen Belvedere, oder auf einem Arme der Donau am Prater, die zahlreichen Zuſpruch und Beifall finden.

13. Das Wettrennen der hieſigen herrſchaftlichen Läufer.

Dieſes Wettrennen, am erſten Mai jeden Jahres, iſt kein Akt der Wohlthätigkeit, ſondern der hergebrachten Gewohnheit, die durch manche dabei vorkommende Wetten der Herrſchaften ſelbſt aufrecht erhalten wird. Die Läufer und zahlreichen Zuſchauer verſammeln ſich ſchon gegen 6 Uhr Früh im Prater, und jene durchlaufen alsdann hin und zurück die lange Strecke vom Anfange der Hauptallee bis zum Luſthauſe (ſ. S. 130). Von den empfangenen bedeutenden Geſchenken pflegen dieſe Läufer einen Beitrag zum Penſionsfond der herrſchaftlichen Livreebedienten u. dgl. abzugeben, und das iſt zwar löblich, beſſer wäre es aber, wenn das Wettrennen gar nicht ſtattfände.

14. Das Pferderennen auf der Bahn neben dem Luſthauſe im Prater.

Es wurde 1826 durch eine Aktiengeſellſchaft gegründet und iſt auf die Beförderung der Pferdezucht überhaupt gerichtet. Die Bedingungen und die

Preise des Rennens werden jährlich von dem Aus=
schusse bekannt gemacht und auch die Tage bestimmt.
Diese fallen gewöhnlich in das Ende April's oder
in den Anfang Mai's. An solchen Tagen werden
Schaugerüste errichtet und für Mittel gesorgt, die
Zuschauer schnell an Ort und Stelle zu bringen.
Dem Fremden wird das Ganze gewiß ein anziehen=
des Schauspiel seyn.

Bei dieser Gelegenheit kann auch der, 1833 voll=
endete Durchstich der Donau, zur Seite der
Heide, dem Prater=Lusthause gegenüber, in Augen=
schein genommen werden.

15. Ungemein beliebt sind endlich die Fah=
ten mittelst Dampfwägen auf der Kaiser
Ferdinands=Nordbahn, besonders nach Wa=
gram zu Weissenberger's Restauration, und
in weitere Entfernung, z. B. nach Lundenburg und
Brünn, je nachdem der Bau der Eisenbahn vorschrei=
tet, worüber öftere Ankündigungen erfolgen.

XIII.
Wissenschaftliche und allgemeine Bildungs= und Erziehungsanstalten.

A. Im Innern der Stadt.

1) Die k. k. Universität. Die vom Kaiser
Friedrich II. 1237 gegründete erste öffentliche latei=

nische Schule für Philosophie und schöne Wissen=
schaften in Wien erhob Rudolph IV. 1365 zur Uni=
versität, welche dann vom Herzoge Albert 1384 er=
weitert und vom Kaiser Ferdinand II. 1662 den
damaligen Jesuiten übergeben wurde. Die Einthei=
lung der Studirenden in vier Nationen: die
österreichische, rheinische, ungarische und sächsische,
schreibt sich aus der Stiftungszeit her.

In den Jahren 1753—55 wurde ein neues
Gebäude errichtet und darin die Universität 1756,
in Gemäßheit der unter der Kaiserin Maria Theresia
durch den Freiherrn van Swieten bewirkten
Umgestaltung, eröffnet. Dieses Gebäude ist ein frei=
stehendes längliches Viereck, am Universitätsplaß
Nr. 756, von zwei Stockwerken, der Haupteingang
mit zwei Springbrunnen geziert. Der schöne große
Versammlungssaal von 3816 Quadratschuh
Bodenfläche, dessen Decke Gregor Guglielmi
malte, und der Hörsaal für Mechanik, mit vielen
künstlichen Modellen und Instrumenten, ist im er=
sten, und im zweiten Stock der medizinische Hör=
saal mit der Bronze=Büste des Freiherrn van
Swieten, von Franz Xav. Messerschmidt,
1769, und der später aufgestellten Büste Kaiser
Joseph's II. Auch findet man dort eine merkwür=
dige Sammlung anatomischer Präparate
von Albin, Lieberkühn, Mayer, Prohas=
ka, Ruysch und Barth. Im Erdgeschoß, und
zwar im Hintergrunde der großen, von 20 Säulen
gestützten Halle, befindet sich der Secirsaal, des=

fen Nebengemächer mit fließendem Waffer verfe=
hen find.

Die Univerfität ift in die bekannten v i e r F a=
f u l t á t e n getheilt , und die Dauer eines jeden
Kurfes, wie das Kollegiengeld feftgefetzt. Der t h e o=
l o g i f ch e Kurs dauert u n e n t g e l d l i ch 4 Jahre;
der j u r i f t i f ch e eben fo lang, bei einem Kollegien=
gelde von 30 fl.; der m e d i z i n i f ch e bei gleich
hohem Kollegiengelde 5 Jahre, und der p h i l o=
f o p h i f ch e bei einem Kollegiengelde von 18 fl. K. M.,
zwei Jahre. Der Befuch der Vorlefungen wird auch
Fremden geftattet.

Im Jahre 1838—39 waren an der Univerfität:
Hörer der Theologie   232
»   » Philofophie 577
»   » Jurisprudenz 685
»   » Medizin   660
»   » Chirurgie 466 — 2620.

D e r e n a l l e r g r ö ß t e r T h e i l i n S t i p e n=
d i f t e n u n d v o m U n t e r r i ch t s g e l d B e f r e i=
t e n b e f t e h t.

In Verbindung mit dem Univerfitätsgebäude
fteht (gleichfam als Krone oder Haupt desfelben)

2) D i e k. k. S t e r n w a r t e, bereits 1753
errichtet, mit den trefflichften Inftrumenten, einer
Pendeluhr von Graham, einem englifchen Chrono=
meter von Arnold, dem Multiplikationskreis von
Reichenbach und Ertl u. f. w. verfehen.

D i r e k t o r ift Profeffor J. J. L i t t r o w. Der
Befichtigung wegen melde man fich im R e ch n u n g s=
z i m m e r.

3) Das k. k. Konvikt, der Universität ge=
genüber, vom Haupteingange der Universitätskirche
rechts, ist für arme Studirende seit 1802 be=
stimmt. Diese besuchen das Universitäts=Gymnasium,
die philosophischen und juridischen Hörsäle der Uni=
versität, erhalten Unterricht im Zeichnen, in der
Musik, im Gesange, in der französischen und italie=
nischen Sprache, und werden in Kost, Wohnung 2c.
ganz gleich gehalten.

4) Die drei Gymnasien sind: das Uni=
versitäts=Gymnasium; das bei den Schot=
ten, ebenfalls in der Stadt, und jenes der Pia=
risten in der Josephstadt; Klasseneintheilung, Lehr=
gegenstände und Lehrbücher überall die nämlichen;
jährliches Schulgeld 12 fl. K. M. Im Jahre 1838—
39 wurden diese Gymnasien von 1684 Schülern
besucht.

5) Das fürsterzbischöfliche Semina=
rium oder Alumnat, bei St. Stephan Nr. 874,
ist zur kostenfreien Aufnahme und Ausbildung von
etwa 60 Klerikern bestimmt, welche die theologischen
Vorlesungen an der hiesigen Universität besuchen
müssen.

6) Das Pazmany'sche Kollegium, Schön=
laterngasse Nr. 683, so genannt nach dem Stifter
Peter Pazmany, Primas von Ungarn, 1625, be=
stimmt für ungarische Jünglinge, die zum geistlichen
Stande gebildet werden und ebenfalls zum Besuche
der theologischen Vorlesungen an der Universität
verpflichtet sind, Pazmanyten heißen und einen

Der Fremde in Wien. 4. Aufl.   13

hellblauen Talar tragen. Ihre Zahl ist auf 65 fest=
gestellt.

7) Die höhere Bildungsanstalt für
Weltpriester, die nach vollendetem theologi=
schen Kurse zu Professoren, Direktoren der Semi=
narien, Vorstehern von Kollegien u. dgl. bestimmt
sind, 1816 auf Kosten des Staats errichtet, ist in
der Stadt, Augustiner = Klostergebäude Nr. 1158.

8) Die Normalschule bei St. Anna,
Johannesgasse Nr. 980, von Maria Theresia 1771
gestiftet, führt ihren Namen, weil sie allen Schu=
len in der österreichischen Monarchie zur Norm= oder
Musterschule dienen soll. Außerordentlich stark be=
sucht, hat sie vier Klassen, worin Unterricht im Lesen
und Schreiben, in der Naturlehre und Naturge=
schichte, in der Religion, in den Anfangsgründen
der geometrischen und freien Handzeichnung u. s. w.
ertheilt wird.

Auch werden daselbst Vorlesungen über Päda=
gogik, Katechetik und über physische Erziehung der
Kinder gehalten, ferner Anweisung zum Erlernen
des Generalbasses und des Orgelspiels gegeben.

Diese Hauptschule hat zugleich den Verlag und
Verschleiß aller Normalschulbücher für die ge=
sammte Monarchie. und nach ihrem Muster bestehen
noch 6 andere Hauptschulen, eine davon in der
Stadt, die übrigen in den Vorstädten. Die bei den
W. E. Frauen Ursulinerinnen, Stadt,
Johannesgasse, bestehende Industrieschule für
erwachsene Mädchen hat in ihrer Art einige Aehn=
lichkeit mit der Normalschule, weil sie die Muster=

schule für weibliche Arbeiten ist, und jede Lehrerin dieses Faches, bevor sie angestellt wird, sich einer Prüfung von Seite der ehrwürdigen Frau Vorsteherin unterziehen muß. Das Unterrichts= geld ist jährlich 10 fl. K. M.

Von der bei St. Anna bestehenden Zeich= nungsschule ist unter Rubrik XV, Kunstbil= dungsanstalten, die Rede.

9) Trivialschulen, in welchen bloß Reli= gion, Lesen, Schreiben und Rechnen gelehrt wird, sind in der Stadt 2, in den Vorstädten 57. Schul= geld jährlich 3 fl. K. M.

Die Zahl aller öffentlichen deutschen Schulen in Wien beträgt jetzt 75, die von etwa 30,000 Kindern besucht werden. (Vergl. politische Verfassung der deutschen Schulen in den k. k. Erb= staaten. Wien, Schulbücher = Verschleiß = Admini= stration.)

10) Die vereinigte Schulanstalt der protestantischen Gemeinde, und die damit verbundene Mädchenschule in den Bethäusern der Gemeinden, Dorotheergasse Nr. 1114.

11) Die k. k. protestantische theolo= gische Lehranstalt, in der vorderen Schenken= straße Nr. 43, ist von K. Franz I. gestiftet, mit hin= reichenden Fonds versehen und 1821 eröffnet. In derselben wird die gesammte theologische Wissenschaft nach den Grundsätzen der protestantischen Kirche vor= getragen, und die höhere Ausbildung der künftigen Religionslehrer beider protestantischen Konfessionen im Umfange der österr. Monarchie bezweckt. Die

Zöglinge sind größtentheils aus Ungarn und Sie=
benbürgen. Der Kurs dauert 3 Jahre.

12) Die k. k. Akademie der morgenlän=
dischen Sprachen, in dem Jakoberhof Nr. 799,
ist 1754 zur Beförderung des Verkehrs mit der otto=
manischen Pforte gegründet. Nach vollendeten Stu=
dien in derselben, kommen die Zöglinge als soge=
nannte Sprachknaben zur k. k. Gesandtschaft
nach Konstantinopel, um dort in den orientalischen
Sprachen sich weiter auszubilden, und werden dann
entweder dort, oder bei der k. k. Hof= und Staats=
kanzlei in Wien, oder in den levantinischen Häfen
als Dollmetscher oder Konsule angestellt. Näheres
in Vikt. Weiß, Edl. von Starkenfels: Die
k. k. orientalische Akademie in Wien, ihre Grün=
dung, Fortbildung und gegenwärtige Einrichtung.
Wien, 1839. 8.

13) Die k. k. Landwirthschafts=Gesell=
schaft in Wien, Heiligenkreuzerhof Nr. 676, ge=
bildet 1812, hat den Zweck, zur Verbesserung der
Landwirthschaft mit vereinter Kraft zu wirken, und
zählt Mitglieder aus allen Ständen und Provinzen
der Monarchie.

14) Die k. k. Gartenbau=Gesellschaft,
gegründet durch Einlagssummen und Jahresbei=
träge, ist 1838 in Wirksamkeit getreten und bezweckt
die Beförderung und Veredlung der Pflanzen=,
Blumen= und Obstkultur, und vertheilt dieserhalb
unter ihre Mitglieder Samen, Pfropfreiser u. s. w.,
und veranstaltet jährlich einige Ausstellungen
von Pflanzen, Blumen und Obstsorten

(f. S. 127). Von ihrer Wirksamkeit ist ungemein
viel zu erwarten. Das Lokal derselben und das k. k.
Gesellschafts=Sekretariat befindet sich in der Un=
gergasse Nr. 389 (Haltergasse Nr. 256). Provisori=
scher Vorstand ist Karl Freiherr von Hügel.

15) Die k. k. Gesellschaft der Aerzte
in Wien (Stiftungstag: 24. März 1838), »um ärzt=
liche Kunst und Wissenschaft in angestammter Würde
aufrecht zu erhalten, das Wohl der leidenden Mensch=
heit durch vereinte Kräfte vaterländischer Aerzte zu
fördern.«

16) Oeffentliche Vorlesungen über
Mechanik für Handwerker hält der Prof.
Andr. v. Ettingshausen alle Sonn= und
Feiertage von 11—12 Uhr im Hörsale des alten Uni=
versitäts=Gebäudes (in der unteren Bäckerstraße),
u. dgl. über Krankenwärterlehre Dr. Max.
Florian Schmidt im' neuen Univers. Gebäude.

17) Eine öffentliche Zeichenschule
für Zimmerleute besteht in der Leopoldstadt,
Franzensbrückengasse.

18) Privat=Lehr= und Erziehungs=
Anstalten für Mädchen und Knaben gibt
es viele in Wien, die meisten, der größeren Räum=
lichkeit wegen, in den Vorstädten. Die Zahl der
Privat= oder Hauslehrer, die jedoch durch
gewisse Zeugnisse zur Ertheilung des Unterrichts be=
fähigt seyn müssen, beträgt über 300.

Auch zur Erlernung fremder Sprachen, be=
sonders der französischen, italienischen und engli=
schen Sprache, ist in Wien vielfältige Gelegenheit.

Das Intelligenzblatt der Wiener-Zeitung enthält täglich Anzeigen darüber.

19) Von Schriftstellern und Gelehrten befinden sich wohl 500 in Wien. Namen und Wohnung der angestellten Professoren u. dgl. weiset der Hof= und Staats=Schematismus nach, und sonstige Auskünfte werden die Redaktions=Bureaus und Buchhandlungen zu ertheilen im Stande seyn. Reisende pflegen ohnehin sich mit erforderlichen Empfehlungen zu versehen, und darum scheint in diesem Büchlein eine Aufzählung der Gelehrten, mir wenigstens, eben so überflüssig, als eine Namensliste der Aerzte u. dgl.

B. In den Vorstädten.

1) Das Pensionat der Selesianer-Nonnen, am Rennwege Nr. 640, ist für Töchter des höheren Adels bestimmt. Die Zahl der freien Stiftungsplätze ist jedoch klein, und die Pensionäre haben daher jährlich eine bestimmte Summe für Kost und Unterricht zu zahlen.

2) Das k. k. Civil=Mädchen=Pensionat, Alservorstadt Nr. 106, zur Bildung von Lehrerinnen von K. Joseph II. 1786 in der Absicht errichtet, um die weibliche Erziehung in Schulen und Privathäusern zu verbessern. Die Zöglinge bleiben 8 Jahre in der Anstalt und empfangen Unterricht in der Religion, im Recht= und Schönschreiben, im Rechnen, in der Naturlehre und Naturgeschichte, Erdbeschreibung und Geschichte, in schriftlichen Aufsätzen, in der deutschen und französischen Sprache

und in weiblichen Arbeiten. Sie haben die Verpflich=
tung, später eine bestimmte Zahl von Jahren als
Lehrerinnen in öffentliche Lehranstalten oder als
Gouvernanten in Privathäuser einzutreten.

Außer den ganz freien Stiftungsplätzen für 24
Mädchen, werden auch andere Mädchen gegen Ent=
richtung einer bestimmten Summe aufgenommen.

3) Das k. k. Erziehungsinstitut für
Offizierstöchter in Hernals, ebenfalls von K.
Joseph II. bereits 1775 für St. Pölten gestiftet,
1786 aber nach Hernals versetzt, hat überhaupt 46
Stiftungsplätze, jedoch sämmtlich nur für arme Of=
fizierstöchter. Einrichtung und Unterricht, wie im
Civilmädchen=Institut. Pensionäre werden nicht auf=
genommen. Der k. k. Hofkriegsrath macht die Er=
ledigungen bekannt und bestimmt deren Wiederbe=
setzung.

4) Die Hausfrauen=Bildungsanstalt
in Währing, Nr. 59, bezweckt die Beförderung in=
tellektueller land= und hauswirthschaftlicher Kennt=
nisse und veranstaltet jährlich öffentliche Prüfungen.

Die Anstalten 3 und 4 befinden sich zwar schon
außerhalb den Vorstädten, finden jedoch theils we=
gen ihrer Nähe, theils darum hier Erwähnung, weil
Hernals und Währing in polizeilicher Hinsicht noch
zu Wien gehörig behandelt werden.

5) Die k. k. Theresianische Ritteraka=
demie auf der Wieden, Favoritenstraße Nr. 306,
von der K. Maria Theresia 1745—46 gestiftet, von
Joseph II. 1784 aufgehoben, vom K. Franz 1797
wieder hergestellt, ist bloß dem Adel (institutioni

nobilis juventutis) gewidmet. Die Zöglinge, etwa
200, werden hier zu Civil=Anstellungen gebildet;
die Humaniora wie in den Gymnasien, die höheren
Wissenschaften wie auf der Universität vorgetragen.
Außerdem wird Unterricht ertheilt in der französi=
schen, italienischen, englischen, böhmischen Sprache,
in der Freienhandzeichnung, im Tanzen, Fechten,
Reiten und Voltigiren. Das Institut ist mit einer
Bibliothek, einer Sammlung von Naturalien und
physikalischen Instrumenten, mit einem großen Gar=
ten und einer Schwimmschule in demselben versehen.
Die Stipendien=Stiftungen betragen 149 Plätze; für
andere Zöglinge ist das Kost= und Unterrichtsgeld
vorgeschrieben. — Den Sturz der Engel in der
Hauskapelle malte der Freiherr von Strudel.

    6) Die k. k. Ingenieur=Akademie, Laim=
grube Nr. 186, eine 1735 gegründete Ingenieur=
Schule, wurde 1769 zur Akademie erhoben und 1797
in das jetzige Gebäude verlegt, welches die Herzogin
von Savoyen, Ther. Anna Felicitas, 1749 hatte
erbauen lassen. Der Zweck dieses Instituts ist die
Bildung guter Ingenieur=Offiziere. Es zählt 30
Staats= und 49 Privatstiftungen, überhaupt aber
gegen 300 Zöglinge.

    Die Lehrgegenstände sind in 6 Klassen getheilt,
deren viele unmittelbar das Militärfach betreffen.
Nach vollendeter Prüfung in diesen 6 Klassen, treten
vorzüglich fähige Zöglinge in eine siebente Klasse zum
erweiterten Vortrage der Ingenieur=Wissenschaften.
Sie heißen dann Geniekorps=Kadeten, erhalten
eine monatliche Besoldung aus der Kriegskasse und

später eine Anstellung im Ingenieurkorps, oder in anderen Regimentern.

Zöglinge ohne Stiftungsplätze zahlen ein bestimmtes Kost= und Unterrichtsgeld. Die Disciplin ist streng militärisch und der Lehrkurs dauert 6—8 Jahre.

7) Das gräfl. Löwenburgische Konvikt, Josephstadt Nr. 135, bei den Piaristen, ist zur Erziehung adeliger Jünglinge aus Oesterreich und Ungarn 1732 gegründet und vom Kaiser Franz I. 1802 hergestellt. Die Lehrgegenstände sind: Normalkenntnisse, Humaniora und die theologischen Wissenschaften; dann Sprachen, Zeichnen und Tanzen. — Jünglinge, welche die vierte Grammatikalklasse bereits zurückgelegt haben, werden nicht mehr aufgenommen. Das Institut hat eine Bibliothek und eine Sammlung physikalischer und mathematischer Instrumente. (Vergl. Gymnasien, S. 145.)

8) Die k. k. medizinisch = chirurgische Josephs=Akademie, Währingergasse Nr. 221, vom K. Joseph gestiftet, 1785 eröffnet, ist bestimmt, die österreichische Armee mit tüchtigen Aerzten zu versehen. Im J. 1804 erhielt sie ein Militär=Operations=Institut und 1822 eine neue Einrichtung. Sie ist auf 200 Zöglinge berechnet, welche die philosophischen Vorlesungen bereits auf einer inländischen Lehranstalt besucht haben müssen.

Nach der neu erfolgten Organisation theilt der Lehrkurs sich in den höheren und niederen. Der höhere Lehrkurs dauert fünf Jahre und man erhält, wie auf der Universität, vollständigen Un=

terricht in der Medizin und Chirurgie. Nach been=
digtem fünfjährigen Lehrkurse muß das Doktorat
aus der Medizin und Chirurgie, Magisterium aus
der Geburtshilfe und Augenkunde abgelegt werden.
Man hat alsdann alle Rechte eines Doktors der
Universität, muß aber (Civil=Schüler) als Ober=
Feldarzt in der Armee 8 Jahre, und der gewesene
Militärschüler als solcher 14 Jahre dienen. Der Un=
terschied zwischen Militär= und Civilschülern besteht
darin, daß erstere wirklich dienende Feldärzte sind,
die während des Kurses auch ihre Gage beziehen
und als Schüler des h ö h e r e n Kurses noch 8 fl.
monatliche Zulage bekommen; Civilschüler müssen
sich auch selbst verkösten; doch haben die des n i e=
d e r e n Kurses Kost und Wohnung im blauen Hause.

Dieser n i e d e r e Kurs aber bildet bloß Chirur=
gen und dauert drei Jahre, und beziehungsweise auf
den Magistergrad vier Jahre. Die Schüler des er=
steren werden dann als Patroni Chirurgiae zu einer
acht=, und die des vierjährigen Kurses als Magister
zu einer zehnjährigen Dienstzeit als Unter= oder
Ober=Chirurgen obligat. (Nach einer schriftl. mir
überschickten Mittheilung.)

Das Institutsgebäude, eines der prächtigsten
in Wien, ist mit einem anatomischen Theater und
botanischen Garten (s. S. 123) versehen; bewahrt eine
ausgezeichnete Bibliothek; in deren Mitte die Büste
Kaiser Joseph's von C e r a c h i; eine kostbare Samm=
lung chirurgischer Instrumente, Maschinen, Kno=
chen und Wachspräparate, letztere von F o n t a n a

und **Moscagni** aus Florenz. (Vergl. Sammlungen: Naturalien-, Präparaten- und ethnographische.)

Näheres über dieses Institut in: D. C. Pizigelli, Academia medico-chirurgica Giuseppina
con uno prospetto del corpo sanitario austriaco
e dello Spedale militare di Vienna. 8. magg.
Vienna, 1837. 45 kr.

9) Das k. k. Thierarzenei-Institut,
Landstraße, Rabengasse Nr. 541, von der Kaiserin
M. Theresia 1769 gegründet, von Kaiser Franz I.
1821—22 in das jetzige prachtvolle Gebäude verlegt.

Der Unterricht betrifft nicht bloß die Naturgeschichte der Hausthiere, ihre Zucht, Wartung,
Pflege, Veredlung, die Theorie und Praxis des
Huf- und Klauenbeschlages, sondern auch die Arze-
neimittellehre, die Veterinär-Chirurgie und Opera-
tionslehre, die Seuchenlehre und Veterinär-Polizei
im Allgemeinen und in spezieller Beziehung auf
Pferde, Hunde u. s. w. Dieser Unterricht ist theo-
retisch und praktisch zugleich, für den Kurschmid sowohl, wie für den eigentlichen Thierarzt, auf 2 Jahre
eingetheilt. Der populäre Unterricht über Krankheiten der Hausthiere für Jäger, Hirten und Schaf-
meister aber dauert nur zwei Monate. Nach den
bestehenden Verordnungen kann kein Arzt ein öffentliches Physikat erlangen, der nicht die Lehre von
den Seuchen und Krankheiten des Hornviehs studirt,
und keinem Schmide soll das Meisterrecht ertheilt
werden, der nicht den Lehrkurs der Thierarzenei-
kunde besucht hat. In das mit der Anstalt verbundene Spital werden gegen Bezahlung des Futters

und der Arzenei so viele kranke Thiere aufgenom=
men, als der Raum gestattet, und die daselbst be=
findliche Pferdebade=Anstalt kann seit 1833 auch von
Seite des Publikums für gesunde und kranke Pferde
benützt werden.

Der vortrefflichen Einrichtung wegen gehört
dieses, der k. k. Universität einverleibte Institut
zu den ersten dieser Art in Europa; auch besitzt es
bereits eine bedeutende Bibliothek, eine Sammlung
der verschiedensten Hufeisen, veterinär = chirurgischen
Instrumente , ein anatomisch = pathologisches Mu=
seum und einen kleinen Garten (s. S. 128). Der
Besichtigung wegen wendet man sich an den Auf=
seher im Gebäude.

10) Das k. k. polytechnische Institut,
und die Realschule, Wieden Nr. 28, wozu Kaiser
Franz I. am 14. Oktober 1816 den Grundstein legte,
ist eine Bildungsanstalt für Gewerbe und Handel,
und hat als solche zwei Abtheilungen, die technische
und die kommerzielle. Die Vorkenntnisse zu
beiden werden in der mit dem Institut vereinten
Realschule durch einen zweijährigen Kurs
erworben, worin auch, außer der italienischen und
französischen, von drei außerordentlichen Lehrern
die lateinische, böhmische und englische Sprache ge=
lehrt wird.

Die Lehrfächer in der technischen Abtheilung
sind: Chemie, Physik, Mathematik, Maschinenlehre,
praktische Geometrie , Baukunst und Technolo=
gie; die der kommerziellen: Geschäftsstyl,
Handlungswissenschaft, Handels= und Wechselrecht,

Merkantil = Rechnungskunst, kaufmännische Buch=
haltung, Handelsgeographie und Waarenkunde, in
einem Lehrkurse von 3 Jahren.

Außer einer zahlreichen Bibliothek aus allen
Fächern der chemischen, kommerziellen, mathema=
tischen, physischen und technologischen Wissenschaften,
besitzt das Institut mehre Sammlungen; so die
Realschule eine Sammlung für Mineralogie und
Zoologie; die kommerzielle Abtheilung eine
Sammlung für die Waarenkunde; die technische
ein mathematisches und physikalisches Kabinet, eine
Sammlung chemischer Präparate und Fabrikate,
Sammlungen von architektonischen und Maschinen=
Modellen, eine Sammlung der Werkzeuge, und
das Nationalfabrik = Produktenkabinet. (Siehe unter
Sammlungen f. Technik.)

Auch gehören zu diesem Institut eine mecha=
nische und astronomische Werkstätte, und ein chemi=
sches Laboratorium.

Die Vorlesungen beginnen am 1. Novbr.
und werden unentgeldlich gehalten. Man bezahlt
bloß eine Immatrikulirungsgebühr. Auch können
Vorträge über einzelne Wissenschaften benützt werden.

An jedem Samstage von Ostern bis zu Ende
des Schuljahres von 8 — 1 Uhr sind die Sammlun=
gen in Augenschein zu nehmen. Fremden ist der
Eintritt täglich, nach Anmeldung in der Kanzlei,
gestattet. Den Bauplan zum Institut entwarf der
k. k. Hofbaudirektor Joseph Schemerl von Leyten=
bach; die Figurengruppe und die Basreliefs an der

14

Fronte sind von dem k. k. Rathe und Bildhauer Jo=
seph Klieber ausgeführt.

Im Jahre 1836 erhielt das polytechnische In=
stitut auf allerh. Befehl Kaiser Ferdinand's ein zur
Gewerbsausstellung (s. diese) geeignetes Lokale in
einem großen Zubau; zu ebener Erde mit weit=
läufigen Magazinen und Sälen zur Aufstellung von
Maschinen und anderen großen Gegenständen der
Gewerbsproduktion; im 1. Stock 25 Säle und drei
gut erleuchtete Gallerien für andere Gewerbspro=
dukte, und mehre dergleichen im 2. Stock.

11) Eine öffentliche Manufaktur=Zeich=
nungsschule, oder s. g. Manufakturmuster=Ueber=
setzungsschule, ist von Joseph Georg Bartsch
in der Kaiserstraße unmittelbar an der Mariahilfer=
Linie Nr. 116 errichtet. An Sonntagen wird in
derselben Unterricht in der Weberei überhaupt und
in der Kunstweberei insbesondere ertheilt, und da=
durch auf die Verbesserung dieses wichtigen Manu=
fakturzweiges günstig eingewirkt. Der Stifter dieser
Anstalt ist Verfasser des Werks: »Die Vorrich=
tungskunst der Weberstühle für die ge=
sammte Seiden= und Wollenmanufak=
tur,« mit Mustern und lithogr. Abbildungen. Wien,
beim Verf. und in Wimmer's Buchhandlung.

12) Gymnasien (s. S. 145).

13) Trivialschulen, Privat=Lehr= und
Erziehungsanstalten (s. S. 147).

14) Kinderbewahr=Anstalten (zugleich
kleine Kinderschulen); worüber das Nähere

Artikel XVII: Anstalten der Humanität und Wohlthätigkeit.

15) Die militärische Schwimmanstalt, und die Schwimmschule, in einem Arme der Donau an der Nordseite des Praters. Man gelangt dahin durch die der Praterstraße entgegen gesetzte, durch eine ausgesteckte Fahne kenntlich gemachte Allee.

Der Zweck der Schwimmanstalt ist, dem Militär die Fertigkeit im Schwimmen zu verschaffen, weßhalb Militärpersonen während der Sommermonate regelmäßig darin sich üben müssen. — Die Schwimmschule dagegen ist für alle Stände bestimmt. Geprüfte Schwimmmeister unterrichten methodisch die Unerfahrenen; Geübte können unter Aufsicht ihre Schwimmfertigkeit erweitern. Die Stunden dazu sind von 9—1 Uhr Früh, von 4—8 N. M. festgesetzt. Gegen Entrichtung einer gewissen Summe, deren Betrag bei der Eröffnung der Anstalt im Monat Mai bekannt gemacht wird, kann man den vollständigen Unterricht oder auch einzelne Lektionen nehmen. Zuschauer zahlen Eintrittsgeld; Frauenzimmern aber ist der Besuch nur an Sonn- und Feiertagen gestattet. Die Mütter werden hier sich überzeugen, daß Schwimmübungen kein Wagestück, sondern eine durch gründlichen Unterricht erworbene, die jugendliche Kraftentwickelung fördernde Kunstfertigkeit sind.

Der Schwimmanstalt für Damen ist bei Gelegenheit der Bäder (S. 100) Erwähnung geschehen.

XIV.

**Hilfs= und Beförderungsmittel der wissen=
schaftlichen und allgemeinen Bildungs= und
Erziehungs=Anstalten in der Stadt Wien
und in den Vorstädten.**

1) Die **Buchdruckereien.** Der Bücherdruck
in Wien ist ein freies, in der Regel **persönli=
ches** Gewerbe, dessen Ausübung den Polizei= und
Censurgesetzen unterliegt. Das nach vorhergegange=
ner Censur vom k. k. **Central=Bücher=Revisionsamte**
ertheilte Imprimatur, womit jedes zu druckende
Manuskript versehen seyn muß, schützt gegen die
Verantwortlichkeit rücksichtlich des Inhaltes. Was
der Buchdrucker mit eigenen Pressen und auf eigene
Rechnung erzeugt hat, darf er auch in einem Ver=
schleißgewölbe, Bücherverlag genannt, zum Ver=
kauf ausbieten; allein die Rechte eines **Verlags=
buchhändlers** erreicht er dadurch nicht.

Außer der k. k. **Aerarial=Staatsdru=
ckerei,** Singerstraße Nr. 913, welche die Druck=
arbeiten in den verschiedenen Zweigen der Staats=
verwaltung liefert, und dann der **Mechitaristen=
Kongregation** am Platzl Nr. 2, bestehen hier
noch 14 Buchdruckereien mit etwa 200 Pressen und
500 Arbeitern. Unter diesen möchten, die übrigen
auch in Ehren gehalten, folgende die vorzüglicheren
seyn: die des **Anton Strauß** sel. Witwe, Al=
servorstadt Nr. 143; des **Karl Gerold,** Domi=

nikanerplatz Nr. 661; P. Sollinger, Laim=
grube Nr. 24; v. Ghelen'schen Erben, Rauhen=
steingasse Nr. 227; Anton Pichler's sel. Witwe,
Vorstadt Margarethen Nr. 30, im eigenen Hause;
Leopold Grund, am Neubau, Andreasgasse
Nr. 303; und Anton Edl. v. Schmid, in
orientalischen Sprachen, Alservorstadt, Strudel=
hofgasse Nr. 267, und Stadt, Seitenstätterhof, in
der Seitenstättergasse.

2) Buchhandlungen. Die Buchhändler in
Wien bilden ein Gremium, dessen Rechte von zwei
Vorstehern vertreten werden. Sie unterliegen den
Censurgesetzen und dem Buchhändler=Patent vom
18. März 1806. Ihre Handlungen theilen sich in

a) moderne Buchhandlungen (25), wel=
che Verlag und Sortiment führen, auch antiquari=
sche Geschäfte treiben können; als:

Karl Armbruster, Singerstraße, zum rothen
Apfel Nr. 878;

Bernh. Phil. Bauer und Dirnböck, Her=
rengasse Nr. 25;

Friedr. Beck, am Hof, neben dem Gasthause
zur Kugel Nr. 336;

Karl Gerold (auch franz. und engl. Sorti=
ment), am Stephansplatz Nr. 625;

Karl Haas sel. Witwe, Tuchlauben Nr. 561;

Chr. G. Heubner, Bauernmarkt Nr. 590;

Ignaz Klang, Dorotheergasse Nr. 1105, Be=
sitzer eines bedeutenden antiquarischen Bücher=
lagers.

Ludw. Alex. Mayer u. Komp., Singerstraße, im deutschen Hause;

Carl Fr. Mörschner, Kohlmarkt Nr. 257;

v. Mösle's sel. Witwe und Braumüller, Graben Nr. 1144;

Rohrmann (k. k. Hofbuchhändler) und Schweigerd (auch franz., italien. und engl. Sortiment), Wallnerstraße Nr. 269;

Rud. Sammer, Kärntnerstraße Nr. 1019;

Friedr. Schaumburg u. Komp. (franz. und engl. Sortiment), Wollzeile Nr. 775;

Joh. Singer und Göring (vormals Kupffer u. Singer), Wollzeil, Bischofshof Nr. 869;

Franz Tendler und Schäfer, Trattnerhof Nr. 618;

Friedr. Volke (deutsch., franz., italien. und engl. Sortiment), Stockmeisenplatz Nr. 875;

Joh. B. Wallishausser's sel. Witwe, hoher Markt Nr. 511;

Franz Wimmer, Dorotheergasse Nr. 1107, vorzugsweise katholisch-theologische Bücher, wie die Buchhandlung der P.P. Mechitaristen, in der Singerstraße Nr. 869 u. s. w.

b) Antiquar = Buchhandlungen (5), die weder mit neuen Werken Handel treiben, noch eigenen Verlag führen dürfen. Darunter

Matth. Kuppitsch, Augustinergasse Nr. 948, besitzt auch eine sehr bedeutende Sammlung von seltenen Werken altdeutscher Literatur;

Franz Gräffer, Rauhensteingasse Nr. 948, vorzugsweise österreichische, oft sehr seltene und kost-

bare Geschichtswerke, übernimmt auch die Verschaf-
fung von dergl. und anderen großen Werken, wozu
er durch ausgebreitete Bücherkenntniß vorzüglich
geeignet ist;

Markus Greif, Wollzeile Nr. 859, besonders
katholisch-theologische Werke u. s. w.;

Johann Tauer, Schulhof Nr. 413.

3) Bibliotheken; und zwar:

A. Oeffentliche.

a) Die k. k Hofbibliothek. Das herrliche
Gebäude derselben, die ganze Fronte des Josephsplatzes einnehmend, ist ein Werk Fischer's von
Erlach (gest. 1724), von seinem Sohne Joseph
Emanuel 1726 vollendet und auf Befehl Karl's VI.
aufgeführt. Der Aufgang ist auf der linken Seite
des Josephsplatzes; die schöne breite Stiege, deren
Wände mit römischen Steinschriften verziert sind,
führt in einen prachtvollen, 246' langen, 45' breiten,
62' hohen Büchersaal, dessen ovalrunde Kuppel
im Lichten 92½' lang, 57' breit, und 92½ hoch,
auf 8 Säulen ruht. Die Decke desselben ist von
Daniel Gran vortrefflich gemalt; die al fresco
gemalten Rosetten aber an den, zur Unterstützung
der Kuppel gegen die beiden Seitenflügel des Saales errichteten, Pilastern sind von Anton Maulbertsch. Die Statue Karl's VI. in der Mitte des
Saales verfertigte Ant. Coradini (?), die der
österreichischen Regenten sind aber nicht von Coradini, sondern von Paul und Dom. Strudel.

Der eigentliche Gründer der Hofbibliothek ist Kaiser Maximilian I., der seines Vaters Friedrich vorgefundene Büchersammlung 1493 ordnen ließ. Ihr erster Vorsteher war Konrad Celtes (gest. 1508); der erste Bibliothekar Hugo Blotius (Bloß), ernannt durch das Dekret Maximilian's II. vom 15. Juni 1575. Vermehrt wurde sie durch die Sammlungen König Mathias' Corvinus, des Cuspinian, Bischofs Johann Faber, des k. k. Gesandten Augerius Busbeck, des Wolfgang Lazius, durch die Bücher und Handschriften des Tycho Brahe, der vom Schlosse Ambras in Tyrol u. A. m. Unter Leopold I. zählte sie schon über 80,000 der seltensten Handschriften und Bücher aus allen Fächern, doch wurde sie erst unter Karl VI. ein **öffentliches** Institut und fortwährend bereichert durch die Sammlung des Prinzen Eugen, mit der berühmten Peutinger'schen Karte und mit den von Apostolo Zeno und Alexander Riccard in Italien gesammelten Handschriften. Aehnliche Vermehrungen erhielt sie unter Maria Theresia und Kaiser Franz I., besonders an Manuskripten aus Venedig und Salzburg.

Die Hauptsammlung von **Büchern** in allen Fächern enthält etwa 320,000 Bände. Die **Handschriften** sind geordnet theils nach der Zeit ihrer Entstehung, theils nach dem Material, ob Pergament oder Papier, theils nach Inhalt und Sprache. Die Bibliothek besitzt

Griechische Handschriften . . 985
Occidentalische auf Pergament 2789
    "   "   " Papier . 11157

Hebräische Handschriften . . 85
Orientalische 1000
Chinesische und indische . . 60 = 16,076.

Die Zahl der Inkunabeln beträgt etwa eben so viele Bände.

Folgende vier xylographische Werke aus dem XV. Jahrhundert wurden in einem Band Klein-Folio 1809 erkauft mit illuminirten Holzschnitten (die offenbar zu den ältesten, vor 1410, gehören): Liber regum; Historiae veteris et novi Testamenti; Historia seu providentia Mariae Virginis ex cantico canticorum; ars memorandi notabilis per figuras Evangelistarum.

Die musikalischen Sammlungen enthalten Werke vom XV. Jahrhundert an bis auf die heutige Zeit und sind in 15 Kästen aufbewahrt. Der Kasten Nr. 16 enthält die musikalischen Autographen. Außer diesen besteht noch eine Autographen-Sammlung von mehr als 8000 Stücken, von Monarchen, Fürsten, Ministern, Staatsmännern, Feldherren, Gelehrten, Dichtern, Künstlern, eigentlich erst eine Schöpfung des jetzigen k. k. Hofbibliotheks-Präfekten Moriz Grafen von Dietrichstein.

Endlich hat diese Bibliothek eine ungemein große Sammlung von Holzschnitten, Kupferwerken und Miniaturgemälden, von welchen in der Rubrik »Kunstsammlungen« das Nähere.

An der Mittagsseite des Saales steht die weiße marmorne Büste Gerhard's van Swieten, restaurirt vom Hofbildhauer Schaller, seit dem

14. November 1833. Früher befand sie sich, von
Maria Theresia gestiftet, in der sogenannten Tod=
tenkapelle der Augustinerkirche. (S. 72.)

Zum Ankauf neuer Werke sind seit 1820
der Hofbibliothek jährlich 19,000 fl. K. M. ange=
wiesen. Die Eintrittsstunden sind von 9—2
Uhr Mittags, mit Ausnahme der Sonn= und Feier=
tage und der Ferialzeiten. (Vergl. von Mosel's
Beschreibung der k. k. Hofbibliothek, Wien, Beck,
1834. gr. 8.)

b) Die k. k. Universitäts=Bibliothek
am Dominikanerplatz Nr. 672, in einem neuen ge=
schmackvollen Gebäude, ist zwar hauptsächlich zum
Gebrauche der Studirenden bestimmt, hat dessen=
ungeachtet aber kostbare und seltene Werke aus al=
len Fächern. Zum Anschaffen neuer Werke
besitzt sie einen Fond von 2500 fl. K. M. (nicht
1500, auch nicht 3200 fl.) und ihre Bücherzahl
ist über 101,000 Bände. Die alte akademische Bib=
liothek wurde (einer anderweit gegebenen Berichti=
gung zufolge) vor 200 Jahren mit der kaiserlichen
vereinigt, und die gegenwärtige ist die der vormals
hier bestandenen Jesuiten, mit den späteren zeitwei=
sen Erwerbungen. Es ist daher auch eine irrige An=
gabe gewesen, daß Johannes von Gmunden 1435
diese Bibliothek gegründet habe. Auch hat Celtes
nicht seine Büchersammlung dieser, sondern der Hof=
bibliothek bestimmt (Mosel, a. a. O. S. 13). Ein=
trittsstunden von 9—2 Uhr Mittags, mit Aus=
nahme der Sonn= und Feiertage und der Ferial=
zeiten.

B. Privat=Bibliotheken.

a) Die Handbibliothek Sr. Majestät weiland Kaiser Franz I., vereinigt mit der des regierenden Kaisers Ferdinand I. Treffliche Auswahl der vorzüglichsten Werke in allen Zweigen, besonders klassische Literatur, Naturgeschichte, Geschichte, Technologie; über 50,000 Bde.; seltene Manuskripte, Inkunabeln u. s. w. Außerdem gegen 4000 Landkarten und Pläne, 108 Atlasse. Ohne besondere Erlaubniß kein Eintritt. (Vergl. unter Kunstsammlungen.)

b) Die Sr. kais. Hoheit des Erzherzogs Karl, Augustiner=Bastei Nr. 1160, mit etwa 20,000 Bänden von Werken für Geschichte, Kriegskunst, Staatswissenschaft, Naturgeschichte, Kunst und klassische Literatur. Eintritt am Montag und Donnerstag von 9—12 Uhr.

Die Handbibliothek für Kriegswissenschaft zählt 6000 Bände, und eine sehr große Sammlung von Landkarten und Plänen.

c) Die des Fürsten Staatskanzlers von Metternich, Ballhausplatz Nr. 19, über 20,000 Werke nach sorgfältiger Auswahl, Klassiker, Reisebeschreibungen, Prachtausgaben u. s. w. Die Erlaubniß zum Eintritt muß erbeten werden.

d) Die Bibliothek des Fürsten Paul Esterhazy, Alservorstadt im rothen Hause Nr. 197, über 36,000 Bände, worunter die Prachtausgaben

Didot's und Bodoni's sowohl, als andere der lateinischen, italienischen, französischen und englischen Klassiker, ferner die kostbarsten naturhistorischen Prachtwerke, malerische Reisen, die neuesten Museen und viele Werke artistischen Inhalts.

Ohne unmittelbare Erlaubniß kein Eintritt.

e) Die des Fürsten Liechtenstein, Herrengasse Nr. 251, etwa 40,000 Bände; Inkunabeln, Klassiker, Prachtausgaben, Kupferwerke u. s. w. Eintritt wie ad d.

f) Die des Fürsten von Schwarzenberg, Neumarkt Nr. 1054, ist jetzt ebenfalls der Benützung entzogen und größtentheils auf die Familien-Herrschaft Krummau in Böhmen geführt.

g) Die des Hofrathes Jos. Freiherrn v. Hammer-Purgstall, gegen 8000 Bände orientalischer Werke, handschriftlich und gedruckt; u. s. w.

Es sind noch viele andere und bedeutende Bibliotheken in Wien vorhanden, deren Aufzählung aber füglich unterbleiben kann, da sie dem Einheimischen bekannt sind und der Reisende kaum Zeit und Gelegenheit finden dürfte, den Eintritt zu erlangen. Als Ausnahme und Kuriosum zugleich, mag jedoch die Sammlung des ständischen Sekretärs Castelli aufgeführt werden, von etwa 10,000 dramatischen Werken, Komödienzetteln (sehr bezeichnende) von 1600 u. f., und mehr als 700 Bildnissen von Schauspielern und Theaterdichtern.

C. Bibliotheken wissenschaftlicher und Kunstanstalten.

Dahin sind zu zählen: Die der Akademie der bildenden Künste, angelegt von Rudolph Fueßli 1800; Werke aus dem Kunstfach, vermehrt durch die Doubletten der vereinigten Bibliothek des verstorbenen Kaisers Franz und des regierenden Kaisers Ferdinand, von Letzterem als Kronprinz gesammelt und 1837 der Akademie geschenkt; durch Beiträge vieler Privaten, besonders vom Architekten Franz Jäger, Werke über Baukunst, mehre tausend Kupferstiche und Handzeichnungen; vom Prof. Ender 800 Blätter Handzeichnungen aus Natur- und Menschenleben in Brasilien u. s. w.; der k. k. vereinigten Hof-Naturalien-Cabinete, seit 1806 angelegt und überaus reich an den kostbarsten Werken aus allen Zweigen der Naturkunde von der ältesten bis auf die neueste Zeit; der k. k. Ambrasersammlung (ausgezeichnet); des k. k. Antiken- und Münzkabinets, besonders mit Werken für Münz- und Alterthumskunde und die damit verwandten Wissenschaften; der Theresianischen Ritter-Akademie (40,000 Bände); des Löwenburgischen Konvikts (4000); der Akademie der morgenländischen Sprachen (über 3500); der k. k. Ingenieur-Akademie (einige Tausend); des k. k. polytechnischen Instituts (gegen 13000 Bände); der medizinisch-chirurgischen Josephs-Akademie (6000 Bände vorzüglicher Werke über Botanik und Anatomie); der k. k.

15

Sternwarte (gegen 1300 Werke); der nie=
deröfterr. Herren Stände (über 2000 Bände
genealogischen und topographischen Inhalts über
Oesterreich unter der Enns); des k. k. Hofkriegs=
Archivs (gegen 22,500 Bände über Kriegskunst,
nebst einer Sammlung von 3000 Karten und 73
Atlanten, zur Benutzung der k. k. Offiziere, Hof=
kriegsraths=Beamten und Professoren der Militär=
anstalten); der k. k. Landwirthschafts=Ge=
sellschaft (über 2000 Bände, Landwirthschaft,
Viehzucht, Garten= und Waldkultur); der Gesell=
schaft der Musikfreunde (etwa 2000 Bde.);
die Bibliothek der Serviten (über 20,000); der
Benediktiner bei den Schotten (etwa 12,000
Bände, besonders im Bibelfach und in der Literatur=
geschichte) u. A.

Einige der genannten Bibliotheken kann der
Reisende beim Besuche der Anstalten selbst in Au=
genschein nehmen, überhaupt aber wird dieserhalb
die Erlaubniß von den Vorstehern unmittelbar nach=
zusuchen seyn.

4) Naturalien=, Präparaten= und eth=
nographische Sammlungen.

a) Die vereinigten k. k. Hof=Natura=
lien=Kabinete, oder das k. k. naturhistori=
sche Museum, bestehend aus drei Abtheilungen:
dem zoologischen, botanischen und mine=
ralogischen Museum. Die beiden ersten be=
finden sich im rechten Flügel des k. k. Hofbibliothek=
Gebäudes, letzteres im Augustiner=Gange in der k. k.
Hofburg. Diese Anstalt wetteifert mit den reichsten

und berühmtesten Sammlungen in Europa und wird nur von dem Pariser-Museum an Reichthum übertroffen. Sie wurde 1748 gegründet, 1796 durch Anlegung eines eigenen zoologischen Museums vermehrt, 1806 mit einer naturhistorischen Bibliothek in Verbindung gebracht und 1810 durch Gründung eines eigenen botanischen Museums auf alle Zweige der Naturkunde ausgedehnt. Das 1821 gegründete brasilianische Museum ist seit 1835 aufgelöst und mit dieser Anstalt verbunden worden. Die Aufstellung aller dieser Sammlungen ist, so weit es der beschränkte Raum gestattet, möglichst zweckmäßig und durchaus streng systematisch, nach den neuesten Anfoderungen der Wissenschaft. Erhaltung, Ordnung und Zierlichkeit sind musterhaft. Seit der neuen Organisation 1835 erscheinen eigene Annalen des Wiener-Museums der Naturgeschichte in 4., beinahe ausschließlich Arbeiten der österreichischen Naturforscher enthaltend.

Das zoologische Museum füllt 21 Säle und Zimmer im Erdgeschosse und im ersten und zweiten Stockwerke des Gebäudes am Josephsplatze. Hiervon sind 3 große Säle und 4 kleinere Gemächer der Sammlung der Säugethiere, 1 sehr großer Saal, 4 große Zimmer und die Vorhalle eines Corridors der Sammlung der Vögel gewidmet. Die Sammlung der Amphibien ist in einem langen Corridor und einem mäßig großen Zimmer aufgestellt, die der Fische in zwei größeren und zwei kleineren Gemächern. Die Sammlung der Avertebraten (Mollusken, Krebse, Spinnen, Insekten, Zoophyten

und Würmer) nimmt zwei größere und ein kleine=
res Zimmer ein. Am reichsten sind die Sammlungen
der Vögel, Amphibien, Mollusken, Zoophyten und
Würmer. Mit der zoologischen Abtheilung ist auch
eine Sammlung von Skeleten, Hörnern, Gewei=
hen, Eiern und Nestern vereiniget, welche wegen
Mangel an Raum jedoch nur theilweise der öffent=
lichen Besichtigung gewidmet ist.

Die botanische Abtheilung füllt 1 gro=
ßes Zimmer und 3 kleinere Gemächer im dritten
Stockwerke des Gebäudes am Josephsplatze. Sie
gehört unstreitig dermalen zu den vollständigsten
Sammlungen in Europa, und enthält, außer dem
ungeheuer reichen Herbarium von Phanerogamen
und Kryptogamen aus allen Weltgegenden, eine
Sammlung von Früchten und Samen, so wie viele
höchst naturgetreue Nachbildungen von Schwämmen
und Obstsorten aus Wachs. Die früher bei der bo=
tanischen Abtheilung bestandene Sammlung von Fett=
und Saftpflanzen aus Wachs wurde 1837 an die
k. k. Josephinische Akademie abgegeben.

Das mineralogische Museum, im Augu=
stiner=Gange der k. k. Hofburg, nimmt 4 große
Säle ein und gehört unter die Sammlungen ersten
Ranges dieser Art. Seit 1827 ist mit derselben die
berühmte van der Null'sche Sammlung vereiniget.
Der oryktognostischen Sammlung sind 3 Säle ge=
widmet, den vierten füllt die geognostische Samm=
lung und jene der Petrefakten. Außer diesen in
Wandschränken aufgestellten Sammlungen, welche
größtentheils prachtvolle Schaustücke enthalten, be=

finden sich in besonderen Querschränken unter Glas-
pulten: eine Sammlung von Kryftall=Modellen, —
eine Sammlung zur Erläuterung der mineralogischen
Kennzeichen, — eine mineralogisch=technische Sammlung, — eine auserlesene Sammlung von rohen
und geschnittenen Edelsteinen, worunter sich vorzüglich der unschätzbare, 34 Loth wiegende Edel=Opal
(ohne alles Muttergestein 4³/₄ Zoll lang und 2¹/₂
Zoll dick) und der überaus kostbare, aus Edelsteinen aller Art zusammengesetzte Blumenstrauß auszeichnen, den Maria Theresia ihrem Gemal für dieses Kabinet überreichte; — endlich eine Sammlung
von österreichischen Gebirgsarten — und die berühmte
Sammlung von meteorischen Stein= und Metall-
massen; die reichste und vollständigste aller bis jetzt
bestehenden, welche Meteoriten von 79 verschiedenen Fundorten und meist in den ausgezeichnetsten
Prachtstücken enthält.

Die früher im vierten Saale dieser Sammlungs=
Abtheilung aufgestellt gewesenen Mosaik=Tische
und Bilder wurden 1835 in die Gemächer Sr.
Majestät Kaisers Ferdinand übertragen. Das in diesem Saale befindliche Wandgemälde, den Stifter
dieser Sammlungen, Franz I. vorstellend, ist von
den Künstlern Ludwig Kohl und Franz Mes-
mer. (Näheres über diese Abtheilung des Museums
in Paul Partsch: Das k. k. Mineralien=Kabinet
in Wien. 1828. in=12.)

Die zoologische Abtheilung ist das ganze
Jahr hindurch jeden Donnerstag und beim Eintritte
eines Feiertags am vorhergehenden Mittwoch dem

allgemeinen Besuche geöffnet, und kann von Jeder=
mann gegen besondere (beim Portier zu behebende)
Eintrittskarten, Vormittags zwischen 9—11 Uhr
besucht werden. Studirenden steht dieses Museum
an den bestimmten Eintrittstagen während der Mo=
nate Mai bis Oktober auch des Nachmittags von
3—5 Uhr offen.

In das botanische Museum besteht kein
allgemeiner Eintritt, dagegen steht das

mineralogische Museum dem öffentlichen
Besuche jeden Mittwoch, Studirenden, Reisenden
und geschlossenen Gesellschaften jeden Sonnabend
von 10—1 Uhr geöffnet; wozu es weder einer Ver=
abredung mit den Vorstehern, noch einer Karte
bedarf.

Gelehrte und Sachverständige haben jeden Tag
in allen Abtheilungen des naturhistorischen Museums
nach gepflogener Rücksprache mit dem betreffenden
Custos freien Eintritt.

b) Das naturhistorische Museum der
k. k. Universität, in der Schulgasse Nr. 757,
im zweiten Stock, füllt zwei große Säle mit Säu=
gethieren, Vögeln, Fischen, Insekten, Amphibien,
mit Mineralien und Konchylien. Die Decke des er=
sten Saales, der die Sammlungen der Mineralien
und Thiere (29 Schränke) enthält, ist von Pozzo
gemalt; der zweite Saal bewahrt die ausgestopften
Säugethiere und eine Gruppe von kolossalen Ske=
leten derselben, namentlich das einer Giraffe, 15$\frac{1}{2}$
Fuß hoch.

Aus diesem Saale gelangt man in das, von dem verstorbenen Freiherrn v. Stifft gegründete zootomische Kabinet, mit einer trefflichen Sammlung von natürlichen Skeleten, Schädeln, Präparaten einzelner Theile, von dem Prof. Ilg aus Prag, in 5 Glasschränken aufgestellt. Das natürliche Skelet eines echt arabischen Pferdes im Trab nimmt vorzugsweise die Aufmerksamkeit in Anspruch. Die Büste des Stifters in diesem Kabinet ist aus Marmor von Leopold Kießling gearbeitet.

Der Besichtigung wegen wendet man sich an den Saaldiener im Gebäude selbst.

c) Die Naturaliensammlung der k. k. Theresianischen Ritter=Akademie, Wieden, Favoritenstraße, besteht aus Konchylien, Insekten, Holzarten, Mineralien (etwa 4000 Stücke) u. s. w.

d) Die Sammlung ökonomischer Pflanzen der k. k. Landwirthschaftsgesellschaft, im Heiligenkreuzerhof Nr. 676, enthält alle Arten und Abarten von Cerealien, Pflanzen zur Fütterung, Hülsenfrüchten, Gartengewächsen u. s. w., ein vollständiges Forstherbarium, eine Sammlung inländischer Holzarten, verschiedene Sorten von Stein= und Kernobst, in Wachs geformt, und eine reiche Sammlung von Mineralien; das Ganze sehr betrachtenswerth.

Der Eintritt wird in der dortigen Gesellschaftskanzlei nachgesucht.

e) Die Naturalien=, Instrumenten= und Präparaten=Sammlungen der k. k.

Josephinischen Akademie, Währingergasse
Nr. 221, enthalten eine Sammlung von Mineralien
(etwa 3000); eine Konchyliensammlung (5300 Er.),
eine zoologische von 8000 Er., nebst vielen Skele=
ten und mehren Sammlungen von Zähnen der Säu=
gethiere (für den Unterricht bestimmt); eine Samm=
lung physikalischer und chemischer Apparate; Samm=
lungen von Heilmitteln; ein Herbarium der deutschen
Giftpflanzen; über 100 anatomisch=pathologische
Präparate; chirurgische Instrumente, Maschinen
und alle Arten zu chirurgischen Operationen nöthi=
ger Bandagen (über 2000); eine höchst wichtige pa=
thologische Knochensammlung; eine Sammlung Ske=
lete von natürlichem und monstrosem Fötus nach
allen Perioden der Zeugung (von Sömmering und
Vering); Gehör=Präparate des Menschen (von Dr.
Georg Ilg); der Vögel und Fische (von Hermann);
die anatomisch=pathologischen Wachs=Präparate (von
Dr. Hunczofky) im Erdgeschoß, und in sieben Sä=
len des zweiten Stocks die berühmten anatomi=
schen Wachs=Präparate, Meisterwerke des
Kunstfleißes, von Fontana und Moscagni aus
Florenz. (Vergl. Dr. A. Römer, Specielles Ver=
zeichniß der anatomisch=physiologischen natürlichen
und Wachs=Präparate, aufgestellt in der k. k. med.
chirurgischen Josephs=Akademie, nebst einer kurzen
Beschreibung des in diesem Gebäude noch befindli=
chen naturhistorischen Kabinets und der pathologisch=
anatomischen Sammlung. Wien, Heubner, 1837.
12. 40 kr.)

Gelehrte, Aerzte und Wundärzte mel=

den des Eintritts wegen sich an einem Donner=
stage beim dortigen Prosektor.

f) Die Sammlung der anatomischen
Präparate der k. k. Universität. Siehe
S. 143, und deren ausführliche Beschreibung in den
medizinischen Jahrbüchern der Wiener Universität,
1821.

g) Die Sammlungen des anatomisch=
pathologischen Museums im allgemei=
nen Krankenhause, Alservorstadt Nr. 195,
theils trockene Präparate in drei Zimmern des er=
sten Stocks, theils in Weingeist aufbewahrte in ei=
nem Saale und Zimmer des zweiten Stocks, im
Ganzen gegen 4000 Stücke. Am vollständigsten dürf=
ten die der Herz= und Gefäßkrankheiten, die Samm=
lung von Schädeln aber die zahlreichste seyn. Der
Eintritt, gewöhnlich an einem Samstag von 10—12
Uhr Mittags, ist bei dem jedesmaligen Vorsteher
nachzusuchen, und nähere Nachricht über dieses Mu=
seum zu finden in Dr. Biermayr's: Muscum ana-
tomico-pathologicum. Wien, 1816.

h) Die Prohaska'schen mikroskopi=
schen Einspritzungen werden wissenschaft=
lich gebildeten Männern von dem Primararzt
im allgemeinen Krankenhause vorgezeigt.

i) Die Sammlung chirurgischer In=
strumente, Verbandstücke und Maschinen
enthält über 2000 Instrumente u. dgl. in 40 Etuis,
darunter 130 von Silber. Die Verbandstücke und
Maschinen werden in 17 Kästen aufbewahrt.

k) Das ophthalmologische Museum,

in der Augenklinik des allgemeinen Krankenhauses
(Hof 3), enthält Zeichnungen merkwürdiger hier
beobachteter Augenkrankheiten (meist vom Professor
Beer, eine Sammlung sehr schöner Wachs-Präpa-
rate (von Hofmayer); Präparate für die ver-
gleichende Anatomie; anatomisch-pathologische Präparate des Auges, trockene und in Weingeist aufbewahrte, unter diesen auch Nerven-Präparate und
Einspritzungen (von Dr. Hyrtl); eine vollständige Sammlung von Augengläsern, Augenschirmen,
Augen-Dampfmaschinen ꝛc.; eine Sammlung geschicht-
lich merkwürdiger, und jetzt gebräuchlicher Opera-
tions-Instrumente (von Malliard und Schlei-
fert in Wien).

Der Eintritt wird bei dem Herrn Assisten-
ten der Anstalt nachgesucht.

l) Die Sammlungen des k. k. Thierarzenei-Institutes, Landstraße, Rabengasse
Nr. 541, und zwar die der anatomisch-physiologi-
schen und pathologischen Präparate, gegen 3000 in
4 Sälen; das zoologische Kabinet, bloß Behufs des
Unterrichts und daher von keiner großen Bedeutung; eine Arzeneimittel-Sammlung und ein treffliches Herbarium; eine Sammlung veterinär-chirur-
chischer Instrumente (ausgezeichnet.) Der Eintritt
ist täglich gestattet.

m) Das k. k. ethnographische Museum,
auf dem Rennwege, in der Ungergasse Nr. 389
(im sogenannten Kaiserhause), 1803 gegründet und
früher mit der Ambrasersammlung vereiniget, bildet seit 1838 eine selbstständige Samm-

lung, welche der Direktion des k. k. Hof-Natura-
lien-Kabinets untergeordnet ist. 5 Säle und 2 Zimmer im ersten Stockwerke des Gebäudes sind für die
Aufnahme dieser Sammlung bestimmt, welche bereits schon größtentheils in Glasschränken aufgestellt
ist. Der größte Reichthum derselben besteht in Geräthschaften, Waffen, Kleidungsstücken, Götzenbil-
dern, Musik-Instrumenten u. s. w., von 68 verschiedenen Völkerschaften aus Brasilien, theils von
Pohl und Schott, vorzüglich aber von Natterer in Brasilien gesammelt, welche allein 4 und
einen halben Saal füllen. Die ganze Hälfte des fünf-
ten Saales enthält die ethnographischen Sammlungen, welche Prof. Gieseke in Grönland zusam-
menbrachte, und eine nicht unansehnliche Partie
solcher Gegenstände von den Chippeways aus Nord-
amerika, ein Geschenk des Herrn Klinger aus
Görz. Die beiden letzten Zimmer sind zur Aufnahme
der von Cook in Neuholland, Neuseeland, auf
den Freundschafts- und Sandwichs-Inseln gesammelten Gegenstände und der vom Baron von
Hügel in Egypten, Ostindien, China, Neuholland und Neuseeland gemachten Sammlungen bestimmt.

Für dieses Museum besteht dermalen kein allgemeiner öffentlicher Eintritt; doch kann dasselbe
nach gepflogener Rücksprache mit dem Custos Natterer von einzelnen Fremden und kleinen Gesellschaften besichtiget werden.

5) Physikalische, mathematische und tech=
nische Sammlungen.

A. Oeffentliche, und auch zu öffentlichen
Anstalten gehörige Sammlungen.

a) Das merkwürdige technische Kabinet
Sr. Maj. des regierenden Kaisers von
Oesterreich, Ferdinand I., gehört, seit 1819
angelegt, zu den vollständigsten dieser Art und be=
steht:

1) Aus der eigentlich technischen Samm=
lung: Alle ganz rohen oder zum Theil bear=
beiteten Stoffe, welche in den Fabriken und
Manufakturen des österr. Staats verwendet
werden, geordnet nach den drei Reichen der
Natur, mit besonderer Rücksicht auf die vor=
züglichsten Formen, unter welchen sie ange=
wendet werden, und auf ihre physischen und
technischen Merkmale und Eigenschaften, ge=
gen 4000; Fabriks= und Manufaktur=Erzeug=
nisse aus sämmtlichen Provinzen des österr.
Kaiserstaats, wobei der Ueberblick durch eine
sinnreiche Anwendung von Mustern in ver=
jüngtem Maßstab erleichtert und die Samm=
lung dadurch ungemein lehrreich wird, daß
nicht nur die vollendeten Fabrikate, sondern
bei den meisten auch das gewerb= oder kunst=
mäßige Bereitungsverfahren in trefflich ge=
wählten Proben gezeigt ist. So läßt sich un=
schwer beurtheilen, in wie weit in einzelnen

Theilen des Reichs oder in den Fabriken selbst
Gewerbe und Kunstfleiß fortgeschritten sind.
Die Zahl der aufgestellten Gegenstände be=
trägt über 47,000.

2) Aus der technischen Sammlung des
k. k. Militärs; sämmtliche Waffen und
Geschützgattungen, Munition, Werkzeuge der
verschiedenen Militär=Branchen, Fuhrwerk,
Schiffe, Schiffbrücken ꝛc., größtentheils in Mo=
dellen.

3) Aus der technischen Modellen=Samm=
lung; sämmtliche Bestandtheile der Maschinen
und die Maschinen selbst nach bestimmtem
Maßstab und aus dem nämlichen Material,
wie im Großen, als: Maschinen und Vorkeh=
rungen zur Sicherheit und Bequemlichkeit des
Menschen; landwirthschaftliche Geräthe, Vor=
richtungen und Maschinen; Maschinen und
Vorrichtungen für den Bergbau; technische
Maschinen und Vorrichtungen; dergl. den
Civilbau und Wasserbau betreffend u. s. w.

Diese ausgezeichneten, von Sr. Maj. dem Kaiser
der öffentlichen Benutzung gewidmeten Sammlun=
gen stehen unter Aufsicht und Leitung der HH. Ste=
phan Ritter von Keeß und W. C. Wahru=
schek=Blumenbach.

b) Die physikalische und mechanische
Maschinen=, Instrumenten= und Model=
lensammlung der k. k. Universität, im
Gebäude Nr. 756, theils in Glasschränken bewahrt,

Der Fremde in Wien. 4. Aufl.　　16

theils frei aufgestellt und zur Benutzung bei wissenschaftlichen Vorträgen bestimmt. (Vergl. S. 186.)

c) Die Sammlung physikalischer und mathematischer Instrumente der k. k. Theresianischen Ritter-Akademie enthält beinahe alles Vorzügliche, was im Gebiete der Geometrie, Mechanik, Hydraulik, Physik ꝛc. erschienen ist.

d) Das physikalische und mathematische Museum des gräfl. Löwenburg'schen Konvikts, Josephstadt Nr. 135, eigentlich zum Unterricht der Zöglinge bestimmt, wird, wie die früher erwähnten, auch dem Fremden gezeigt.

e) Die Sammlungen des k. k. polytechnischen Instituts (s. S. 156); und zwar:

1) das National-Fabriks-Produkten-Kabinet, zur Bezeichnung des Standpunktes der inländischen Industrie durch Aufstellung charakteristischer Muster in möglicher Vollkommenheit, etwa 24,000 (nicht 2000) Stücke in vier Sälen. In Verbindung mit derselben steht

2) die Sammlung von etwa 6000 Musterwerkzeugen für verschiedene Gewerbe, viele derselben aus England als Muster zur Vervollkommnung der inländischen.

3) Die Sammlung der Modelle für praktische Maschinenlehre, Land-, Wasser- und Brückenbaukunst, etwa 500, in vier Sälen.

4) Das physikalische und das mathematische Kabinet, in fünf Sälen, wovon je-

nes gegen 800 Apparate, dieses die mathe=
matischen, geodätischen Instrumente zur prak=
tischen Geometrie enthält.

5) Die sehr lehrreiche Sammlung für die kom=
merzielle Waarenkunde im charakteri=
stischen Zustande, gegen 2500 Stücke, und
eine Sammlung chemischer Präparate
und Fabrikate, wie solche im Handel vor=
kommen.

6) Eine bedeutende Mineralien = Samm=
lung, und endlich auch noch eine über 800
Stücke enthaltende Sammlung von Original=
zeichnungen und Plänen für den Unter=
richt in der Mechanik, praktischen Geometrie
und in der Baukunst.

Oeffentlicher Eintritt an Samstagen; s. S. 157.

B. Privat = Sammlungen.

a) Das k. k. physikalisch = astronomische
Kabinet, zum Gebrauche des allerhöchsten Hofes,
im Schweizerhofe der Burg und im Hintergebäude
der Reichskanzlei. Jenes enthält Modelle und Ma=
schinen für Physik und Mechanik; dieses optische In=
strumente, treffliche Fernröhre von Dollond und
Ramsden, einen Herschel'schen Teleskop u. s. w.

b) Die Sammlungen der landwirth=
schaftlichen Modelle der k. k. Landwirth=
schafts = Gesellschaft, höchst wichtig für die
Oekonomie, ungemein reich an Land= und Wirth=
schaftsgeräthen, an Ackerwerkzeugen und Maschinen
des In= und Auslandes (Vergl. S. 175). Den

*

größten Theil hat der Abbé A. Harder selbst verfertigt oder nach seiner Angabe verfertigen laffen.

Der Eintritt ist in der Gesellschafts-Kanzlei, Heiligenkreuzerhof Nr. 676, nachzusuchen.

6) Die botanischen Gärten.

Diese können gleichfalls zu den Beförderungsmitteln der Lehranstalten gezählt werden, und es ist darüber das S. 121 u. f. Gesagte und der Artikel »Schönbrunn« nachzulesen.

XV.

Kunstbildungs=Anstalten.

A. Eigentliche.

1) Die k.k. Akademie der vereinigten bildenden Künste, Annagasse Nr. 980, vom Kaiser Leopold I. (1704) gegründet, von deffen Nachfolger Joseph I. eröffnet. Peter Freiherr v. Strudel (gest. 1717) war der erste Direktor; ihm folgte Jakob van Schuppen (gest. 1751). Bis dahin bestand bloß eine Maler- und Bildhauerschule. Van Schuppen vermehrte sie mit der Architekturschule, und auf des Kupferstechers Jakob Schmutzer's Vorschlag errichtete Maria Theresia 1766 eine Kupferstecher-, und 1767 eine Bossir- und Graveurschule, welche mit der Aka-

demie vereinigt wurden. Letztere erhielt nun den oben bemerkten Namen, wurde von Joseph II. 1786 in das jetzige Lokal verlegt und von weiland Kaiser F r a n z I. durch neue Statuten fest begründet.

Als K u n st s ch u l e besteht diese Akademie aus vier Abtheilungen, jede derselben mit einem Direktor. Die erste ist

a) die S ch u l e d e r M a l e r, B i l d h a u e r, K u p f e r st e ch e r und der M o s a i k, mit folgenden Lehrgegenständen: Anfangsgründe der historischen Zeichnung nach Original = Hand= zeichnungen; Zeichnung und Modellirung nach vorzüglichen Büsten und Statuen des Alter= thums; Knochen= und Muskellehre nach dem Skelet, nach anatomischen Abbildungen und Präparaten; Zeichnung und Modellirung des menschlichen Körpers nach der Natur und mit dem Wurfe der Gewänder; Landschaftszeich= nung nach der Natur und nach Original=Zeich= nungen; Blumen=, Früchte= und Thiermalerei; die Bildhauerei in Allem, was der Bildner als Stoff bearbeitet; alle Arten der Kupfer= stecherei und die Mosaik. Vereinigt mit dieser Abtheilung ist die eigentliche M e d a i l l e u r= und S ch n e i d e k u n st s ch u l e.

b) Die S ch u l e d e r B a u k u n st i m w e i t e= st e n S i n n e. Lehrgegenstände: Von den An= fangsgründen bis zur höheren Baukunst; als Vorkenntnisse: Arithmetik, Geometrie, Per= spektive, Mechanik und Hydraulik.

c) Die G r a v i r k u n st. Lehrgegenstände: Stahl=,

Stein= und Edelsteinschneiden in erhabener und vertiefter Arbeit, nebst Behandlung der Metalle, um sie zu formen. In dieser Schule dienen als Originalien 88 Gypsabdrücke der vom k. k. Kammer = Medailleur F r a n z   X a v e r W ü r t h 'in Wien während seines Aufenthalts in Italien, nach den in den Gallerien zu Florenz, Rom und Neapel befindlichen Originalbüsten und Statuen, in Messing geschnittenen und kopirten Abbildungen der berühmtesten Gottheiten und Personen des alten Griechenlands und Roms.

d) Z e i ch n u n g   u n d   M a l e r e i   i n   A n w e n= d u n g   a u f   v e r s ch i e d e n e   Z w e i g e   d e s K u n s t f l e i ß e s, besonders der Kunstweberei und des feinen Kattundrucks.

Diese Abtheilung, und die der Gravirkunst, befinden sich im k. k.   p o l y t e ch n i s ch e n   I n= s t i t u t, woselbst in erwähnter Beziehung an Sonn= und Feiertagen für Gesellen und Lehrlinge einige Unterrichtsstunden gegeben werden.

Der   große   akademische   V e r s a m m l u n g s= s a a l   ist mit den Porträts der regierenden Monarchen seit der Stiftung, und mit Kunstwerken akademischer Mitglieder geziert. Vier andere Säle enthalten abgeformte Meisterstücke der alten Kunst, antike und moderne Büsten, Modelle und Statuen. Außerdem besitzt die Akademie eine B i b l i o t h e k (s. oben), und als Vermächtniß des Grafen von L a m b e r g eine mit Geschmack und Sorgfalt ge=

wählte Gemäldesammlung aus allen Schulen.
(Siehe weiter unten.)

Die Akademie hat einen Kurator, einen Prä=
ses und einen beständigen Sekretär, 2 außerordent=
liche, 10 ordentliche Räthe, 4 Direktoren und mehre
Kunst= und Ehrenmitglieder. Die Zahl der Profes=
soren und Korrektoren ist unbeschränkt, und richtet
sich nach den vorhandenen Lehrgegenständen. Ge=
wählt vom akademischen Rathe, der aus dem Prä=
ses, beständigem Sekretär und den Räthen besteht,
werden sie von dem Herrn Kurator (jetzt Fürsten
Metternich) bestätigt. Der Unterricht wird das
ganze Jahr hindurch, die Monate September und
Oktober ausgenommen, und von den Elementen
bis zum Praktischen, unentgeldlich ertheilt. Die
Zahl der Schüler übersteigt gegen 1000. Für die
besten Arbeiten sind jährliche Preise in Silber,
und für größere Arbeiten alle zwei Jahre in Gold
ausgesetzt. Ausgezeichnete Talente werden zur voll=
kommenen Ausbildung in der Akademie sowohl, als
im Auslande, wo Rom zum Aufenthaltsort vorge=
schrieben ist, durch besondere Pensionen un=
terstützt.

Vorlesungen über Geschichte und Theorie
der bildenden Künste hält der akademische
Bibliothekar und Professor Trost.

Die Besichtigung der Akademie wird nach
eingeholter Bewilligung von Seite des beständigen
Sekretärs derselben gestattet.

2) Die Gesellschaft der Musikfreunde
im österr. Kaiserstaate besteht seit 1813, und

hat den Zweck, die Musik in allen Zweigen auszu=
bilden. Sie ist zusammengesetzt aus mitwirkenden,
unterstützenden und Ehrenmitgliedern, hält eine
Singschule und ertheilt durch 16 Professoren an
mehr als 300 männliche und weibliche Zöglinge un=
entgeldlichen Unterricht in allen Zweigen der Mu=
sik. Diese Professoren bilden mit einem Vorsteher
und Oberleiter das K o n s e r v a t o r i u m d e r
M u s i k , welches von einem besonderen Comité
unter Aufsicht des leitenden Ausschusses besorgt wird.

Die Gesellschaft veranstaltet jährlich vier große
Gesellschafts=Konzerte im großen k. k. Redoutensaale,
und in der Fastenzeit vier Konzerte gegen Abonne=
ment u. s. w., besitzt einen eigenen K o n z e r t s a a l
in ihrem Lokal unter den Tuchlauben Nr. 558, der
auch von fremden Tonkünstlern benutzt wird, und
dessen Plan vom Architekten F r a n z L ö ß l , die
Malerei von G e y l i n g , die Skulptur von C e b e c k
entworfen und ausgeführt ist. Der Beitrag eines
unterstützenden Mitgliedes, das einige besondere
Begünstigungen genießt, und deren Vermehrung
in neuester Zeit dringend von der Gesellschaft nach=
gesucht ist, beträgt jährlich nur 5 fl. K. M. Näheres
in der Schrift: »Die Gesellschaft der Musikfreunde
des österreichischen Kaiserstaates.« Wien. Hirschfeld,
1831. in=8.

Von den Sammlungen ist später die Rede.

3) Der M u s i k v e r e i n , bei St. Anna, Au=
gustinergasse Nr. 1157, z u r V e r b e s s e r u n g
d e r K i r c h e n m u s i k a u f d e m L a n d e u n d z u r
k i r c h l i c h = m u s i k a l i s c h e n B i l d u n g d e r

Schulkandidaten zu Chordirektoren; eine unbedingt treffliche, unter einem leitenden Ausschusse stehende Anstalt.

4) Die sogenannten Concertsspirituels, zur Beförderung klassischer Musik, werden in der Fastenzeit gegeben und der Ertrag wird zur Anschaffung neuer vorzüglicher oder seltener Musikstücke verwendet. Franz Xaver Gebauer war der Stifter dieser ehrenwerthen Anstalt (1819), und ein Franzose, Danican, der Erste, der 1725 seinen in den Tuilerien aufgeführten Musikwerken diesen Titel beilegte.

5) Kirchen-Musikvereine, d. i. Vereine zur Beförderung der Kirchenmusik, bestehen in den meisten Vorstädten; eben so sind Musik- und Sing-Lehranstalten, die in dem Intelligenzblatte der Wiener-Zeitung häufige Ankündigungen erlassen, sehr zahlreich.

6) Eben daselbst empfehlen sich auch fast täglich Privatlehrer für Musik und Gesang.

7) Eine musikalisch-dramatische Gesang-Ausbildungsschule hat Frau Mariana Czegka-Auernhammer errichtet, Stadt, hohe Brücke Nr. 143, 3. Stock.

8) Die Zahl der in und um Wien lebenden bildenden Künstler beträgt gegen 600; die der Tonkünstler etwa 800. Ich verweise hier auf die, Seite 150 rücksichtlich der Schriftsteller gemachte Bemerkung. Auch werden die hiesigen Kunsthändler nöthigenfalls Auskunft zu ertheilen wissen.

B. Uneigentliche Kunst-Bildungs-
anstalten.

Beziehungsweise sind den vorbenannten
Anstalten die k. k. Aerarial-Fabriken anzurei-
hen. Dahin gehören

1) Die k. k. Porzellan-Manufaktur,
Vorstadt Roßau Nr. 137, ursprünglich 1718 ein
Privatunternehmen, seit 1744 im Besitz des Aera-
riums. Die Fabrik hat 42 liegende und 2 runde
Starkbrennöfen, 2 große Verglüh- und 8 Email-
öfen, beschäftigt etwa 500 Arbeiter, und theilt sich
in die Fabrikation, Weißdreherei, Bildnerei und
Malerei, worin Kunstwerke der ersten Art geliefert
werden.

Das Wiener-Porzellan ist berühmt wegen der
Dauer, Weiße, Schönheit der Form, wegen Malerei und Vergoldung. Zur Bereitung der schönsten
grünen Emailfarbe dient das in Steiermark auf-
gefundene Chrom-Erz als Material, und die bei
Znaim in Mähren befindlichen Erdlager sind zur
Anfertigung der Geschirre eben so gut und feuer-
haltig als die Passauer-Erde, und machen diese
entbehrlich.

Besonders sehenswerth sind die Einrichtungen
aus neuerer Zeit, nämlich der Bau des sogenannten
Berliner-Brennofens; die Anwendung einer Dampfmaschine von 4 Pferdekraft, zum Zerstampfen der
Kapselschroben und zum Feinmahlen des Flußspaths;
dann die Röhrenbeheizung der zur ebenen Erde befindlichen Weißdreherei und der Malerei im ersten

Stock, wobei der von der Maschine abgehende Dampf noch als Wärmemittel benutzt wird.

Die Erlaubniß zum Eintritt in die vielen Werkstätten wird von der Direktion im Gebäude der Anstalt ertheilt.

Mit der Direktion der Porzellanfabrik ist die der k. k. Spiegelfabrik verbunden. Diese befindet sich in der Schlegelmühle bei Glocknitz hinter Neunkirchen, und erzeugt Spiegel von 60 Zoll Höhe, 30 Zoll Breite und darüber. Das hiezu verwendete Spiegelglas wird gegossen, geschliffen und mit Folie belegt. Die Polirung und Belegung der geschliffenen Gläser findet seit 1829 in der Wiener-Porzellan-Manufaktur statt. Gegossene Spiegel in größeren Dimensionen wurden bis 1836 nur in der genannten und in keiner anderen Fabrik erzeugt, weder im österr. Kaiserstaate noch in Deutschland; seit 1836 aber ist eine Gußspiegel-Manufaktur, die erste nach der k. k. ärarischen, zu Neuhurkenthal in Böhmen entstanden, welche dergleichen Spiegel bis 90 Zoll Höhe und 42 Zoll Breite geliefert hat; zu haben in Wien, Weihburggasse an der Börse, bei G. A. Hauser.

Beiläufig bemerkt ist zu St. Gobin in Frankreich 1836 ein Spiegel gegossen von 175 Zoll Höhe und 125 Zoll Breite; und der unstreitig größte bisher aus der Fabrik Savoystreet in London, 17 Fuß Höhe und 12 Fuß Breite, ohne Fehler.

Das große und prachtvolle Verkaufsmagazin der Porzellangefäße und der Gußspiegel der k. k. Porzellan-Manufaktur ist auf dem Josephsplatze

Nr. 1155, und täglich von 8—12 Mittags und von 2—6 Uhr Nachmittags geöffnet und zu besuchen.

2) Die k. k. Kanonengießerei, Wieden, Favoritenstraße Nr. 317, gegründet 1750 von Maria Theresia, steht unter Aufsicht mehrer Artillerie-Offiziere. Die mit derselben verbundene chemische Lehrschule beschäftigt sich mit Allem, was auf das Schmelzen der Metalle Bezug hat Die zur Stückgießerei nöthigen Werkzeuge und Maschinen sind in einem großen Folianten genau abgezeichnet.

Des Eintritts wegen wendet man sich an einen der in der Anstalt befindlichen Herren Offiziere.

3) Die Kanonenbohrerei. Nach vollendetem Gusse werden die Kanonen gebohrt. Die neue Bohrmaschine ist auf der Landstraße, Rabengasse Nr. 486, unweit des Neustädter-Kanals aufgestellt. Die Bohrer liegen nicht vertikal, sondern horizontal, und die Kanonen drehen sich vermöge einer mechanischen Vorrichtung um solche herum. Der Bau dieser Anstalt ist ein Meisterwerk, von dem berühmten Reichenbach aus München vollendet.

Der Eintritt ist nicht gestattet.

4) Die k. k. Gewehrfabrik, Währingergasse Nr. 201, unter Kaiser Joseph II. 1785 entstanden, liefert die meisten Schießgewehre für die österreichische Armee und die Zeughäuser. In neuerer Zeit ist sie mit einem Büchsenmacher-Lehrinstitut versehen worden. Zur Beförderung der Arbeit dienen mancherlei künstliche Instrumente und Maschinen, unter welchen die sinnreich konstruirte

Bohrmaschine der Gewehrläufe besondere Aufmerksamkeit verdient.

Erlaubniß zum Eintritt wird in der Di= rektions=Kanzlei daselbst nachgesucht.

Von Privatanstalten dürfte hier noch an= zureihen seyn .

5) Die Bronzewaaren=Fabrik des Jak. Weiß, Alservorstadt, Florianigasse Nr. 86, jene des John Morton, in der Leopoldstadt, Pra= terstraße Nr. 514, dritte Stiege, erster Stock, mit trefflichen Erzeugnissen; und die k. k. priv. Bronze= und Eisengießerei des Joseph Glanz, Wie= den, Hechtengasse Nr. 508. Im Jahre 1831 in Thätigkeit getreten, verfertigt sie alle großen und feineren Gegenstände in Bronze= und Eisenguß, als Damenschmuck, Armbänder, Colliers ɪc., Leuchter, Uhrgehäuse, Schmuckträger, Schreibzeuge, Papier= beschwerer, Büsten, Basreliefs u. s. w., und macht Versendungen nach Schweden, Dänemark und England.

Die reich ausgestattete Fabriks=Nieder= lage ist in der Stadt, Kohlmarkt Nr. 282. .

———✦———

17

XVI.

Beförderungsmittel der Kunstbildungs-Anstalten.

A. Ueberhaupt.

1) Der Privatverein zur Beförderung der bildenden Künste, 1830 entstanden, bezweckt durch Ankäufe gelungener Werke lebender vaterländischer Künstler die Thätigkeit derselben anzuregen, und die Theilnahme für die bildende Kunst im Publikum zu verbreiten. Der Fond wird durch Aktien zu 5 fl. K. M. jährlich zusammengebracht. Die angekauften Werke, von jeder Kunstausstellung etwa 50—60, werden unter den Vereinsmitgliedern verloset, eines der Hauptgemälde aber in Kupfer gestochen, und jedem Mitgliede ein Abdruck zugestellt.

Die gedruckten Statuten des Vereines sind in Müller's Kunsthandlung, am Kohlmarkt Nr. 1117, zu haben und daselbst auch Einlagen zu machen.

2) Die anderweit aufgeführte akademische Kunsthandlung und sogenannte bleibende Kunstausstellung, Annagasse Nr. 980, ist 1835 aufgelös't worden. Erstere war auch nur größtentheils eine Kunst-Materialwaarenhandlung und kann daher durch die Farbenhandlung des J. Heckmann, am Hof, zu den fünf Kronen Nr. 341, und

andere Papier= und Zeichnungs=Requisitenhandlun=
gen als erfetzt betrachtet werden.

3) Das topographische Bureau des
t. t. General=Quartiermeister=Stabes,
in dem Hoftriegsgebäude am Hof Nr. 422, beschäf=
tigt sich mit der Herausgabe von Landkarten, wel=
chen eine genaue trigonometrische Vermessung zum
Grunde liegt, besonders der speziellen Karten des
österreichischen Kaiserstaates. Das Verzeichniß der
erschienenen Karten ist im Verkaufsorte (daselbst zur
ebenen Erde, rückwärts nach der Seitzergasse) ein=
zusehen, und dort auch die Sammlung der vom
geographischen Institut in Mailand herausgegebe=
nen Karten zu haben. Mit diesem Bureau ist eine
lithographische Anstalt verbunden, welche treffliche
Straßen= und Kulturkarten u. dgl. geliefert hat.

4) Die Kunst=, Musikalien= und Land=
karten=Handlungen verkaufen Gemälde, Zeich=
nungen, Kupferstiche, Büsten, Vasen, Caméen,
Landkarten, Musikalien, mathematische und optische
Instrumente, Bücher, deren Hauptbestandtheile die
Kupfer sind, Farben, Stick= und Strickmuster.

Die Kunsthändler (14) bilden ein Gremium
und ihre Verkaufsmagazine liegen ziemlich nahe an
einander.

Peter Mechetti, am Michaelerplatz Nr. 1153.

Joseph Stieber, in seiner Wohnung, untere
Bäckerstraße Nr. 742.

Eduard Mollo, Graben Nr. 1134 (Haupt=
Depot von M. Trentsensky.)

L. T. Neumann, am Kohlmarkt Nr. 257.

Dominik Artaria (viele Gemälde und Hand=
zeichnungen), Kohlmarkt Nr. 1151.

Heinr. Friedr. Müller (Stickmuster, Kunst=
billets, Bilderbücher für die Jugend), Kohlmarkt
Nr. 1149.

A. Berka und Komp., Bognergasse, dem
Hofkriegsgebäude gegenüber.

Mathias Artaria's sel. Witwe und Komp.,
Kohlmarkt, neben der Sparkasse.

Joh. Sigmund Bermann, Himmelpfortgasse
Nr. 948; (großes Lager von alten Kupferstichen,
Zeichnungen ꝛc.)

Tobias Haslinger, im Trattnerhof am
Graben, k. k. Hof= und priv. Kunst= und Musi=
kalienhändler, besitzt das größte Lager von Musika=
lien, und einen Verlag von beinahe 5000 Artikeln
der ausgezeichnetsten Tonsetzer.

A. Diabelli, am Graben Nr. 1133.

David Weber (Antiquar=Kunsthändler), obere
Breunerstraße Nr. 1137; (ältere Gemälde und
Kupferstiche.)

Anton Paterno's sel. Witwe, Neumarkt Nr.
1064; und

Jeremias Bermann, Verkaufsmagazin am
Graben zur goldenen Krone.

5) Mit Antiquitäten und Gemälden
handelt noch Joseph Giaccomini, in der Herren=
gasse Nr. 250, und ein Verschleißgewölbe für Ar=
maturgegenstände, von Münzen und An=
tiken befindet sich in der Jägerzeile Nr. 59, bei
Franz Hießmann.

6) Von den in Wien bestehenden lithographi=
schen Anstalten (16) dürften die vorzüglicheren seyn:
·' Die des Ludwig Förster, ehemals Manns=
feld und Komp.; das Bureau in der Wollzeile Nr.
869, im erzbischöflischen Palais; die Anstalt in der
Leopoldstadt, Taborgasse Nr. 367.

Joseph Häußle, Teinfaltstraße Nr. 74.

Johann Rau, in der Jägerzeile Nr. 57. Bestel=
lungen auf lithographische Kunst=Arbeiten, besonders
in Farbendruck, können auch bei L. T. Neumann,
Kunsthändler am Kohlmarkt Nr.257, gemacht werden.

Insbesondere aber gehören zu den Beförde=
rungsmitteln der Kunst= und Gewerbe=Anstalten
außerdem noch

7) Die öffentliche Kunstausstellung
bei St. Anna, in den Sälen der k. k. Akademie
der bildenden Künste, die im Jahr 1816 entstan=
den, alljährig im Monat April veranstaltet wird.
Bisher wurden in derselben nur die vorzüglichsten
Werke hiesiger akademischer Künstler und ande=
rer Mitglieder zur Beschauung und Veräußerung
(vergleiche Nr. 1) aufgestellt; nach einer neuen Ver=
ordnung aber sollen von 1839 an auch darin aufge=
nommen werden Kunstwerke der lebenden
Künstler des Auslandes. Diese Ausstellung
dauert mehre Wochen und wird gegen Eintrittsgeld
sehr zahlreich besucht, in der letzten Zeit aber dem
größeren Publikum unentgeldlich geöffnet. Ein ge=
druckter Katalog weiset die Anzahl und den Gegen=
stand der Kunstwerke nach, und öffentliche Blätter
theilen auch mehr und minder ausführliche Beur=
theilungen mit.

8) Die von der k. k. Regierung angeordnete Gewerbs=Produkten=Ausstellung, das ist Ausstellung von Meisterwerken der Erzeugnisse aller Fabriks=Manufaktur=Gewerbszweige der gesammten Monarchie. Die erste wurde im September 1835, die zweite 1839 in dem von Sr. Majestät Kaiser Ferdinand dazu bestimmten Theile des polytechnischen Instituts abgehalten, und gewährte ein eben so mannigfaltiges als großartiges Schauspiel. Zur größeren Belebung des Industrie= und Kunstfleißes ist von Sr. Majestät auch eine feierliche Vertheilung goldener, silberner und bronzener Ehrenmedaillen für das von einer Kommission anerkannte Ausgezeichnetste bewilligt.

Beiläufig gesagt, ist die e r s t e I d e e zu einer Gewerbe=Ausstellung vom Grafen François de Neufchateau ausgegangen, der 1798 in Frankreich zum zweiten Mal Minister des Innern war.

Endlich hat

9) Eine Gesellschaft aus dem Fabriks= und Handelsstande Fonds zusammengebracht zur V e r b r e i t u n g d e r K u n s t a u f d i e I n d u s t r i e, bestehend in Prämien (15) von 240 fl. K. M. und abwärts bis 20 fl., in der Summe von 1240 fl. K. M., für Zeichnungen in der Shawlweberei, Seidenzeugwaaren, Seide=, Kattun= und Wolldruckerei, Baumwollen= und Teppichweberei. Die Beurtheilung und Vertheilung der Prämien, zugleich mit Erstattung **des angesetzten Kaufwerthes der Zeichnung,** erfolgt von der k. k. **Akademie der bildenden Künste in**

Wien. (Ausgeschrieben ist die Einsendung unter'm 27. November 1838.)

B. Insbesondere; und zwar

I. Sammlungen von Alterthümern der Kunst und Technik; Münzkabinete, Zeughäuser, und diplomatisch = heraldische Sammlungen.

A. Oeffentliche.

a) Die k. k. Schatzkammer, im Schweizerhofe der Burg. Der große Schatz derselben ist in einer Gallerie und in vier Zimmern aufgestellt. Einige der kostbarsten Stücke sind: der florentinische Diamant, 133 Karat ½ Gran (sic) oder 532½ Gran schwer; ein ungewöhnlich großer Brillant in der Form eines Hutknopfes; eine Garnitur Diamantknöpfe; der reiche Familienschmuck des kaiserlichen Hauses; die berühmte runde Schüssel aus einem einzigen Stück Achat, im Durchmesser 2 Fuß 3 Zoll; das nicht minder berühmte Trinkgefäß aus einem einzigen Smaragd, mit dem Deckel an 3000 Karat schwer; überhaupt eine Menge durch Stoff, Kunst und historische Bedeutung höchst kostbarer Gegenstände. Unter diesen der Talisman aus Krystall mit dem Zeichen des Löwen, an welchen Wallenstein sein Schicksal gebunden glaubte; die heil. drei Könige und die Abnahme Christi, aus Holz geschnitten von Albrecht Dürer; eine große Stockuhr mit herrlich getriebener Silberarbeit (500

Mark), Geschenk des Landgrafen von Hessen=Darm=
stadt an Maria Theresia; ein Lavoir von Silber
und ein Kruzifix von Elfenbein, Werke Benve=
nuto Cellini's; die Wiege des Königs von Rom
aus vergoldetem Silber von Prudhon, Rog=
net, Thomire und Odiot in Paris gefertigt;
die ehemalige Hauskrone, jetzt zu den kaiserl. öster=
reichischen Insignien bestimmt, unter Rudolph II.
in Prag gearbeitet; die Insignien des weil. heil.
römischen Reichs, d. i. Karl's des Großen Kaiser=
Ornat, Krone, Zepter, Degen und Mantel; jene,
die Napoleon bei seiner Krönung in Italien
trug; dazwischen der Säbel Timur's, den der
persische Botschafter Mirza Abul Hassan Chan bei
seiner Sendung nach Wien dem Kaiser Franz I.
1819 als Geschenk seines Herrn übermachte, u. a. m.

Eintrittskarten werden nach vorhergegan=
gener Anmeldung am Montage für den folgenden
Donnerstag von 10—2 Uhr vom Schatzmeisteramte
im Schweizerhofe der k. k. Burg ertheilt.

b) Das k. k. Münz= und Antiken=Ka=
binet im Augustinergange der k. k. Burg, eine
der reichsten und kostbarsten Sammlungen von Al=
terthümern der Kunst in Europa, ist unter der Lei=
tung Sr. Excellenz des Grafen Moriz von Diet=
richstein in fünf Zimmern neu aufgestellt.

Im Eingangssaale (A) findet man sämmt=
liche Monumente in Bronze: Idole, Hausge=
räthe, Gefäße, Lampen, Helme, Anticaglien alter
Art; im daranstoßenden Saale rechts (B), dem
Vasensaale, die reiche und gewählte Sammlung

alt-griechischer Vasen, über 1300 Stücke, wichtig
für die Geschichte der Kunst, für Mythologie und
überhaupt für die Literatur des Alterthums; Figürchen in gebranntem Thon (Terra Cotta's), Reliefs, Lampen, römische Urnen, kleinere Gefäße
(gegen 1400), Diotycha, Monumente in Elfenbein,
Urnen und kleine Gefäße in Glas (etwa 200). Rückwärts über drei Stufen ist die zum k. k. Kabinet
gehörige ausgewählte Handbibliothek, besonders mit Werken für Münz- und Alterthumskunde
und die damit verwandten Wissenschaften.—Links
vom Eingangs- oder Bronzen-Saale sind drei Zimmer, und in den beiden ersten sämmtliche Münzen und Medaillen, 133,000 Stücke mit Doubletten. Das erste von diesen, in der Zahl das dritte
(C), enthält nämlich die mittelalterlichen und mo-
dernen Münzen und Medaillen (worunter von Tha-
lergröße und darüber in Gold und Silber ungefähr
10,000 Stück; von Groschengröße und darüber,
21,000; in Bronze über 3000 Stück); dann auch
die orientalischen Münzen (etwa 2000). Im vierten Zimmer (D) befinden sich die griechischen, 25,000
Stück, römischen und byzantinischen, 34,000 Stück.
Münzen von der Entstehung des Münzprägens,
7 bis 600 Jahre vor Chr., bis zu Karl dem Großen
im Abendlande. (S. Synopsis nummorum anti-
quorum, qui in Museo Caesareo Vindobonense
adservantur. Digessit Jos. Arneth. Vindob.,
Rohrmann et Schweigerd, 1837 seqq.) An der
Wand ist die Büste Sr. Maj. weil. Kaiser Franz I.,
von Canova; jene Kaiser Joseph's II., von Messer-

schmidt; über der ersten eine meisterhafte Kopie der Vorderseite des berühmten Fugger'schen Sarkophags mit dem Amazonenkampfe, gemalt vom k. k. Kabinetszeichner und Kupferstecher Peter Fendi. Das fünfte Zimmer (E) bewahrt die unschätzbare und auf der Erde kostbarste Sammlung geschnittener Steine in 6 Kästen an der Wand, wovon 4 unter Glas, nämlich 1207 antike, 619 moderne Caméen und Intaglien, 509 antike Pasten und 79 Gefäße, Figuren ꝛc. ꝛc. aus edlen Steinen. Zu den ersteren (den antiken Steinen) gehören: die s. g. Apotheose August's, das vollkommenste Meisterwerk dieser Art, nach Maffei der Augapfel des Wiener-Kabinets, vom Kaiser Rudolph II. um 12,000 Dukaten erkauft, eine Onyx-Platte von 8¾ Zoll Durchmesser in der Breite, auf welcher 20 der schönsten menschlichen Figuren sich mit der größten Harmonie in malerischen Stellungen entwickeln. Ferner: Ptolemäus Philadelphus mit seiner Gemalin Arsinoe; Jupiter auf dem Viergespann; ein großer Adler; die Familie des Kaisers Claudius; Augustus und Roma u. s. w. (Vergl. Arneth: Die 12 größten geschnitt. St. des k. k. M. u. A. K. Wr. Jahrbücher, Bd. LXXXV. Anz. Bl.) In zwei Wandkästen unter Glas sieht man 23 Gefäße, dann 13 Figürchen und Köpfe von Edelsteinen; ferner Porträte des allerdurchl. Kaiserhauses auf geschnittenen Steinen im k. k. Münz- und Antikenkabinet. (Anzeigeblatt des Bandes 81 der Jahrbücher der Literatur. Wien, Gerold 1838.) Die Onyx-Schale 28½ Z. Durchmesser in der Breite mit Handhaben.

aus dem Brautschatze Maria's von Burgund und
von unschätzbarem Werthe; eine andere silberne
schwer vergoldete Schale, mit antiken und moder=
nen Caméen reich besetzt, angeblich einst bei Kai=
serkrönungen als Prachtgefäß gebraucht; zehn Ge=
fäße und Schmuckketten mit Edelsteinen worunter
eine Kette mit 49 aus Muscheln erhaben geschnit=
tenen Brustbildern österreichischer Regenten von Kai=
ser Rudolph I. bis auf Leopold Wilhelm, Bruder
K. Ferdinand's III., mit 488 Rubinen geschmückt.
In zwei anderen Kästen sind die antiken Schätze in
edlen Metallen, und zwar in Gold: größere Ge=
fäße, Figürchen, Geräthschaften, 87 Stücke, zu 4162
Dukaten; Ringe, Kettchen, Agraffen u. dgl., 119
Stücke, darunter eine goldene Kette mit den ver=
schiedenartigsten Werkzeugen menschlicher Industrie;
in Silber: Gefäße, Figürchen, Ringe u. dgl.,
74 Stücke, unter diesen eine überaus schöne Schale
mit der Vorstellung, wie Germanicus als Tripto=
lemus der Ceres opfert, aus Aquileja, und ein mit
Halbmonden gezierter römischer Pferdeschmuck. Meh=
re Kästen, unter welchen vorzüglich die der Grün=
der dieser Anstalt und ersten Sammler zu bemer=
ken, stehen zwischen den Kästen, als: Karl V.,
Rudolph II., Beide von Adrian Fries v. Leyden;
Franz I., Gemal der Kaiserin M. Theresia, von
Moll; Franz II., als deutscher und I. als österr.
Kaiser, von Zauner.

Zu beiden Seiten des Haupteinganges
sind verschiedene Denksteine und römische und ägyp=
tische Alterthümer zu bemerken.

Die vormals in diesem Kabinet befindlich ge=
wesenen Marmor=Denkmale sind im Eingangssaale
zu der k. k. Ambraser = Sammlung aufgestellt.

Der Eintritt in das k. k. Münz= und Antiken=
Kabinet wird am Montag und Freitag um 10 Uhr,
nur nach vorläufiger schriftlicher Anmeldung daselbst,
Gelehrten vom Fache aber jeden Tag gestattet.

c) Das k. k. Kabinet ägyptischer Al=
terthümer, im unteren Belvedere bei der k. k.
Ambraser=Sammlung, im J. 1837 neu aufgestellt,
enthält Denkmäler größtentheils aus weißen Kreide=
steinen mit halberhabenen Vorstellungen und ver=
tiefter Schrift aus den zahlreichen Gängen der liby=
schen Bergkette an der linken Seite des Nilthals;
ägyptische kleine Bronzefiguren; eine Sammlung
von Papyrusrollen; Mumiensärge und Mumien;
eine Reihe mumienförmiger kleiner Holzfiguren;
eine Anzahl schön geformter Alabaster=Gefäße; grö=
ßere Figuren von gebrannter Porzellanerde u. s. w.
Einiges Nähere darüber in A. von Steinbüchel's
Beschreibung der k. k Sammlung ägyptischer Alter=
thümer. Wien, bei Heubner 1826.

Freier Eintritt an den Tagen, an welchen die
k. k. Ambraser = Sammlung zu sehen ist.

d) Die k. k. Ambraser = Sammlung,
Rennweg Nr. 612, im unteren Belvedere, genannt
nach dem Schlosse Ambras bei Innsbruck, in wel=
chem sie seit ihrer Stiftung von Ferdinand, Erz=
herzog von Oesterreich und Grafen von Tyrol (gest.
1595), aufbewahrt wurde. Im Jahre 1806 kam sie
als ein der durchlauchtigsten kaiserl. Familie gehöri=

ger Schatz hieher. Sie enthält 130 Originalrüstungen in 3 Sälen; im ersten besonders deutscher Kaiser und österr. Erzherzoge, im zweiten von deutschen und im dritten von italienischen und spanischen Herzogen, Fürsten und Rittern, meistens aus dem 15. und 16. Jahrhunderte; über 1200 größere und kleinere Bildnisse berühmter Männer jener und früherer Zeit; zwei große Stammbäume des Hauses Habsburg, um 1498 vollendet; naturgeschichtliche Gegenstände und Kunstwerke des Mittelalters; merkwürdiges altes Hausgeräth, musikalische Instrumente, Handschriften und Bücher; Pokale, Kostbarkeiten, Kleinodien, Caméen u. dgl., im sogenannten G o l d k a b i n e t. Der Hauptschmuck sind aber: das berühmte goldene Salzfaß von B e n v e n u t o C e l l i n i; das Bildniß Karl's V. von T i z i a n. nebst dessen Schild, Armbrust und zwei Degen; das Porträt Karl's IX. von Frankreich, von C l o u e t, und die Schnitzwerke von A l b r e c h t D ü r e r und A l e x a n d e r C o l i n von Mecheln.

Die im großen E i n g a n g s s a a l e aufgestellten antiken M a r m o r - M o n u m e n t e (Statuen, Büsten, Reliefs, 110 Stücke; kleinere Figuren, Inschriftsteine ꝛc., 130 Stücke) gehören zum k. k. Münz- und Antikenkabinete und haben gegenwärtig mit der Ambraser-Sammlung nur das Lokale gemein. In der Mitte steht der mit Recht in der Kunstwelt berühmte s. g. F u g g e r ' s c h e S a r k o p h a g mit der darauf vorgestellten Amazonenschlacht. Im Untersatz sind vier Reliefs angebracht: 1. mit dem Apollo, Minerva und den 9 Musen, römischen;

18

2. das entgegen gesetzte, den das goldene Vließ rau=
benden Jason u. s. w. vorstellend, des ältesten grie=
chischen Styls. Ausgezeichnet sind ferner noch: die
sterbende Amazone, etwa aus der Zwischen=
zeit des aeginetischen und phidiasischen Styles; der
Corso eines geflügelten Amors; eine Isisprie=
sterin in ihrem religiösen Kostume, aus der Villa
Hadriani bei Tivoli; Paris mit dem Hirten=
stabe; die große Bronze=Statue des Germanicus,
auf dem Sollfelde bei Mariasaal in Kärnten 1503
gefunden; die Muse Euterpe; die kriegeri=
sche Roma (Roma bellatrix); der Kopf des Er=
stürmers von Syrakus, Marcellus; dann der des
Vitellius, Vespasianus, Geta, Aelius
Caesar, und die kostbare Marmor=Vase mit
einem Bacchanal. An den Wänden sieht man einge=
fügte Reliefs, als: ein fragmentirtes Opfer
(Taurobolium) aus Aquileja; ein Mithrasopfer
bei Mauls in Tyrol gefunden; eine seltene Mosaik
in erhabener Arbeit aus Pompeji, die drei Horen
vorstellend u. s. w.; und oben aufgestellt die ko=
lossale Maske des Jupiter Ammon, dann klei=
nere Statuen, Büsten u. dgl.

Das große Mosaikbild, nach Leonardo da
Vinci's Abendmal von Rafaelli, ist, vorläufig
eingepackt, aus diesem Saal in das obere Belvedere
gebracht.

Die Ambraser=Sammlung ist von Alois
Primisser (Wien 1810, 8.) trefflich beschrieben
und der von ihm selbst gefertigte Auszug (das. 1825,
8. à 12 kr. K. M.) jedem Besucher zu empfehlen.

Werthlos ist A. L. Richter's neueste Darstellung dieser Sammlung (Wien, 1835).

Oeffentlicher Eintritt: Dienstag und Freitag, und zwar vom 24. April bis 30. Septbr. von 9—12 Uhr Mittgs., und von 3—6 Uhr Nachm.; vom 1. Oktober bis 23. April von 9—2 Uhr ohne vorläufige Anmeldung; für Gelehrte, Künstler und ausgezeichnete Personen auch an jedem anderen Wochentage.

Ueber die ethnographischen Sammlungen dieses Kabinets s. S. 178.

e) Das k. k. große Zeughaus, Renngasse Nr. 140, von Maximilian II. 1569 gegründet, von Leopold I. vollendet und ausgestattet. Mehr als 150,000 Gewehre sind in einer Reihe von Sälen des ersten Stocks in der Gestalt massiver Brustwehren aufgestellt, und die Zwischenräume mit anderen Waffen symmetrisch ausgeschmückt. Zahlreich kostbare und seltene Rüstungen berühmter Krieger ꝛc., wie des Gottfried von Bouillon, das Koller Gustav Adolph's von Elendshaut u. s. w., machen dieses Zeughaus besonders sehenswerth. Als geschichtliche Merkwürdigkeiten erblickt man viele Siegestrophäen der österreichischen Heere; im Hofe, nebst vielen alten, großen und seltenen Feuerschlünden, auch die lange eiserne Kette, mit welcher die Türken 1529 bei Ofen die Donau sperren wollten; sie hatte 8000 Glieder und ein Gewicht von 160,000 Pfund.

Freier Eintritt am Donnerstage; für Ge=

sellschaften auch am Montage nach vorläufigem An=
suchen bei dem Zeugwart im Gebäude.

Das k. k. Guß= und Zeughaus, Sailerstatt
Nr. 958, ist lediglich eine Werkstätte für den Be=
darf der Artillerie; und das k. k. Ober= und
Unter=Arsenal, im s. g. Elend Nr. 183, bewahrt
bloß Belagerungs=Geschütz und fertige Artillerie=
Erfodernisse auf. Neben demselben besteht die große
k.k.Proviant=Bäckerei für die Wiener=Garnison,
deren Rücktheil gegen die Schottenbastei ausläuft.

f) Das bürgerliche Zeughaus, am Hof
Nr. 332, ein schönes, von der hiesigen Bürgerschaft
1732 errichtetes Gebäude, mit einer von dem Hof=
bildhauer Franz Mathielly verzierten Façade. Den
Bau leitete der Stückhauptmann und Zeugwart
Anton Ospel. Der Hof ist 156 Schuh lang,
145 breit. Den Springbrunnen im Hofe ziert eine
Statue der Bellona.

Nach J. Scheiger (Beiträge zur Landeskunde
Oesterreichs unter der Enns, Bd. 3, Wien, 1833)
begann die noch jetzt bestehende Aufstellung der
Waffen 1797 und wurde 1802 vollendet. Dem In=
ventarium von 1810 zufolge werden hier etwa 16,000
Waffenstücke aufbewahrt, deren Mehrzahl ein
oder einige Jahrhunderte alt ist; dar=
unter, nach beiläufiger Schätzung, 500 ge=
zogene und 5000 glatte Feuerwaffen; 7000 Stan=
gengewehre; 2000 Schwerter und andere Stich= und
Hiebwaffen; 1000 Harnische und Kürasse; 700 Hel=
me und Pickelhauben. Diese bis jetzt wenig ver=
mehrte Zahl widerlegt die bisherige Angabe, daß

hier Waffen für 24,000 Mann Bürgermilitär vorhanden sind. Der auch in das zweite Stockwerk hinaufreichende Waffensaal hat an jeder der beiden Langseiten 162 Fuß, und im Mitteltrakt 96 (zusammen 420 F.), und begünstigt vermöge seiner Höhe und doppelt über einander stehenden Fensterreihe ungemein die Beschauung. Man findet hier viele Alterthümer der Armatur, und türkische Waffen aller Art, aber keine türkischen Rüstungen. Die hier befindlichen Büsten K. Franz I., Erzherzogs Karl u. a. sind aus Metall, theils von Zauner, theils von Martin Fischer verfertigt.

In einem Seitensaale wird u. a. eine 1684 eroberte türkische Blutfahne, ein Halbmond von Messing (95 Pf. schwer), ehemals die Spitze des Stephansthurms, eine berühmte chronologisch-astronomische Uhr, angeblich von Christoph Schener zu Augsburg 1702 (nach einer latein. Inschrift auf dem Hauptzifferblatt aber von Carl Graff das.) verfertigt, und der Kopf und das mit Sprüchen aus dem Koran verzierte Todtenhemd des Großvezirs Kara Mustapha, der die letzte Belagerung Wiens leitete, aufbewahrt. Die Erklärung der Sprüche findet man in Jos. v. Hammer's Geschichte der Osmanen, Bd. V. (Pesth, Hartleben, 1829. 8.)

Die der Bürgerschaft vom K. Franz I. im Jahre 1810 geschenkten 6 schönen Kanonen sind gleichfalls hier aufgestellt.

Eintritt für Jedermann Montag und Donnerstag; für Fremde und Gesellschaften auf Ansuchen daselbst auch an anderen Wochentagen.

B. Privat-Sammlungen.

a) Das Museum von Kunstgegenständen der Gesellschaft der Musikfreunde
im österreichischen Kaiserstaate. Es enthält, außer einer Bibliothek von etwa 2000 Bden.
theoretischer und historischer Werke über die Tonkunst, an Werken der ausgezeichnetsten Tonsetzer gegen 12,000 Nummern, darunter etwa
1700 Partituren, so daß diese Sammlung hauptsächlich durch die aus dem Nachlasse des Erzherzogs
Rudolph übernommenen musikalischen Werke vielleicht die größte in Europa ist; ferner eine Sammlung von etwa 90 musikalischen Instrumenten verschiedener Nationen; über 700 in Kupfer
gestochene oder lithographirte Porträts inländischer ausgezeichneter Männer in der
Tonkunst und musikalischen Wissenschaft;
gegen 70 in Oel gemalte Bildnisse; mehre
Gypsbüsten; auf Tonkünstler geprägte Medaillen; etwa 200 Handschriften der berühmtesten
Komponisten und 200 größtentheils selbst verfaßte
Biographien der berühmtesten Meister.

Der Eintritt wird nachgesucht in der Gesellschaftskanzlei, Tuchlauben Nr. 558.

b) Die genealogisch-heraldische und
die Siegel-Sammlung des k. k. Kämmerers
Joseph Freiherrn v. Bretfeld-Chlum-

czansky ist unter allen ähnlichen Sammlungen vielleicht die bedeutendste; eben so gehört dessen

c) Sammlung von mehr als 30,000 Münzen und Medaillen aller Zeiten und Länder (Silber und Kupfer, Gold in so fern nur, wenn die Münze in keinem anderen Metall ausge= prägt ist), nebst einer Sammlung Papiergeld aller Art, zu den vorzüglichsten dieser Residenz (Wasserkunstbastei Nr. 1191).

d) Das ehemalige v. Schönfeld'sche Mu= seum, jetzt im Besitze des Freiherrn v. Diet= rich (obere Bäckerstraße Nr. 673), hat einen seltenen Reichthum von Kupferstichen (etwa 19,000), Holzschnitten (3000), Handzeichnungen (1700), Mün= zen (gegen 5000), Handschriften, Oelgemälden, Kunstgegenständen, Waffen, Erzeugnissen der In= dustrie aus dem Mittelalter; zwei ausgezeichnete Bilder von Thom. v. Mutina, und als das größte Meisterwerk der Mikrographie ein Madonnenbild mit der ganzen hineingeschriebenen Bibel; im Ganzen 50,000 Nummern.

e) Außerdem besitzen noch viele Privaten reichhaltige und merkwürdige Sammlungen von Münzen=, Medaillen= und Kunstgegen= ständen, namentlich der als trefflicher Steinschnei= der bekannte, eben so anspruchlose als kenntniß= reiche k. k. Kammer=Medailleur Joseph Daniel Böhm, Wieden Nr. 447, zu deren Ansicht jedoch Bekanntschaft mit den Besitzern oder Empfehlung an dieselben erforderlich ist.

II. Gemälde- und Kupferstich-Samm-lungen.

1) Die k. k. Gemälde-Gallerie, eigent-lich gegründet von Ferdinand III. aus einem gro-ßen Theil der im Besitze Karl's II. von England ge-wesenen Gemälde, ansehnlich vermehrt von Karl VI., und von Kaiser Joseph II. (1777) aus dem ehema-ligen Kabinet in dem Burggraben, wohin sie frü-her aus der Stallburg gebracht war, in das obere Belvedere versetzt, enthält mehr als 2500 grö-ßere und kleinere Stücke. Die architektonischen Ne-benwerke des zum Eintritt dienenden Marmorsaa-les sind von Chianini und von Herkules Cajet. Fanti, die allegorischen Fresko-Deckengemälde von Carlo Carloni verfertigt. Die Porträts Maria Theresia und Joseph II. malte Anton Ma-ron; das von Karl VI. Franz Solimena mit Joh. Gottfr. Auerbach; das des Erzherzogs Leopold Wilhelm der Hofmaler Johann van der Hoecke.

Dieser Saal theilt das Gebäude in zwei Theile, deren jeder 7 Zimmer und 2 Kabinete hat. In den Zimmern rechts sind die Gemälde der italieni-schen Schule nach ihren Abtheilungen; in den Zim-mern links die der niederländischen Schule. Die im dritten Zimmer rechts stehende Büste Kai-sers Franz I. ist von Pacetti, das Deckengemälde des siebenten Zimmers rechts von Paul Vero-nese. In den Eckkabineten des Gebäudes, von welchen drei das weiße, das grüne und das goldene (gelbe) genannt sind, sieht man viele kleine Stücke verschiedener Meister; im goldenen aber auch das Brustbild des Fürsten Kaunitz-Rietberg aus carrarischem Marmor von Joseph Cerachi, und Heinr. Friedr. Füger's allegorisches Gemälde auf die Rückkehr weiland Kaisers Franz I. im Jahre 1814; das vierte Kabinet ist eine Kapelle.

Das obere Stockwerk, gleichfalls in zwei Abtheilungen, enthält auf jeder Seite vier Zimmer. In jenen zur Rechten sind Gemälde aus der ersten Epoche der altdeutschen Schule, aus der alt-rheinländischen, alt-italienischen, alt-flammändischen und aus der zweiten Epoche der deutschen Kunst; die Zimmer links sind für Gemälde neuer Künstler bestimmt.

Auch in den Gemächern zur ebenen Erde ist bereits eine Anzahl von Gemälden geordnet und aufgestellt.

Der außerordentliche Reichthum dieser Gallerie gestattet nicht die Bezeichnung des Vorzüglichsten. Der Kenner wird leicht einen Ueberblick gewinnen, der Liebhaber die Sammlung öfter in Augenschein nehmen. Den wichtigsten Bildern ist ober dem Goldrahmen der Name des Meisters und seine Zeit beigefügt, andere sind nach Wahrscheinlichkeit oder als unbekannt bezeichnet. Ueber Rafael's hier befindliche Werke gab Albrecht Krafft in der österreichischen Zeitschrift für Geschichts- und Staatskunde, Juni bis Juli 1835, höchst interessante Nachrichten; und ein vollständiger Katalog von eben

demselben erschien unter dem Titel: »Verzeich=
niß der k. k. Gemälde=Gallerie, nebst zwei Ansich=
ten und drei Grundrissen. Wien, H. F. Müller's
Kunsthandlung. 1836, in=gr.8. à 2 fl. 20 kr. K.M.«
Unentbehrlich für jeden Besucher.

Die jetzige Anordnung der Gemäldesammlung
erfolgte in den Jahren 1829—1836, und man ver=
dankt sie der angestrengten Thätigkeit, dem Kunst=
sinne und der Kunstkenntniß des Direktors P. Pe=
ter Krafft (geb. 1780).

Eine Auswahl vorzüglicher Gemälde dieser Gal=
lerie in verkleinertem Maßstabe und in Kupfer ge=
stochen nach Zeichnungen des Kustos Sigism. von
Perger erschien in der Karl Haas'schen Buch=
handlung zu Wien.

Freier Eintritt Dienstag und Freitag von
9—12 Uhr Vormittags, von 3—5 Uhr Nachmit=
tags, vom 24. April bis 30. September; an den
nämlichen Tagen von 9—2 Uhr, vom 1. Oktober
bis 23. April. Fremden steht sie täglich offen.

2) Die Kunstsammlung der k. k. Hof=
bibliothek, in der Mitte des großen Bücher=
saales, entstand unter Aufsicht des tüchtigen Kunst=
kenners Mariette, und wurde umsichtig und flei=
ßig fortgebildet vom Hofrath Adam von Bartsch,
dessen trefflicher Katalog, verbunden mit seinem
Peintre graveur, über den Inhalt dieser Samm=
lung die gründlichste Auskunft ertheilt. Den Werth
der Kupferstichsammlung, deren Hauptgrundlage die
des Prinzen Eugen ist, im Ankauf von ihm mit

~ ᛡ00 franz. Thalern bezahlt, schätze v. B a r t s ch
~illionen Gulden K. M. Sie ist nach
viele
ten
.rdnet, eine der berühmtesten in Europa
meisten Blätter älterer Meister in treff=
drücken, und durch Vollständigkeit einiger
:werke. Hofrath von M o s e l (Beschreibung
k. Hofbibliothek) klassifizirt die Sammlung,
.lgt:

8 große Foliobände Kupferstiche, verschiedene
Gegenstände darstellend;
14 Portefeuilles Blätter, das Größenmaß der
Bände übersteigend;
31 Bände nach Materien, als: Thiere, Blumen,
Feste, Kleidertrachten, Ornamente u. dgl.;
250 Bände Kartons, Porträte in Folio, und
479 Bände verschiedenen Formats: Kupferwerke
mit und ohne erklärenden Text; eigent=
liche Druckwerke mit Kupfern nicht
mitbegriffen; außerdem noch
122 Bände mit Miniaturen und Handzeich=
nungen.

Die Erlaubniß zur Ansicht wird in der k. k.
Hofbibliothek nachgesucht.

3) Die Privatsammlung der Kupfer=
stiche und Handzeichnungen Sr. Maj.
Kaisers Ferdinand I., als eine Abtheilung
der Handbibliothek; 1700 Portefeuilles, worunter
über 92,000 Porträts, über 3000 Landkarten u. s. w.,
die öffentlich nicht vorgezeigt werden.

4) Die Sammlung der Kupferstiche
und Handzeichnungen des Erzherzogs

Karl, im zweiten Stocke des Palastes auf der Au=
gustiner=Bastei, zählt an Kupferstichen aus allen
Schulen der Malerei weit über 170,000 Blätter.
Albrecht Dürer's Werke sind hier vollständig in den
besten Abdrücken vorhanden; auch findet man hier
Tomaso Finiguera's berühmtes Blatt: »Ma=
ria auf dem Throne, von Engeln und Heiligen um=
geben,« und einen Abdruck avant la lettre der h.
Familie nach Rafael, auf Befehl Ludwig's XIV. in
Kupfer gestochen, von Edelink. Die Sammlung
der Zeichnungen besteht aus etwa 15,000 Stücken
der besten Meister, namentlich von Michael Angelo,
Andrea del Sarto, Rafael, Rubens, Rembrandt,
Claude Lorrain, Albrecht Dürer, u. s. w. bis auf
die neueste Zeit.

Kunstkennern und Kunstfreunden ist der Ein=
tritt Montag und Donnerstag Vormittags ge=
stattet.

5) Gemälde, Kupferstiche und Hand=
zeichnungen des Fürsten Paul Esterhazy,
im Sommerpalaste, Mariahilf Nr. 42. Die Ge=
mäldegallerie ist nach Schulen geordnet, die fran=
zösische darunter die reichste, sehr bedeutend die
spanische. Das Ganze bestehend in etwa 700 Ge=
mälden (in 15 Zimmern) von ausgezeichnetem Werthe
und trefflicher Auswahl. Vorzüglicher Beachtung
werth ist unter Andern Rembrandt's Gemälde:
Pilatus wäscht die Hände, und die im
Gartengebäude (Museum) befindliche
Sammlung, woselbst auch überaus schöne Sta=

tuen von Canova, Schadow, Laboureur, Thor=
waldsen und Tartolini aufgestellt sind.

Ein Gesammt=Katalog, in deutscher und franzö=
sischer Sprache, erschien bei Rohrmann und Schwei=
gerd, 1835. in=8. à 20 kr. K. M.

Drei Zimmer neben der Gallerie bewahren die
Sammlungen der Kupferstiche und Handzeich=
nungen. Erstere, gleichfalls nach Schulen geord=
net, zählt über 50,000 Blätter, letztere über 2000
Stücke von den besten Meistern aller Nationen.

Freier Eintritt am Dienstag u. Donnerstag.

6) Die Gemälde= und Kupferstichsamm=
lung des Fürsten von Liechtenstein, Ro=
ßau Nr. 130. Den Plafond des von 18 Marmor=
säulen gestützten Eintrittsaales, die Apotheose des
Herkules, malte Andreas Pozzo; die Decken=
gemälde der anderen Zimmer sind von Pelluzzi
und Franceschini. Die Gallerie enthält über
1200 Gemälde der berühmtesten Meister (auch viele
Statuen). Außer jenen von Leonardo da Vinci, Bec=
cafumi (eine sehr schöne Herodias), Gior=
gione, Andrea del Sarto (die trefflichste hei=
lige Familie des Meisters), Luini, Pietro
Perugino (die Madonna mit dem Kinde),
Rafael, Correggio, Tizian u. A., verdienen besondere
Beachtung ferner: sechs große Gemälde von Rubens
(die Geschichte des Decius), und das Por=
trät des Herzogs von Friedland, Wallenstein,
und einer Prinzessin v. Este, gemalt von Ant.
van Dyk; dann jene im ersten Zimmer vorhan=

Der Fremde in Wien. 4. Aufl.   19

dene flache Schale, im Durchmesser etwa 2 Schuh, am Rande verziert mit den herrlichsten elfenbeinernen Basreliefs aus Roms ältester Geschichte.

An Wochentagen wendet man sich des Eintritts wegen bloß an den Aufseher des Palastes.

Die reiche und ausgezeichnete Sammlung der Kupferstiche, im Palais Nr. 251 der Herrengasse, wird ohne besondere Erlaubniß nicht vorgezeigt.

7) Die Gemäldesammlung des Grafen Czernin, Wallnerstraße Nr. 263, besteht aus etwa 300 Oelgemälden ausgezeichneter Meister der französischen, italienischen, besonders der niederländischen, und auch der spanischen Schule; eine Hauptzierde derselben ist ein kleines, aber herrliches Thierstück von Paul Potter.

8) Die Gemäldesammlung des verstorbenen Grafen Lamberg (s. Seite 186), im Akademie-Gebäude zu St. Anna, Annagasse Nr. 980, eröffnet im Frühjahr 1835. Im Archiv für Geographie, Historie, Staats- und Kriegskunst, 1822. August 2. Spalte 490, wird von derselben gesagt: »Seine (des Grafen) drei Rafael; seine Madonna von Fra Bartolomeo, von Andrea del Sarto und von Guido; seine Judith und Sophonisbe Dominichino's; der kreuztragende Heiland von Leonardo da Vinci; Perugino's Taufe Jesu im Jordan; Petrus im Gefängniß von Cabresa; Tizian's schlummernde Venus; Ruben's Grazien; Van Dyk's Porträt Karl's I., sein Amor, die Klavierspielerin u. s. w.; Loutherbourg's Seesturm;

Wouvermann's Reitergefecht; Ostade's Zeitungs=
leser; Browe's Trinker; Tenier's Hexenküche; Lin=
gelbach's Jahrmarkt; die Thierstücke von Heinrich
Roos; die göttlichen Landschaften von Rysdaal, Af=
felyn, Swanfeld, Vernet; Claude Lorrain's Son=
nenauf= und Untergang; Rembrandt's Weiberkopf;
das Familiengemälde von Terburg; Paul Potter's
Jahrmarkt, Hirschjagd und Viehstück u. a. m., wür=
den unter die Zierden der ersten Gallerien Europa's
gehören.« Man vergleiche nun die B e z e i c h n u n=
g e n der Gemälde in der aufgestellten Sammlung,
und suche sich ein Urtheil zu bilden über eine Samm=
lung, welche, den Worten jenes Aufsatzes zu Folge,
von gekrönten Häuptern beneidet, der vaterländi=
schen Kunst ein königliches Vermächtniß seyn sollte,
und auch geworden ist.

Der E i n t r i t t ist am Samstage Vor= und
Nachmittags gestattet. Die Anmeldung, mit Angabe
des Namens und der Personenzahl, muß früher er=
folgen, indem die Karten (im Gebäude zur ebenen
Erde) am Tage v o r dem Eintritt ausgegeben
werden.

9) D i e G e m ä l d e s a m m l u n g d e s G r a=
f e n S c h ö n b o r n = B u c h h e i m, Stadt, Renn=
gasse Nr. 155, gewählte Stücke von Carlo Dolce,
Van Dyk, Guido Reni, Rembrandt, Rubens u. A.
O e f f e n t l i c h e r E i n t r i t t am Montag,
Mittwoch und Freitag von 9—3 Uhr.

10) Die sogenannte H o f s c h a u s p i e l e r = G a l=
l e r i e, d. i. Gemälde der vorzüglichsten Hof=Büh=

*

nenkünstler, mehre der früheren von Anton Hickel
gemalt. Man findet sie neben dem Kasse=Bureau des
k. k. Hoftheaters nächst der Burg. Das Merkwür=
digste in der ganzen Sammlung ist die eigenhändige
Unterschrift: »Sie starb allgemein bedauert,«
mit welcher Kaiser Joseph II. das Bildniß der
Katharina Jaquet beehrte und verewigte.

11) Die Privat=Gemäldesammlung
(deutscher und niederländischer Meister), Alservor=
stadt, Währingergasse Nr. 298, 1. Stock; freier
liberaler Eintritt am Mittwoch, Samstag und Sonn=
tag von 10—1 Uhr; auch auf Ersuchen an einem
andern Tage.

12) Endlich noch gegen 50 bedeutende Ge=
mäldesammlungen von Privaten, deren
Aufzählung in diesem Büchlein (vergl. S. 212) über=
flüssig scheint. In Beziehung auf die Werke der
neuern österreichischen Künstler möchte die des Herrn
Rudolf Arthaber eine der anziehendsten seyn.
Viele Gemälde, größtentheils aus der Geschichte des
österreich. Kaiserthums, besitzt neben einer der größ=
ten Holzschnitt=Sammlungen, jene selbst gemalt,
Herr Karl Ruß, Kustos der k. k. Bildergallerie,
im oberen Belvedere Nr. 514.

XVII.
Anſtalten der Humanität und Wohl=thätigkeit.

1) Das k. k. Verſatzamt oder Leihhaus, Dorotheergaſſe Nr. 1112, errichtet 1707, leiht nur auf ſolche bewegliche Güter, die dem Zerbrechen und Verderben nicht unterworfen ſind, und deren Aufbe= wahrung keiner Schwierigkeit unterliegt. Die Pfän= der können 14 Monate darin gelaſſen werden; nach Ablauf dieſer Friſt erfolgt die öffentliche Verſteige= rung, und der, nach Abzug der Pfandſumme und der Zinſen verbleibende Ueberreſt wird dem ſich melden= den Eigenthümer ausgezahlt.

Das Amt iſt an den Wochentagen, Sam= ſtag ausgenommen, von 8—2 Uhr offen.

2) Penſions=Anſtalten ſind in Wien 16 vorhanden; darunter das k. k. Penſions=Inſtitut für Staatsbeamte, nach einem vom Kaiſer Joſeph II. eingeführten Normale; das allgemei= ne Penſions=Inſtitut für Witwen und Waiſen; die übrigen für Witwen beſtimmten Klaſſen.

Eine vom Prof. Salomon angekündigte allgemeine Penſions=, Renten=Verſiche= rungs=Anſtalt hat ihre Statuten kürzlich ver= öffentlicht, und das Publikum vorläufig zur Theil= nahme eingeladen. Sie hat zum Zweck: »Gegen Entrichtung gewiſſer Geldleiſtungen mit dem Ein= tritte eines von der Lebensdauer einer genannten Perſon bedingten Zeitpunktes entweder ein für alle

Mal ein Kapital, oder zeitliche, oder aber lebens=
längliche Renten an jene Individuen auszuzahlen,
welche nach den Bestimmungen der Statuten in den
einzelnen Abtheilungen der Anstalt als die zum Be=
zuge Berechtigten bezeichnet sind.«

3) Sparkassen bestehen in Wien zwei;
die erste österreichische, und die mit ihr ver=
einigte allgemeine Versorgungs=Anstalt,
in der Stadt Nr. 572, am Petersplatz; dann die
Sparkasse im Alser=Polizeibezirk. Erstere verwaltete
am 31. Dezember 1838 ein Kapital von 19,107,261 fl.
25 kr. K. M., und die Versorgungs=Anstalt ein
Kapital von 4,222,911 fl. 11 kr. K. M. Beide sind
rücksichtlich der Einlagen in stetem bedeutenden
Steigen.

4) Stiftungen zur Ausstattung ar=
mer Mädchen, von 100—300 fl., bestehen in Wien
mehre; dann über 40 bedeutende Stipen=
dien für Studirende an der hiesigen Universität,
und etwa 260 minder bedeutende Stipen=
dien, zu welchen auch die Kollegiengelder
(s. S. 141) verwendet werden.

5) Prämien für 10 Dienstboten, jede
zu 150 fl. K. M., die treu und fleißig 25 Jahre in
Wien und während dieser Zeit 10 Jahre in Einer
Familie gedient haben, vertheilt alljährig die k. k.
Landesregierung durch die k. k. Polizei=Oberdirektion.

6) Die Gesellschaft adeliger Frauen
zur Beförderung des Guten und Nützli=
chen bildete sich im Jahre 1811, unterhält eine
unentgeldliche Unterrichts=Anstalt in weiblichen Ar=

beiten (**Verkaufsgewölbe**: Vorstadt Gumpen=
dorf, Mariahilferstraße Nr. 409); stiftete im Bade=
orte Baden bei Wien das Marien=Spital und ver=
wendet jährlich über 80,000 fl. K. M. zur Unter=
stützung der Zöglinge im Taubstummen= und Blin=
den=Institut und anderer Anstalten, der Spitäler
und Versorgungshäuser, dürftiger Wöchnerinnen,
einzelner dürftiger Familien, der Zöglinge in ver=
schiedenen Unterrichts=Anstalten, für Prämien à
100 fl. K. M. für 10 verdiente Dienstboten (jähr=
lich) u. s. w. Im Jahre 1839 veranstaltete sie auch,
gegen ein mäßiges Eintrittsgeld, eine interessante
Ausstellung weiblicher Handarbeiten,
zu deren Einsendung alle Frauen und Mädchen
Wiens eingeladen waren. Die Einnahme wurde
dem Zweck des Instituts gemäß verwendet.

Die Gesellschafts=Kanzlei ist im Bürgerspital
Nr. 1100, Hof 8, Stiege 13, Stock I.

7) Das k. k. **Invalidenhaus**, vor dem
Stubenthor, Landstraße Nr. 1, mit der Inschrift:
»Patria laeso militi,« errichtet 1750, erhielt seine
jetzige Einrichtung von Joseph II. Es hat außer dem
Erdgeschoß 2 Stockwerke, einen geräumigen, mit
Bäumen bepflanzten Hof, eine Hauskapelle mit ei=
ner Kreuzabnahme auf dem Marmoraltar von **Ra=
fael Donner**, und eine kleine Handbibliothek. Im
großen Saale des ersten Stocks befindet sich eine Reihe
von Büsten österreichischer Helden, vom Direktor
Joseph Klieber verfertigt, welchen in neuerer
Zeit zwei große herrliche Gemälde von dem jetzigen
Gallerie=Direktor P. **Peter Krafft** sich anschlos=

sen, die Schlachten von Aspern und Leipzig darstellend, worauf sämmtliche Köpfe Porträts sind.

Das Haus ist eingerichtet auf 64 Offiziere und
551 Soldaten. Das k.k. Filial-Invalidenhaus
in Neulerchenfeld gibt 21 Offizieren Versorgung,
und außer dem Hause werden noch über 1800 s. g.
Patental = Invaliden mit jährlichen Beiträgen unterstützt.

Der Eintritt steht dem Publikum am 18.
Oktober, dem Siegestage der Verbündeten bei Leipzig, der alsdann hier feierlich begangen wird, offen;
Fremden aber wird die Besichtigung der Anstalt auch
an andern Tagen gestattet.

8) Das k. k. Waisenhaus, Alservorstadt,
Karlsgasse Nr. 261, mit Bad und Garten versehen,
bezweckt: Kinder zu bürgerlichen Geschäften, zu
Handwerken und Künsten vorzubereiten. Als Unter-
richts= und Erziehungs=Anstalt nimmt es ganz ver-
waisete Kinder auf, als Unterstützungs=Anstalt vertheilt es monatliche Beiträge an solche, deren Mütter noch am Leben sind. Die Zahl der Waisenkinder
beträgt etwa 300, und jedes hat sein eigenes Bett;
gegen 3000 werden an Ziehältern auf das Land vertheilt. Allgemein ist der Unterricht der Normal-
schulen; fähigere Kinder erhalten aber auch Anweisung zum Handzeichnen, und vorzügliche Talente die Erlaubniß zum Besuch der Akademie der
bildenden Künste oder der lateinischen Schulen. Den
Mädchen wird Unterricht in häuslichen und weiblichen Arbeiten ertheilt. Die Wahl des künftigen
Standes bestimmen Anlage und Neigung der Stift-

linge. Das eigentliche Lehr= und Aufsichts=Personal beträgt 22 Individuen.

9) Das k. k. Taubstummen=Institut, Wieden, Favoritenstraße Nr. 313, 1779 von Maria Theresia gestiftet, wesentlich verändert von Joseph II., und neu organisirt von weil. Franz I., ist zur unentgeldlichen Aufnahme armer taubstummer Knaben und Mädchen bestimmt, jedoch keines vor erreichtem siebenten und nach vollendetem vierzehnten Jahre. Die Versorgungszeit ist auf 6—8 Jahre festgestellt, und über das zwanzigste Jahr darf Niemand in demselben verbleiben. Das Institut hat 2 geräumige Schlafsäle, den einen mit 50 Betten für Knaben, den zweiten mit 20 Betten für Mädchen; 2 lichte Lesezimmer; einen großen Lehr= (zugleich Prüfungs=) Saal; 1 Speise= und 1 Zeichnungssaal; 2 Krankenzimmer; 1 Hauskapelle, Hofraum und Garten. Unterricht wird ertheilt in der deutschen Sprache, im Schreiben und Rechnen; Mädchen werden auch in gewöhnlichen weiblichen Arbeiten unterwiesen, und größere Knaben zur Bandweberei, kleinere zum Flachsspinnen verwendet. Privatpersonen, welche ein taubstummes Kind in diese Anstalt geben, zahlen jährlich 150 fl. K. M. Die Porträts Joseph's II. und Franz I. im Lehrsaale sind von einem Taubstummen, A. Karner, gemalt. Von dem Instituts=Direktor werden für diejenigen, welche die Methode des Taubstummen = Unterrichts kennen lernen wollen, unentgeldliche Vorlesungen gehalten. Außer diesem bestehen im österr.

Kaiserstaate noch neun ähnliche Institute. (Vergl.
Mich. Venus: Das k. k. Taubstummen = Institut
in Wien; Leop. Chimani, über dasselbe in der
neuen theologischen Zeitschrift, Wien, Jahrg. V.
Heft 6, S. 273.)

Freier Eintritt an jedem Samstag von
10—12 Uhr Vormittags, ausgenommen im August
und September.

10) Das k. k. Blinden=Institut, Jo=
sephstadt Nr. 188, seit 1808 eine Staatsanstalt,
nimmt Kinder beiderlei Geschlechts von 7—12
Jahren auf. Vermögliche Aeltern zahlen ein ver=
hältnißmäßiges Kost= und Unterrichtsgeld, und ihre
Kinder erhalten nicht bloß, wie die ärmeren, Un=
terricht in der Religion, im Lesen, Schreiben, Kopf=
rechnen und in verschiedenen mechanischen Arbeiten,
sondern auch in der Geographie, Geschichte, Ma=
thematik, Musik und in fremden Sprachen.

Zu der an jedem Donnerstag von 10—12 Uhr
stattfindenden Prüfung ist der Eintritt unbeschränkt.

11) Der Privatverein zur Unterstü=
tzung erwachsener Blinden entstand 1825,
und vergrößert jährlich seinen Wirkungskreis. Er
steht in Verbindung mit dem Blinden=Institut, und
an dasselbe grenzt auch das ihm eigenthümlich zuge=
hörige Gebäude. Außer den erwachsenen Zöglingen
des Blinden=Instituts nimmt der Verein auch an=
dere erwachsene Blinde gegen ein jährliches Kost=
geld von 100 fl. K. M. zur Versorgung auf. Dieser
allerdings mäßige, den gewöhnlichen Vermögens=
umständen solcher Unglücklichen jedoch völlig ent=

sprechende, Beitrag wird dadurch erhöht, daß der Aufgenommene eine ihm zusagende Beschäftigung wählen und ausüben muß, so daß ein Theil des Ertrages zur Bestreitung des Unterhalts verwendet wird. Es werden in dieser Anstalt verschiedene Arbeiten verfertigt und von den Erwachsenen auch musikalische Produktionen veranstaltet. Näheres darüber in Joh. Wilh. Klein: »Das Haus der Blinden mit seiner inneren Einrichtung. Beschreibung des neuen Gebäudes der Versorgungs= und Beschäftigungs=Anstalt für erwachsene Blinde, Wien, Mechitaristen= Kongregations=Buchhandlung, 1838. Pr. 40 kr. K.M. Nebst Musterblatt der fühlbaren Druckschrift für Blinde.«

Der Versorgungs= und Beschäftigungssaal kann täglich in Augenschein genommen werden.

12) Das k. k. Armen=Institut, vom Kaiser Joseph II. 1783 gegründet, steht unter der Oberleitung der k. k. niederösterreichischen Landesregierung. Alle wahrhaft Armen haben Anspruch auf dieses Institut, und erhalten verhältnißmäßig einen täglichen Beitrag von 4, 6, 8, 12 kr. Der Pfarrer des Bezirks und ein Armenvater (aus dem Bürgerstande) beurtheilen die Armen und theilen sie in Klassen. Etwa 5000, im jährlichen Durchschnitte, erhalten die bemerkte Unterstützung, und außerdem wird eine Summe von ungefähr 20,000 fl. K. M. noch aushilfsweise vertheilt.

Zum Fond des Instituts werden verwendet freiwillige Beiträge, Sammlungen, und von allen Verlassenschaften, deren Betrag 100 fl. übersteigt, eine Abgabe von ½ Percent. Der Hauptbezirk der Anstalt ist in der Kärntnerstraße Nr. 1043.

13) Das k. k. Findelhaus, Alservorstadt Nr. 108, nimmt sowohl Findlinge unentgeldlich, als gegen Entrichtung gewisser Gebühren auf. Unentgeldlich werden aufgenommen: Kinder, deren Mütter im k. k. Gebärhause entbunden wurden und einen viermonatlichen Ammendienst, im Findelhause selbst, verrichten; Kinder, die innerhalb der Linien in Häusern oder auf Straßen niedergelegt, oder auch solche, deren Mütter unvermuthet entbunden worden sind und Zeugnisse gänzlicher Armuth beibringen. Die Entrichtung der Gebühren aber ist nach vier Aufnahmsstufen verschieden, nämlich 20 fl., 50 fl., 100 und 291 fl. K. M., je nachdem die Kinder von Müttern in oder außer Niederösterreich geboren wurden. Für 100 fl. werden auch Kinder aus dem Auslande, und eben so bei 294 fl. derlei noch mit der besonderen Begünstigung aufgenommen, daß die Pflegepartei selbst gewählt werden kann u. s. w.

In diesem vom Kaiser Joseph II. 1784 gegründeten Institute sind 150 Betten für Kinder, 72 dergleichen für Ammen vorhanden. Doch werden die Findlinge, deren Zahl sich über 13,000 beläuft, gegen einen bestimmten Verpflegungsbetrag größtentheils in die Vorstädte oder auf das Land gegeben. Nach erreichtem 22. Jahre steht es dem Findlinge frei, entweder bei seinen Ziehältern zu bleiben, oder seinen Unterhalt anderwärts zu suchen.

In Verbindung mit dem Findelhause stehen:
14) a) Das Säugammen=Institut, ohne

deſſen Geſundheits = Zeugniß keine Amme in
den Dienſt treten darf, wählt auf Anſuchen
von Jedermann, gegen Entrichtung von
20 fl. K. M., eine zum Ammendienſt vollkom=
men tüchtige Perſon im k. k. Gebärhauſe aus,
oder läßt die außer dieſem Hauſe entbundene,
zur Amme beſtimmte, Perſon rückſichtlich
ihrer Geſundheit ſorgfältig unterſuchen.

b) Das k. k. Schutzpocken = Haupt = Impf=
Inſtitut für alle Kinder unbemittelter
Leute, und für die Findlinge unentgeldlich.

15) Das k. k. Gebärhaus, in einem abge=
ſonderten Lokale des allgemeinen Krankenhauſes,
erhielt ſeine gegenwärtige Einrichtung vom Kaiſer
Joſeph II. 1784. Es iſt beſtändig geſchloſſen; doch
finden Schwangere, auf ein Zeichen mit der Glocke,
zu jeder Stunde des Tages und der Nacht, ver=
ſchleiert oder nicht verſchleiert, Einlaß. Keine der
Eintretenden wird um Namen und Stand befragt,
jede hat aber beim Eintritt ihren wahren Tauf=
und Familiennamen, in einem verſiegelten Zettel
verzeichnet, zu überreichen. Auf dieſem Zettel wird
die Nummer des Zimmers und Bettes vom ange=
ſtellten Geburtshelfer bemerkt, derſelbe der Einge=
tretenen wieder behändigt und beim Austritt mitge=
nommen, oder im Sterbefall geöffnet.

Dieſe Anſtalt hat drei Abtheilungen und
eben ſo viele Klaſſen. In der erſten zahlt die
Eintretende, welche ein eigenes Zimmer erhält, den
Betrag für 4 Tage mit 5 fl. 20 kr. K. M., und nur
der Geburtshelfer, die Hebamme und die Wärterin

20

dürfen das Zimmer betreten. In der zweiten Klasse sind in einem Zimmer zwar mehre Betten, die Schwangeren jedoch von den bereits Entbunde= nen gesondert. Der beim Eintritt zu erlegende Be= trag für 6 Tage (à 51 kr.) ist 5 fl. 6 kr. K. M. In der dritten Klasse bezahlt die Person für 8 Tage (à 18 kr.) 2 fl. 24 kr. K. M.; indeß werden bei er= wiesener Armuth Schwangere auch unentgeldlich aufgenommen, und wenn sie dazu tauglich sind, im Findelhause als Ammen verwendet oder auswärts überlassen (s. oben unter 14. a. Säugammen=Insti= tut.) Daß in diesem Falle von keinem Geheimniß die Rede ist, versteht sich von selbst, auch ist die An= stalt hauptsächlich auf Arme berechnet, denn sie ent= hält für diese 210, und für Zahlung leistende Per= sonen nur 30 Betten. Im Durchschnitt zählt man hier jährlich über 3000 Geburten.

16) Das Bürgerspital und das Versor= gungshaus zu St. Marx (Markus), auf der Landstraße Nr. 490 an der Linie, wurde aus einem Privateigenthum eine öffentliche Anstalt, und beson= ders unter Kaiser Joseph's II. Regierung bedeutend erweitert. Als Versorgungshaus ist es bestimmt: verarmte, kränkelnde und abgelebte Bürger und Bürgerinnen, deren Söhne und Töchter, welche auf keine Unterstützung von Verwandten zu rechnen haben, zu verpflegen.

In diesem Spital befinden sich gegen 400 Per= sonen in 32 Zimmern. Jeder Pfründner empfängt zu seinem Unterhalt täglich 8 kr. K. M., und kann, nach Maßgabe seiner Kräfte, noch einigen Erwerb

durch Arbeit finden. Die Arzenei für die Kranken
liefert die Apotheke zum heiligen Geist im städtischen
Bürgerspital, und für die Heilung sorgen 1 Arzt
und zwei Wundärzte. Seit 1818 ist die Anstalt auch
mit einem guten Bade versehen, und endlich em=
pfangen aus dem Spitalfond etwa noch 900 Perso=
nen, die nicht im Hause sind, eine tägliche Unter=
stützung von 3 und 5 kr. K. M.

17) Andere k. k. Versorgungshäuser
sind vorhanden in der Alservorstadt, Währinger=
gasse Nr. 271, für arme alte, zur Arbeit nicht
mehr fähige Leute; am Alserbach Nr. 19 (auch zum
blauen Herrgott genannt), zu gleichem Zweck; in
dem sogenannten Langenkeller, auf dem Neubau
Nr. 234. Dann die Privat=Anstalten zur
Versorgung armer weiblicher Dienstboten, auf der
Landstraße Nr. 268; eine dergleichen auf der Wie=
den Nr. 337, und in der Leopoldstadt Nr. 621;
ferner das Gemeinde=Armenhaus in der
Leopoldstadt; die Vorstadt= und Grundspitä=
ler im Lichtenthal, in Gumpendorf, in Mariahilf
und in Altlerchenfeld,

18) Wohlthätige Vereine: Der Privat=
verein zur Unterstützung verschämter Armen; die
Leichenvereine in den Vorstädten Leopoldstadt und
Schottenfeld; der Hilfsverein in Schottenfeld, und
der Verein zur Unterstützung würdiger, jedoch ar=
mer, Studenten, theils mit Geld, theils durch An=
weisung auf Freitische.

19) Das Handlungs=Verpflegs=In=
stitut; s. im folgenden Artikel: Handlungs=

Kranken = Institut, mit welchem es verbun=
den ist.

20) Kleinkinder = Bewahr = Anstalten.
Der eigentliche Gründer derselben, deſſen Name
als einer der größten Wohlthäter aufbewahrt zu
werden verdient, war in Wien von Werthei=
mer. Er hinterlegte nämlich Behufs einer zu er=
richtenden Kleinkinder = Bewahr = Anstalt und derlei
Schule eine Summe bei der k. k. Landesregierung,
und mit dieſer im Verein eröffnete ein eben ſo hu=
maner, als gemüth= und kenntnißvoller Mann, der
hochwürdige Pfarrer Johann Nep. Lindner
auf dem Rennwege die erste Kinder=Bewahr=
Anstalt am 4. Mai 1830. Der Zweck derselben
iſt: »Kindern von 2—6 Jahren während der Tages=
arbeit ihrer erwerbbedürftigen Aeltern ſicheren Schutz
vor Gefahr des Verunglückens und der Verwahrlo=
ſung zu gewähren, ſie durch naturgemäße Entwicke=
lung ihrer Kräfte kindlich und ſittlich froh werden
zu laſſen, und ſie für den eigentlichen Schulunter=
richt vorzubereiten.« Die Theilnahme für den Zweck
dieſer neuen Anstalt erhöhte ſich dadurch, daß Ihre
Majeſtät, die Kaiſerin = Mutter, als oberſte Schutz=
frau an die Spitze des bald darauf entſtandenen
Hauptvereines für Kinder = Bewahr=Anstalten trat,
und der Fürst = Erzbiſchof das Präsidium übernahm.
Durch vielſeitige Unterstützung iſt es möglich gewor=
den, die Zahl dieſer trefflichen Anstalten bereits auf
7 zu vermehren, ſo daß dergleichen in folgenden
Bezirken beſtehen: Auf dem Rennweg; am Schaum=

burgergrund; in Margarethen; in Reindorf; in Neulerchenfeld; in Herrnals; in Erdberg.

Diese Anstalten, deren jede mit einem großen Saale und Garten versehen ist, bewahren wohl 1000 Kinder, die sich von 7 Uhr bis Mittag und von 2 Uhr bis Abend einfinden. Viele verlassen die Anstalt auch in der Mittagsstunde nicht, und werden von Wohlthätern mit Suppe u. dgl. unterstützt. Selbst bemittelte Aeltern benützen diese Anstalten und schicken ihre Kinder, gegen Entrichtung eines Beitrages, in dieselben. Zum vorbereitenden Unterricht, größtentheils im Wege der Anschauung, vermittelst Abbildungen von Natur- und technischen Gegenständen u. s. w., hat jede Anstalt einen Lehrer und eine Lehrerin, die beide besoldet werden. Das gesammte Stammkapital beträgt etwa 35,000 fl. K. M.

Am vierten November eines jeden Jahres, als am Namensfeste der Kaiserin-Mutter, obersten Schutzfrau, findet in den Anstalten eine öffentliche Feier und Vertheilung von Kleidungsstücken, Strümpfen, Schuhen u. dgl. an die dürftigen Kleinen statt. (Näheres in: L. Chimani's theoretisch-praktischer Leitfaden für Lehrer in den Kinder-Bewahr-Anstalten. Wien, 1832. in-8.)

XVIII.

Sanitäts-Anstalten.

1) Das k. k. allgemeine Krankenhaus, auch Universalspital genannt, Alservorstadt Nr. 195, vom Kaiser Joseph II. 1784 Saluti et Solatio aegrorum errichtet, seit 1807 mit einem Civil-Operateurs-Institut versehen, ist ein ungeheures Gebäude, welches gegenwärtig in 131 geräumigen und hohen Krankenzimmern mehr als 3000, dritthalb Fuß von einander entfernt stehende, Betten enthält, und in allen Abtheilungen jährlich gegen 30,000 Kranke aufnimmt. Es zählt, mit Inbegriff des neuen Zubaues (1835) in der Kirchengasse hinter dem rothen Hause, 9 Höfe mit einigen Bassins.

Es bestehen in diesem Krankenhause vier Aufnahmsklassen. In der ersten erhält der Kranke gegen eine monatliche Vorausbezahlung von 40 fl. K. M. ein eigenes Zimmer nebst Verpflegung und Arzenei, einen eigenen Wärter und ein vollständiges gutes Bett; in der zweiten Klasse für den Betrag von 25 fl. 30 kr., Alles, wie in der ersten, mit Ausnahme des eigenen Zimmers; in der dritten bezahlt der Einwohner Wiens täglich 18 kr., der Fremde 32 im monatlichen Betrage. Die Aufnahme in die vierte Klasse ist unentgeldlich. Kleidung und Wäsche muß der Kranke mitbringen. Das

Haus hat eine eigene, gut eingerichtete Apotheke, ein Materialien-Behältniß, eine Bade-Anstalt und eine Todtenkammer.

Außer dem bereits erwähnten Gebärhause (s. Seite 229) gehören noch folgende Abtheilungen zu dieser großartigen, durch ein zahlreiches Personale trefflich besorgten, Anstalt:

a) Die k. k. Irrenheil-Anstalt (Irrenhaus, auch Narrenthurm genannt), ein rundes Gebäude von 5 Stockwerken, in jedem 28 Kammern, überhaupt mit 509 Betten (in der Nähe des allgemeinen Krankenhauses). Die Aufseher wohnen in der Mitte. Die Wärme wird im Winter durch Röhren vertheilt. Die Aufnahme geschieht nach den nämlichen Klassen, wie im allgemeinen Krankenhause. Zur Heilung ist das Lazareth in der Währingergasse gegen den Alserbach bestimmt, und zur Erholung der Genesenden dient ein um dieses Gebäude angelegter Garten. Die Zahl der jährlich hier eintretenden Kranken beträgt gegen 300.

Die Erlaubniß zum Eintritt muß ausdrücklich von der Oberdirektion des allgemeinen Krankenhauses ertheilt seyn.

b) Die Kliniken der k. k. Universität, im Lokale des allgemeinen Krankenhauses selbst befindlich. Die Universität entrichtet an die Verwaltung des letzteren jährlich eine Summe von etwa 1800 fl., und die von den Professoren aus allen Abtheilungen des Krankenhauses gewählten Kranken, werden in der Klinik nach Maßgabe der zweiten Klasse verpflegt. Es be= stehen aber 5 verschiedene Kliniken:

aa) die medizinische für Aerzte, im frei= stehenden Gebäude des ersten Hofes des all= gemeinen Krankenhauses, mit 28 Betten für Männer und Weiber;

bb) die medizinische für Wundärzte, mit 12 Betten, im linken Flügel des ersten Hofes;

cc) die chirurgische, mit einem Operations= saal und 27 Betten, links vom Eingange;

dd) das Institut für Augenkranke, die okulistische Klinik, im dritten Hofe, mit zwei Sälen und 20 Betten; und einem Hör= (zugleich Operations= und Ordinations=)saal, sämmtlich grün gemalt und mit grünen Vor= hängen versehen. Die Ordination an ambu= lirende Kranke (etwa 1000 jährlich) wird unentgeldlich nach 10 Uhr B. M. ertheilt.

Ueber das hier befindliche ophthalmolo= gische Museum s. oben Seite 178.

ee) die geburtshilfliche Klinik, seit 1833 aus zwei Abtheilungen bestehend, zählt mit der k. k. Gebäranstalt jährlich über 4000 Geburten.

2) Das k. k. Militär=Garnisons=Haupt= spital, neben dem Josephinum Nr. 219, in Ab=

theilungen für die verschiedenen Krankheitsklassen, auf 900 Kranke berechnet. In demselben befinden sich auch die Kliniken der k. k. Josephs = Akademie, und in einem Nebengebäude der Sektionssaal.

3) Das erste öffentliche Kranken= und Impfungs = Institut für arme Kinder steht als Privatanstalt jetzt unter der Direktion des Dr. Löbisch, Spänglergasse Nr. 426. Es ordinirt und vertheilt Arzeneien unentgeldlich für kranke Kinder, deren Mütter mit gehörigen Armuthszeugnissen versehen sind; für alle Findlinge gegen Vorzeigung der Findelhaus = Urkunde u. A. Die Schutzpocken=Impfung beginnt im Monat Mai. Behandelt werden in dieser Anstalt jährlich gegen 1200 Kranke.

4) Das Priester=Krankenhaus (die Benennung Defizientenhaus hat längst aufgehört) Landstraße, Ungergasse Nr. 433, ist seit 1780 durch bestimmte Beiträge freiwillig eintretender Mitglieder errichtet, welche Weltpriester aus der Stadt und den Vorstädten, oder aus den Wiener = Kirchsprengeln vom Lande sind. Der Kranke erhält im Instituts = Gebäude Wohnung, Kost, Wartung, Bett, Wäschzeug, ärztliche Hilfe und Arzenei; kranke Mitglieder in Wien aber, die ihre eigene Wohnung nicht verlassen wollen, werden in derselben von der Anstalt aus mit einem Arzt und mit Arzeneien versehen.

5) Das Spital und das Rekonvaleszentenhaus der (in Wien vom König Mathias 1614 aufgenommenen) barmherzigen Brüder. Das

erſtere, Leopoldſtadt Nr. 229, auf 114 Kranke ein=
gerichtet, nimmt jährlich gegen 3000 Kranke un=
entgeldlich auf. Für gewiſſe Handwerker und
Innungen ſind Stiftungsplätze vorhanden, alle übri=
gen Stellen ſind für arme reiſende Handwerksbur=
ſchen und andere Leute, ohne Unterſchied der
Nation und Religion beſtimmt. Auch dient es
als Verſorgungshaus wahnſinnig gewordener Geiſt=
lichen.

Das Wiedergeneſungshaus, auf der Landſtraße
Nr. 290, ſtiftete Frau Maria Thereſia, Her=
zogin von Savoyen und Piemont, geborne
Fürſtin von Liechtenſtein und Nikolsburg, am 6.
Hornung 1756 vermittelſt 5 Betten, welchen 1757
noch 9 andere beigegeben wurden. In eben dieſem
Jahre hatte auch die Kaiſerin Maria Thereſia 2 Bet=
ten mit 4000 fl. angewieſen, weßhalb ſie, und der
Namensgleichheit wegen, gewöhnlich als die Stif=
terin bezeichnet wird. Das Haus hat eine treffliche
Lage und iſt zur Aufnahme und Verpflegung der Ge=
neſenden aus dem vorher erwähnten Spital beſtimmt.

6) Das Handlungskranken= und Ver=
pflegs = Inſtitut. Erſteres beſteht ſeit 1745,
letzteres ſeit 1795. Das Kranken=Inſtitut nimmt die
Kranken, des Vermögens und ſonſtiger Unterſtützung
beraubten Mitglieder des Handelsſtandes auf, und
das Verpflegs=Inſtitut bezweckt die Verſorgung de=
rer, die ihres Alters oder körperlicher Gebrechen
wegen zum ferneren Erwerbe ganz unfähig gewor=
den ſind. Es befindet ſich jetzt in einem ſchönen Ge=

bäude der Alservorstadt Nr. 280, hat einen geräumigen Garten, und eine eigene, vom Architekten
J. Schaden erbaute Kapelle, deren Altar Rösner, und das Altarblatt L. Kupelwieser fertigten.

7) Das Krankenhaus der Elisabethi-
ner=Nonnen, Landstraße Nr. 356, ist im alten
Zustande für 50 Personen weiblichen Geschlechts
berechnet gewesen, die kein Vermögen besitzen, hier
während der Krankheit ärztlich behandelt und von
den Nonnen verpflegt werden. Die Zahl der aufgenommenen Kranken beträgt über 500.

In den letzten Jahren erhielt dieses Krankenhaus einen großen Zubau zur Vermehrung der
Krankenplätze u. s. w., wozu insbesondere die großen Vermächtnisse des Grafen und Med. Dr. von
Harrach mit mehr als 17,000 fl., und des verstorbenen Med. Dr. Joseph Zimmermann
mit 10,000 fl. K. M. bestimmt waren und verwendet
wurden. Wohl nur aus einem Versehen ist von dem
letzteren Vermächtniß in einer 1835—36 erschienenen Nachricht über die eingegaugenen Beiträge keine
Erwähnung geschehen!

8) Das Institut der barmherzigen
Schwestern wurde mit allerhöchster Entschließung
vom 12. November 1831 in Wien zu errichten gestattet. Von Zams in Tirol hierher verpflanzt, befindet es sich in Gumpendorf Nr. 195. Der Haupt-
zweck desselben ist: Wartung der Kranken beiderlei
Geschlechts, ohne Rücksicht auf Religion und Vater-
land, in und außerhalb des Klosters, auch der un-

entgeldliche Unterricht der weiblichen Jugend. Die allerhöchste Genehmigung ist jedoch vorläufig auf die Krankenpflege beschränkt. Die ersten Novizinnen wurden am 12. Juli 1833 eingekleidet, jetzt zählt man bereits gegen 30 Schwestern. Verpflegt, unentgeldlich, werden jährlich gegen 600 Kranke.

9) Die Privat-Heilanstalt für Gemüthskranke, früher in Wien, jetzt zweckmäßiger in Oberdöbling Nr. 168, gegründet von Dr. M. Bruno Goergen. Die Behandlung der Kranken ist gleich sorgfältig und zweckmäßig, deren Verpflegung aber nach drei Klassen, täglich zu 3, 4 und 5 fl. K. M. verschieden. Weniger Bemittelte zahlen, nach Uebereinkommen, einen monatlichen Betrag von 50—80 fl. K. M.

10) Das Arrestantenspital (auch Inquisitenspital), im k. k. Provinzial-Strafhause, dient zur Aufnahme kranker Züchtlinge und derlei Arrestanten aus anderen Stadtgefängnissen, mit Ausnahme der wegen Schulden Verhafteten.

11) Das Spital der Israeliten, eine alte Stiftung der Familie Oppenheim, in der Roßau Nr. 50, nimmt jährlich mehr als 100 arme, kranke, einheimische und fremde Juden zur unentgeldlichen Heilung und Verpflegung auf.

12) Die Heilanstalt zur unentgeldlichen Behandlung, Pflege mit Verköstigung zwölf armer kranker Kinder von 4—12 Jahren, errichtet auf eigene Kosten von Dr. Ludw. Wilhelm Mauthner, am Schot-

tenfelde, Kaiserstraße, und eröffnet am 26. August
1837. Hauptsächlich zur Behandlung hitziger und
schnellverlaufender Krankheiten.

13) Die Privat=Heil= und Verpflegs=
Anstalt, Alservorstadt, Hauptstraße Nr. 126, des
Franz Pelzel, Wund= und Geburtsarztes, in
großen sogenannten Kommunzimmern, täglich zu
1 fl. 30 kr., und in schönen Separatzimmern täglich
zu 2 fl. K. M., gegen vierzehntägige Vorausbezah=
lung und Erstattung der Kosten für Arzenei, Mi=
neralwässer und dergl. Hilfsmittel; errichtet im
Oktober 1838. Diese Anstalt nimmt auch Kranke
aller Art, insbesondere Fremde auf, die einer
besonderen Krankheit wegen zur Heilung nach Wien
reisen, oder einer Operation sich unterziehen wollen,
gegen billige Bedingungen.

14) Das orthopädische Institut, Alser=
vorstadt, Adlergasse Nr. 157, errichtet im Monat
Mai 1838 von Dr. Zink, in Verbindung mit ei=
ner gymnastischen Lehranstalt zur Hebung der Mus=
kelschwäche u. dgl.

15) Die k. k. Rettungs=Anstalt für
Scheintodte wurde 1803 errichtet, und die k. k.
niederösterreichische Landesregierung bestreitet die
Kosten derselben. Sie bezweckt die Rettung derer,
die ertrunken, erstickt, erhängt, erfroren oder durch
ähnliche Unglücksfälle getödtet scheinen. In dieser
Beziehung werden von den Professoren der Arzenei
und Wundarzenei auch Vorlesungen gehalten, über
deren Besuch die neu zu kreirenden Aerzte sich aus=

21

weisen müssen. Nicht minder sind die Gesellen und
Lehrlinge der Wundärzte, die Fischer und Schiffer
verpflichtet, sich in dem Rettungsgeschäft unterrich=
ten zu lassen.

Um die Wiederbelebung der Verunglückten mög=
lich schnell zu befördern, sind mehre sogenannte
Nothkästen, mit Rettungswerkzeugen und Arze=
neien versehen, in der Stadt bei der k. k. Polizei=
Oberdirektion, bei den Wundärzten in den Vor=
städten, bei jedem Richter daselbst, in der Wohnung
eines jeden k. k. Polizei=Bezirksdirektors, dann an 10
verschiedenen Plätzen der beiden Ufer der Donau
vertheilt.

16) Das Todten=Beschreibungsamt,
innere Stadt Nr. 177 (Zeughausgasse), empfängt
vom Ärzte des Verstorbenen eine Anzeige von dem
Tauf= und Familiennamen, vom Alter und der
Krankheit, welche den Tod bewirkt hat, und ordnet
alsdann zur Besichtigung des Gestorbenen den Tod=
tenbeschauer ab. Der Zweck dieser Todten=
schau, die jedem Begräbniß ohne Ausnahme vor=
hergehen muß, ist theils die Ermittelung, ob irgend
einer ansteckenden Krankheit wegen Besorgniß vor=
handen, oder auch der Tod in gewöhnlicher, nicht
gewaltsamer, Weise erfolgt sei.

Das Verzeichniß der in der Stadt und in den
Vorstädten Gestorbenen erscheint theils in der k. k.
priv. Wiener=Zeitung, theils in dem sogenannten
Todtenzettel, ein besonderes Blatt, das täg=
lich ausgegeben und in den meisten Kaffeehäusern
gefunden wird.

17) **Kirchhöfe** und **Begräbnisse.** In beträchtlicher Entfernung von der Stadt, vor der Linie Mariahilf, Hundsthurm, Matzleinsdorf, St. Marx und Nußdorf, sind **auf freiem Felde** fünf große Kirchhöfe angelegt und jedem derselben gewisse Pfarren in der Stadt und in den Vorstädten zur Beerdigung ihrer Todten angewiesen. Diese treffliche, den Sanitäts-Rücksichten vollkommen entsprechende, Einrichtung verdankt Wien ebenfalls dem Kaiser Joseph II. (1784). Die Kirchhöfe sind mit Mauern umgeben, doch ist es nicht gestattet, sie mit **Kapellen** zu versehen; auch dürfen **Grabmäler** nicht unmittelbar auf den Gräbern der Verstorbenen, sondern nur an den Wänden der Kirchhofmauern, oder nicht weit davon abstehend, errichtet werden. Durch solche höchst weise Verordnungen sollte, was auch erfolgt ist, eine einfachere, minder kostspielige Form den Begräbnissen gegeben und ein zweckloser, verderblicher Luxus entfernt werden, und darum ist die mehrfach gemachte Bemerkung: »**daß keiner jener Kirchhöfe einer Residenz würdig** (!) **sei**« u. s. w., ein Beweis offenbar beschränkter Einsicht, die gleich ungeschickt Lob und Tadel vertheilt.

Unbedeutend sind indeß die **Begräbnißkosten** noch immer nicht, insbesondere betragen sie bei den in der Stadt Gestorbenen mehr, als in den Vorstädten. Der nach **drei Klassen** derselben verschieden bestimmte Kostenbetrag richtet sich nach dem größeren oder minderen Glockengeläute, nach der Begleitung, dem Gesange u. dgl. Wer die Be-

244

sorgung eines Begräbnisses nicht selbst übernehmen
will, wendet sich an die Kirchendiener der
Pfarren, oder an die Leichenkondukt=An=
sager, welche im Trienterhof zu ebener Erde,
kleine Schulenstraße Nr. 846, anzutreffen sind.

Ungemein zahlreich werden, einem alten from=
men Gebrauch zufolge, die Kirchhöfe am 2. Novem=
ber jeden Jahres, als dem Allerseelentage, be=
sucht, um für das Heil der Verstorbenen zu beten.

Dritter Abschnitt.

Die Umgebungen von Wien.

Die Umgebungen von Wien sind eben so zahlreich als reizend; auch werden sie von Einheimischen mit Vorliebe und von Fremden, wie die Erfahrung lehrt, gern besucht. Ich bin zwar nicht im Stande, zur Bequemlichkeit der Letzteren hier eine Anweisung zu ertheilen, wie sie, um Wien kennen zu lernen, innerhalb acht Tagen Land und Stadt zu durchlaufen haben, was nichts Anderes ist, als die Kunstschätze 2c. Wiens und alle Reize ihrer Umgebungen in Schattenbildern an der Wand vorübereilen zu sehen; allein es wird, meiner Meinung nach, hinreichen, die Verbindung der Ortschaften untereinander in der Art zu bezeichnen, daß von einem gewählten Hauptpunkt aus, zur Zeit= und Kostenersparung, mit Leichtigkeit Nebenausflüge zu bewirken sind. Aber auch in diesem Fall wird der Fremde sich nur an der Oberfläche zu halten, und wenn ihm daran ge=

legen, ausführliche und verläßliche Beschreibungen in C. Weidmann's : »Die Umgebungen von Wien« (bei Karl Armbruster, 1839), zu benützen haben.

Des leichteren Auffindens wegen sind die sehens= werthen Umgebungen Wiens in alphabetischer Ordnung aufgeführt. Wohl nach allen Punkten gehen Stell= oder Gesellschaftswägen ab, deren der Fremde sich ohne großen Kostenaufwand bedienen kann. Die Standorte derselben wech= seln zwar, doch ist darüber ungemein leicht (in Gast= und Kaffeehäusern) Auskunft zu erhalten. Ein Ver= zeichniß der Stellwagen, ihrer Standorte und Fahrten erschien auch beim Kunsthändler J. Ber= mann, am Graben (à 20 kr. K.M.), u. bei Fr. Beck.

Kolorirte Ansichten von den Umgebungen verkaufen mehre Kunsthandlungen, und treffliche Kar= ten derselben lieferte das k. k. topographische Insti= tut des General=Quartiermeisterstabes (Verkaufsort im Hofkriegsgebäude).

1. Baden, landesfürstliche Stadt, zwei Po= sten von Wien. Gasthöfe: Der goldene Schwan, der goldene Hirsch, der Sauerhof u. A. Erzeug= nisse: Gute Rasirmesser und die in Wien belieb= ten Badner=Kipfel. Merkwürdigkeiten: Die Bäder und der sogenannte Ursprung; der Park, als Hauptsammelplatz der schönen Welt in den Mit= tags= und Abendstunden, besonders glänzend im Juli und August; Doppelhof's Garten, mit Bad= und Schwimmanstalt; die verschiedenen Anlagen; das

Helenenthal und in demselben die kleine Helenakirche, mit einigen guten Altargemälden und einem alten, vormals in der St. Stephanskirche zu Wien befind= lichen Gyps=Bildwerke, die göttlichen Personen, einander ganz ähnlich, nur mit verschiedenen Attri= buten, darstellend. (Vergl. S. 63). Das in diesem Thal, oder eigentlich in der Anhöhe beim Eingang stehende Schloß (die W e i l b u r g) des Erzherzogs Karl, wurde von J o s e p h K o r n h ä u s e l erbaut, zeichnet im Innern sich durch einfache Eleganz aus, ist von einer schönen englischen Anlage umgeben, hat eine treffliche Sammlung Neuholländer=Pflanzen und besaß schon im Jahre 1833 die g r ö ß t e R o= s e n f l o r a v o n g a n z D e u t s c h l a n d. Es wa= ren nämlich vorhanden: 500 Arten (sic) indischer Rosen, 300 Arten (sic) Hybriden mit Einschluß der Pyramidal= und Climendenrosen, und 1000 Arten (sic) Landrosen, überhaupt also 1800 Species. Au= ßerdem sind bemerkenswerth: Die Ruine von Rau= heneck mit dem eine köstliche Aussicht über etwa 80 Dorfschaften gewährenden Wartthurm; die Königs= höhle; die Ruinen von Scharfeneck; die Anlage auf dem Gemssteige; die Hauswiese als Sammelplatz der schönen Welt in den Nachmittagsstunden; die Antonsbrücke; das Felsenthor am Urtheilstein, und die Burg Rauhenstein mit einer herrlichen Fernsicht von der Zinne des Wartthurms.

Der Liebhaber entfernter Partien kann sich an der rechten Seite des Bachs nach den sogenannten K r a i n e r h ü t t e n, oder auf der linken nach dem

Wasserfall, der Heiligenkreuzer=Wiese
und nach der schönen Aussicht begeben.

Mit der Fahrt nach Baden ist in einem Tage
der Besuch in Vöslau (Mineralbad und großer
herrschaftlicher Garten) und Merkenstein (Burg=
ruinen, Schweizerhaus) 2c. zu verbinden, das rei=
zende Thal aber hinter Baden, von den
steirischen Hochgebirgen in die Ebenen Ungarns
auslaufend, für alle Reisende von großem Interesse,
die den Stand der Industrie und der Manu=
fakturen daselbst kennen lernen wollen.

Für die Dauer der Badezeit wird seit 1830
auch eine Eilfahrt nach Baden eingerichtet. Die
Aufnahme findet bei dem Oberamt der Stadtpost
in der Wollzeile statt, und die Person zahlt hin oder
zurück 40 kr. K. M.

Bertholdsdorf, oder Petersdorf; siehe Radaun.
Breitenfurt; siehe Radaun.
Briel; siehe Mödling.
Burkersdorf (Purkersdorf); siehe Hütteldorf.
Cobenzlberg; siehe Kahlenberg.
Dornbach; siehe Herrnals.
Gablitz; siehe Hütteldorf.
Gersthof; siehe Währing.
Greifenstein; siehe Nußdorf.
Grinzing; siehe Kahlenberg.
Hadersdorf; siehe Hütteldorf.
Hadersfeld; siehe Nußdorf.
Haimbach; siehe Hütteldorf.
Heiligenstatt; siehe Kahlenberg.
Heiligenkreuz; siehe Mödling.

2. Herrnals, außerhalb der Herrnalser
Linie. Die Kirche und der Kalvarienberg werden
sehr zahlreich in der Fastenzeit an Sonntagen und
zur Zeit der Kirchweihe (24. August) besucht. Den
Kirchhof ziert das Grabmal des Grafen Clerfait.
Dem Kalvarienberge gegenüber steht das Gebäude
des Erziehungs-Instituts für Offizierstöchter (s. S. 151).

Jenseits des Ackergrundes nach Süden, liegt
Neu-Lerchenfeld mit zahlreichen Bier- und
Weinhäusern; ein bekannter und von der unteren
Volksklasse insbesondere gern besuchter Versamm-
lungs- und Belustigungsort.

Durch Herrnals führt der Weg nach dem stillen
Dornbach. Links am Ende des Dorfes erhebt sich
das Schloß Neuwaldeck, von einem großen Park
umgeben. Angelegt vom Grafen Lacy, beträgt sein
Umfang eine deutsche Meile. Des Stifters Grabmal
befindet sich in einer kleinen Kapelle, verdeckt von
dunklem Tannengehölz, und neben demselben das
des Grafen Browne. Diese Stelle heißt Morizruhe. Eine der reizendsten Partien bildet das Gebiet des Spiegelteiches, mit einer schönen Statue des sterbenden Fechters und einem botanischen
Garten. Andere Partien sind: das Jägerhaus; die
Fasanerie (Gold- und Silberfasane); der offene
Dianatempel mit der Aussicht über den Park und
gegen Wien; an der Rückseite aufwärts das holländische Dörfchen (Hameau) mit dem Marschallszimmer (dem eigentlichen Punkte großartiger Aussicht),
dessen Malerei Eichinger fertigte.

Von diesem Dörfchen führt ein bequemer Weg nach dem Hermannskogel (herrliche Fernsicht!).

Beim Herabsteigen wären die Standpunkte zu beachten: beim sogenannten Regenschirm; chinesischen Sonnenschirm, neben diesem eine treffliche Statue des Gladiators; und bei dem chinesischen Lusthause, einem achteckigen Pavillon. In der Mitte der angrenzenden herrlichen Marswiese steht unter einer lieblichen Baumgruppe die Bildsäule des ruhenden Mars.

Die Gasthäuser in Dornbach sind gut bestellt. Ein reizender Weg führt von hier nach Pözzelsdorf; dann über Gersthof, Weinhaus und Währing (s. unten) nach Wien zurück.

Hetzendorf; siehe Schönbrunn.

3. Hiezing, an und neben dem Schönbrunner=Garten, ist ein Lieblingsort der Wiener. Die Seitenaltäre der Kirche haben Gemälde von Rottmayr; auf dem Kirchhofe ruht Clery, Ludwig's XVI. letzter Diener, gestorben am 27. Mai 1809. Hiezing hat ein artiges Schauspielhaus und mehre Gärten, unter welchen der des Freiherrn von Hügel ausgezeichnet ist (s. oben: Oeffentliche und Privat=Gärten, Nr. 9). Dommayer's Casino daselbst ist allbekannt. Auch findet man hier eine Schwimm= und Kaltwasser=Anstalt.

Hiezing, füglich mit dem Lustschloß und dem Garten von Schönbrunn zu besuchen, ist auch ein Hauptpunkt für weitere Ausflüge.

Auf der nördlichen Seite gelangt man sogleich

über den Wienfluß nach Penzing. Hier besitzt Herr Johann Mayer, Chef des Großhandlungshauses Stametz und Komp., bei seinem Landhause einen trefflichen Garten mit den edelsten Pflanzen und einer Sammlung von mehren tausend der schönsten und seltensten Pelargonien. Herr J. Seidel aber hat seinen reichen Pflanzenvorrath, und besonders Camellien in dem Hause Nr. 19 und 20 zum Verkauf. In der Penzinger-Au wurde 1838 eine Kaltbad-Anstalt errichtet.

Das sinnig entworfene und kühn ausgeführte Grabmal einer Frau von Rottmann in der uralten Jakobskirche ist ohne Zweifel von Antonio Finella aus Florenz. Auch der Kirchhof bewahrt mehre ausgezeichnete Monumente. Von Penzing gelangt man weiterhin nach Baumgarten, Hütteldorf, Mariabrunn, Weidlingau u. s. w. (Vergl. Hütteldorf).

In gerader Richtung von Hiezing führt ein angenehmer Weg nach St. Veit, von hier abwärts nach Hacking und Hütteldorf. Südwestlich von Hiezing sieht man die reizende Anlage des Künigl- (Kaninchen-) Berges; links an derselben kommt man nach Lainz (Lanz), einem bekannten Wallfahrtsorte der Umgebung, im überraschenden Wechsel ländlicher Scenen und im Rückblick auf St. Veit. Ueber Speising zieht der Weg sich hin an dem k. k. Thiergarten nach der Ortschaft Mauer, woselbst das Presbyterium der Pfarrkirche noch aus einem Ueberreste der Schloßkapelle der Babenberger besteht. Auf dem schönsten

Standpunkte des Orts, in dem ehemaligen von den Jesuiten 1609—1773 nebst der Herrschaft besessenen Garten, wurde 1833 eine Bade=Anstalt errichtet. Die alten Schlösser aber sind in Militär= kasernen verwandelt.

Von Mauer kehrt man entweder auf geradem Wege, oder über Rabaun (s. das.), Liesing und Atzgersdorf nach Wien zurück. Auch kann man von Mauer über das Weingebirge bequem nach Rabaun zu Fuß gelangen.

Himmel; siehe Kahlenberg.

Hochrotherd; siehe Rabaun.

4. Hütteldorf. Das dortige Bräu= haus wird von den Wienern stark besucht. Sehens= werth sind das Grabmal des Dichters Denis, und die Gärten der Fürstinnen Liechtenstein und Paar. Im letzteren bietet das sogenannte blaue Haus die reizendste Aussicht über die gesammte Gegend dar.

In Hütteldorfs Nähe befindet sich der k. k. Thiergarten, von einer 10,000 Wiener=Klafter langen Mauer umschlossen, Hügel und Berge, Wal= dungen und Wiesenplätze enthaltend. Die Gegend selbst ist malerisch. In Hütteldorf nehme man einen Führer nach den sogenannten Holzhackerhütten, den Brunnenstuben der Albertinischen Wasserleitung (S. 81), zur hohen Wand und der Bäcker= wiese (auch Schanzwiese), und quer über dieselbe zum Eingange des Waldes, wo die Aussicht am überraschendsten und erhebendsten ist. Durch den

Holzschlag- abwärts kommt man nach Haimbach und nach dem abgeschiedenen Steinbach, dann durch einen dichtbelaubten Wald nach Mauerbach, wo einst eine Karthause stand. Vom Leichenhofe, ehemals der Karthäusergang genannt, überblickt man ein herrliches Thal. Ein reizender Fußweg führt nach Dornbach.

Ersteigt man von Mauerbach die Anhöhe des Königwinkler-Berges, so kommt man nach Gabliß und dem dortigen großen Brauhaus und gut eingerichteten Gasthofe an der Poststraße. Einen Führer braucht man von hier nach den Waldhüttlern am Tulnerbach und zum hohen Trap- (Traub- oder Tropp-) Berge mit seiner unendlich lohnenden Aussicht. Diese erstreckt sich über alle Gebirgskuppen vom Schneeberg bis zum Oetscher, über die Bergkette des Wienerwaldes und die Windungen der Donau, und gewährt zugleich einen Ueberblick der Hauptstadt und des ganzen Cetischen Gebirgsstockes, der von diesem Standpunkte aus in ganz eigenthümlicher Form erscheint. In der äußersten Ferne zeigen sich noch der Haimburger-Berg, die kleinen Karpathen bis Preßburg, die Ebenen an der March und die böhmisch-österreichischen Grenzgebirge. Die Höhe des Berges ist 1701 Fuß.

Von Gabliß aus nach Wien berührt der Weg zuvörderst Burkersdorf, dann Weidlingau mit dem Schloßgarten, dem Gasthause und den einladenden Höhen hinter demselben. Der beste Punkt zum Ueberblick der Gegend ist die sogenannte Mariabrunner-Bank. Durch die Anlagen geht ein Weg nach Hadersdorf und deſſen Park mit Loudon's Grabmal, dann über Maria= brunn (Forſt=Lehranſtalt und forſt=botaniſcher Gar= ten) nach Hütteldorf, und über: Penzing nach Wien zurück.

Ein Seitenweg von' Hütteldorf iſt jener süd= weſtlich, auf welchem man in zwei Stunden das Dorf Preßbaum (zum Taferl, Dannering, Tan= nerin) erreicht. Man wählt denſelben oft des rei= zenden Wechſels der Wald= und Gebirgspartien wegen. Durch den ſogenannten Wolfsgraben kommt man hier nach Hochrotherd, und über Breitenfurt, Rodaun (ſ. daſ.) u. a. Orte nach Wien.

Johannesſtein; ſiehe Mödling.

Josephsberg; ſiehe Kahlenberg.

5. Der Kahlenberg, und der angren= zende Leopoldsberg. (Vergleiche: Der Kah= lenberg und ſeine Umgebungen; von Groß. Wien, 1831. in·12.)

Auf dem Kahlenberge, eigentlich Josephs= berge, beachte man die ſchöne Ausſicht im Allge= meinen, dann die 76 Fuß tiefen Brunnen vor dem ehemaligen Kamaldulenſer=Kloſter, deſſen Gruft jetzt geſchloſſen iſt, jenen beim Gaſthauſe, 108 Fuß tief, die Terraſſe vor dem Gaſthauſe und den großen Keller deſſelben. In dem an den Sommerſalon ſto= ßenden Kabinet ſoll Mozart die Zauberflöte kom= ponirt haben. Sehenswerth iſt auch der Kirchhof mit den Grabmälern. Die Höhe des pflanzenrei=

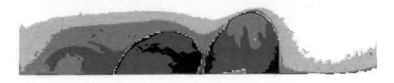

chen Berges beträgt 1060 Fuß über dem Donauspiegel.

Der Weg von diesem zum Leopoldsberg
(gegen 835 Fuß hoch) ist schattig und angenehm.
Die Kirche zum heil. Leopold, von gefälliger Form,
hat ein Hochaltarblatt von Christian Sembach;
die anderen Blätter sind von Icensius und La-
rey. In dem Gebäude am Berge ist eine kleine,
aber interessante, Gemäldesammlung. Die Donauge-
gend, wie die in der Entfernung liegende Stadt, gewähren einen herrlichen Anblick. Abwärts steigen
kann man nach Weidling, oder gerade nach dem
Kahlenbergerdörfl und über Nußdorf nach
Wien zurückkehren; oder auch den Kahlenberg wieder besuchen und dann folgenden Umweg nehmen.

Auf dem Bergrücken vom Kahlenberg gelangt
man nämlich unschwer zu dem reizenden Cobenzl-
berge, mit einer englischen Anlage. Der Berg ist
973 Fuß über dem Donauspiegel. Will man sich nicht
nach dem lieblich-schattigen Krapfenwäldchen
wenden und über Grinzing nach Wien heimkehren, so
wandere man nach dem sogenannten Himmel, einem der anziehendsten Punkte der Umgebung zur
Uebersicht der Hauptstadt. Abwärts liegt das Dorf
Sievering mit einer uralten, angeblich vom heil.
Severin (438) erbauten, auf einer Anhöhe stehenden
Steinkirche; von Sievering gelangt man leicht
nach dem fast 1713 Fuß hohen Hermannskogel,
auf einem Seitenwege nach Weidling, wozu jedoch
ein Führer nöthig ist, oder auch nach Grinzing,

seines Weines wegen berühmt und besucht. Hier fin=
det man auch ein mit Aufwand erbautes Kaffee= und
Gasthaus. Von Grinzing führt ein angenehmer Pfad
nach Heiligenstatt. Die Kapelle des heil. Seve=
rin im Pfarrhofe zum heil. Jakob stammt aus dem
5. Jahrhundert. Gasthaus, Garten und Badhaus
sind gut besorgt. Von dem nahen Kaffeehause erfreut
man sich einer schönen Aussicht. Von Heiligenstatt
kehrt man über Döbling nach Wien zurück.

Der hier bezeichnete Weg ist abwechselnd zu
Fuß und Wagen wohl in einem langen Sommer=
tage zurückzulegen. Man fährt entweder zum Kah=
lenbergerdörfel, besteigt den Leopoldsberg, begibt
sich über den Kahlenberg nach dem Cobenzl, und in
der angezeigten Richtung nach Grinzing oder Heili=
genstatt, um nach Wien zu fahren; oder man fährt
nach Grinzing oder Sievering, geht über den Him=
mel, Cobenzl, Kahlenberg nach dem Leopoldsberg,
steigt abwärts zum Kahlenbergerdörfel, und fährt
nach Wien zurück.

Vom Himmel gelangt man auch auf einem
reizenden Wege nach dem Gallizinberge bei
Dornbach, und weiter nach Hütteldorf (s. das.)

Kahlenbergerdörfel; siehe Kahlenberg und
Nußdorf.

Kalksburg;
Kaltenleutgehen; } siehe Radaun.
Kammerstein;

Kierling;
Klosterneuburg; } siehe Nußdorf.

Krapfenwäldchen; siehe Kahlenberg.

Laab; siehe Radaun.

6. Lachſenburg oder **Laxenburg**, mit ſeinen Merkwürdigkeiten: das Neuſchloß und im Bibliothekzimmer J. M. der Kaiſerin ſechs herrliche Gemälde von **Anton Canaletto**; die Bildſäule Meleagers aus carrariſchem Marmor von **J. Fr. Wilh. Beyer**; in der Pfarrkirche der ſchöne Hoch=altar vom Hofarchitekten **Joh. Zobel**, das Al=tarblatt zur Linken von **Ludwig Kohl**, jenes zur Rechten von **Anton Van Dyk** und **Seghers**; die **Franzensburg** (Ritterburg) am öſtlichen Ende des Parks mit der geſammten Einrichtung aus Kunſtwerken des Mittelalters, die Glasgemälde von dem verſtorbenen **Gottlieb Mohn** theils neu ver=fertigt, theils reſtaurirt; bezaubernde Ausſicht vom Wartthurm; die uralten prächtigen Malereien im Empfangſaal ꝛc. Dann in dem nach dem Style des Mittelalters aufgeführten Zubau: der Waffenſaal, der ungariſche Krönungs= und Habsburgerſaal mit 17 Marmorſtatuen, die Stammreihe des Hauſes Habsburg darſtellend, und der Lothringerſaal im erſten Stock mit hiſtoriſchen Glasgemälden, enthal=tend Momente aus dem Leben der im Saale als Porträts befindlichen Familienglieder des mit Habs=burg vereinten Kaiſergeſchlechts der Lothringer, und vier Landſchaften verſchiedener Punkte auf den kai=ſerlichen Familiengütern. Das Porträt Sr. Maj. Kaiſers Franz I. von **Friedr. Amerling** ge=malt, verdient in mehrfacher Hinſicht alle Beachtung.

Im Park: der große Teich von 72,000 Quadrat=
Klaftern; der Turnierplatz; die alte Rittersäule
(über 600 Jahre); die Meierei mit der kostbar ein=
gerichteten Herrnwohnung; die Rittergruft mit alt=
deutschen Gemälden an den Wänden und einem treff=
lichen Glasgemälde im Hintergrunde; das schöne
Lusthaus im Eichenhain (vormals das Haus der Lau=
ne); das alte Schloß, nebenbei der Dianatempel
(grünes Lusthaus) mit einem Kuppelgemälde von
Vincenz Fischer, und einer nach allen Seiten,
freien Aussicht; das Fischerdörfchen mit der großen
Fischerhütte (eine der reizendsten Anlagen); der
Pavillon (chinesisches Lusthaus) in romantischer
Lage; der Tempel der Eintracht, dessen Bau Mu=
ratti und die Stuckaturarbeit Köhler besorgten;
die Löwenbrücke mit den beiden Löwenbildern von
Beyer; der kleine Prater mit dem Schaukelplatz,
der Schnellwage, dem Gartensalon, Vogelschießen
und mit den Wirthshäusern.

Außerdem enthält der sogenannte Kaiser=
garten eine ausgezeichnete Sammlung von aus=
ländischem Gehölz, eine große und vorzügliche
Baumschule von exotischen Sträuchern und
Bäumen (auch zum Verkauf nach dem Tarif), eine
Rosenanlage von mehr als 400 Arten und den
Obstgarten Seiner Majestät, des regierenden
Kaisers.

Der Garteneintritt ist täglich gestattet.

Eine ausführliche und anziehende Schilderung
des Rittergaues im Park zu Lachsenburg, erschien
1832 von C. Weidmann in den Beiträgen zur

Landeskunde Oesterreichs unter der Enns, und in dessen Beschreibung der Umgebungen Wien's.

Die genaue Besichtigung von Lachsenburg füllt einen Tag; wer Eile hat kann allenfalls den Besuch von Mödling und der Briel damit verbinden.

Lainz (Lanz); siehe Hiezing.

Leopoldsberg; siehe Kahlenberg.

Mariabrunn; siehe Hütteldorf.

Mauer; siehe Hiezing.

Meidling; siehe Schönbrunn.

Merkenstein; siehe Baden.

7. **Mödling**, Medling, eine reizende Schweizergegend, im Fahren von Wien in einer guten Stunde zu erreichen. Gleich in der Nähe der Residenz steht auf einer Anhöhe ein altes Denkmal, die **Spinnerin am Kreuz** (s. S. 30), der beste Punkt zum Ueberblick der Stadt und ihrer Umgebung. Die Hauptstraße führt durch **Inzersdorf.** In der **Kapelle des Leichenhofes**, dicht an der Straße unweit Mödling, findet man ein schönes Gemälde von Joh. **Scheffer**, gestorb. 1821. In Mödling selbst sind zu beachten: das Schauspielhaus; die Pfarrkirche zum heil. Othmar und deren unterirdischen Gewölbe; ein sehr alter Grabstein; der Dachstuhl der Kirche, ein Meisterwerk der Zimmerei; die Aegidi= oder Spitalkirche, das älteste Baudenkmal in Mödling, und das Badhaus.

Von Mödling aus durch den alten Thorbogen, einen Ueberrest des Klausenthores, betritt man eine romantische Schlucht und das Dorf **Klausen.**

Darin sind: Anlagen des Fürsten Liechtenstein auf
dem Steingebirge rechts und links; der (oder die)
v o r d e r e Briel; im Vorgrunde derselben die
Ruinen der Burg Mödling; dann das runde Thal;
das Lustgebäude des Fürsten Liechtenstein; die Meie=
rei; der sogenannte Tempel des Ruhms, hinter
dem Gasthause zu den beiden Raben, mit einer wei=
ten Aussicht; die Karlsburg; das Kienthal mit den
herrlichen Eschenbäumen; und die h i n t e r e B r i e l.

Von der Mühle am Anfange der vorderen Briel
geht ein guter Fahrweg nach dem alten Schlosse
L i e c h t e n s t e i n, Ueberreste ehemaliger Ritterherr=
lichkeit enthaltend, wie der Rittersaal (Prunksaal)
mit alten Familiengemälden, die alte Kapelle, das
Burgverließ u. dgl. Neben an: das n e u e S c h l o ß,
der Park, der Perlhof; in den Anlagen das Amphi=
theater, und auf dem Rückwege nach Mödling der
rothe Thurm auf einem Felsenrücken beim Eingang
in die Klause.

Kehrt man aber von der alten Veste Liechten=
stein sogleich zurück, oder läßt sie seitwärts liegen,
und verfolgt den Weg durch die v o r d e r e Briel,
so zeigt sich am Ende desselben, dem Hause Nr. 18
gegenüber, rechts ein Fußpfad, auf welchem man
neben einer Mühle nach dem Gasthause in der h i n =
t e r e n B r i e l, dann aufwärts zur sogenannten
Ruine und von derselben zu dem H u n d s k o g e l
(i n d e r M a p p e i s t e s s o g e n a n n t, sagt die
Inschrift) gelangt. Hier befindet man sich ganz ei=
gentlich in der Mitte eines überraschenden Rundge=

mäldes. Den Rückweg nehme man über Schloß Liechtenstein u. f. w.

In weiterer Entfernung kann man den großen Aninger oder auch Johannesstein erreichen. Zum letzteren gelangt man auf dem Wege nach Sparbach, der von jenem nach Gaden am Ende der Briel sich rechts abwendet. Hinter dem Försterhause in Johannesstein fängt der große Thiergarten an. Den herrlichen Anblick der Felsenburg hat man am besten vom Uferrande des zweiten Teichs. Die Ruine ist nicht groß, aber kühn im Bau. Zwei Gemächer sind bewohnbar; die Aussicht hier, wie vom Tempel auf dem Heuberge, entzückend.

Das Dorf Gaden ist in gerader Richtung von Mödling durch die Briel etwa eine Fahrstunde entfernt. Gleich am Anfange desselben, links bei einem Jägerhause, führt ein bequemer Fußweg durch einen Buchenwald nach dem großen Aninger in 1½ Stunden, dessen Gipfel eine eben so großartige als mannigfaltige Aussicht nach dem Schneeberg und seinen Umgebungen, nach dem Leithagebirge, Marchfeld und der Kaiserstadt, allen nahen und entfernteren einzelnen Ortschaften gewährt. Doch ist es rathsam, einen Führer aus Gaden zu nehmen.

Von Gaden kann man den Weg nach Heiligenkreuz und Baden nehmen, oder nach Mödling und von dort über Enzersdorf (mit den Ruhestätten des Astronomen Max. Hell, des Pater Hofbauer und des Friedr. Ludw. Zacharias Werner), Brunn am Gebirge und Bertholdsdorf zurückkehren.

Um die Briel und deren nächste Umgebung kennen zu lernen, muß der Fremde einen langen Sommertag aufwenden können, und an keine bestimmte Stunde der Abfahrt gebunden seyn. Wer diese Partien im Sturmschritt durcheilt, übersieht ihre Reize. Insbesondere sind die Höhenpunkte zu beachten. Der über Heiligenkreuz nach Baden zurückkehrende Fremde wird füglich in B a d e n (f. daf.) übernachten. Für diesen mögen einige Merkwürdigkeiten in H e i ligenkreuz namhaft gemacht werden, nämlich: der Kalvarienberg; der Stiftshof; die herrliche Façade der Kirche; das Kapitelhaus; der Kreuzgang; der reich mit Figuren gezierte Brunnen aus Blei; die Fürstengruft der Babenberger; das Dormitorium; die Grabstätten des Malers Altomonte und des Bildhauers Joh. Giuliani, Lehrers Rafael Donners, beide am Eingange der Kirche; das Hochaltarblatt und die Blätter der beiden Seitenaltäre von R o t t m a y r; die der vier anderen Altäre von A l t o m o n t e; zwei Kirchenstühle mit merkwürdiger Holzverzierung; die treffliche Orgel; das Schnarrwerk oder die Windorgel im Stiftsthurme; die Sakristei und die musterhafte Holzmosaik an den Wandschränken, nebst dem großen Kreuzpartikel, deren Fassung einen Werth von 20,000 fl. K. M. haben soll; das Sommerrefektorium mit dem schönen Bilde von Altomonte; die Schatzkammer und die Bibliothek.

8. Nußdorf. Daselbst: das Kaffeehaus; das Gasthaus zur Rose (Fische und Krebse); Anfang

des Wiener=Kanals; Landungsort der Dampfschiffe
von und nach Linz; Kirchlehner's ausgezeichnete
Gemäldegallerie in der k. k. priv. Lederfabrik; des
Fischhändlers Ant. Hofeneder's Teiche und Be=
hälter für Fische, welche im Sommer nur in Ge=
birgswässern leben; die Wasser=Heilanstalt unter der
Direktion des Herrn Friedrich Sartorius,
u. s. w.

Von Nußdorf begibt man sich über Heiligen=
statt und Döbling entweder nach Wien zurück, oder
weiter aufwärts nach dem Kahlenbergerdör=
fel, nach Weidling und Klosterneuburg.

Weidling, links ab vom Hauptwege nach
Klosterneuburg, hat eine herrliche Lage, üppige
Vegetation, ein gutes Gasthaus mit angenehmem
Garten. Die Wagenachsen=Dreherei des Wagen=
fabrikanten Simon Brandmayer hierselbst, ist
sehenswerth. Stark besucht wird die Meierei in
Weidling am Bach, eine Stunde weit, im
hinteren Thale. Im jenseitigen Thale liegt Kier=
ling (zwischen Weidling und Klosterneuburg), des
trefflichen Obstes wegen bekannt.

Von Weidling führen mehre Fußwege nach der
Stadt zurück, nämlich über den Kahlenberg und
Grinzing; über einen Theil des Hermannskogels,
oder über den Cobenzl nach Grinzing, Heiligenstatt
und Döbling ꝛc. Jeder derselben hat eigenthümliche
Reize, lohnend ist jeder.

Auf dem oberen sogenannten Klosterneubur=
ger Wege, erreicht man von Weidling in einer mä=
ßigen Stunde Klosterneuburg. Während des

Weges genießt man herrliche Ansichten des Thales und der Donaugegenden. In Klosterneuburg sind der Merkwürdigkeiten viele. Unter diesen: der k. k. Schiffbauhof, (Pontonstadl); das Stift (überraschender Anblick vom Kirchenplatz); ober dem Eingange zum Kirchhofe: die schmerzhafte Mutter Gottes, Steingruppe von Rafael Donner; der Kreuzgang und in demselben das Modell der erwähnten Steingruppe; zwei merkwürdige Wandbilder aus Stein (vom Jahre 1519) und das große uralte, aus Holz geschnitzte Christusbild in einer Kapelle.

In der Schatzkammer (Leopoldskapelle) befinden sich die irdischen Ueberreste des heiligen Leopold (gest. 1136), und in den Schränken die Kostbarkeiten des Stiftes, goldene und reichverzierte Kirchengefäße, der kleine Reisealtar des h. Leopold, ein Theil des Schleiers der Markgräfin Agnes, seiner Gemalin, welchen der Wind entführte, als Beide am 8. Mai 1106 unter dem Bogen des Leopoldsberger Schlosses über die Stiftung eines Klosters rathschlagten, das dann später an der Stelle, wo der Schleier gefunden wurde, erbaut worden ist; der Herzogshut und insbesondere der Altar von Verdün, den Probst Wernher verfertigen ließ, 1181 der Jungfrau Maria geweiht, als Kunstgebilde ungemein merkwürdig.

In der Stiftskirche ziehen die Aufmerksamkeit an: die schön geschnitzten Chorstühle; das Hochaltarblatt, Mariä Geburt, von Kupelwieser; der heil. Leopold von Drexler. Von den acht andern Altarbildern malte vier Pelluzzi und

vier Peter von Strudel; das Deckengemälde ist
von Domenico. Die große Orgel mit den Pfeifen,
sämmtlich aus Zinn, fertigte Freund aus Passau.

Im sogenannten Neugebäude befindet sich die
Stiftsbibliothek, etwa 30,000 Bände und
4000 Handschriften, worunter das Psalterium des
heil. Leopold; dann der Stammbaum der Baben=
berger und sieben Fenster mit Glasgemälden, sicher
aus dem 14. Jahrhundert. Im ersten Stock sind
auch die Kaiserzimmer mit prachtvollen Gobe=
lins; im großen Saale ein schönes Deckengemälde
von Daniel Gran. Eine Sammlung alter Ge=
mälde, andeutend eine österreichische Kunstschule im
Mittelalter, wird ein schickliches Lokale des zur Er=
weiterung des Stiftes durch den jetzigen würdigen
und gelehrten Prälaten Ruttenstock, bewirkten
großartigen Anbaues, unter der Leitung des Archi=
tekten Kornhäusel, einnehmen.

Der Klosterneuburger=Wein ist allbe=
kannt. Gute Sorten werden im Stiftskeller aus=
geschenkt.

Wer von Klosterneuburg seine Fahrt weiter fort=
setzen will, verweile weder in Nußdorf, noch besuche
er Weidling. Er gelangt dann über Kritzendorf
und Höflein, welches die Steine auch zum Bau
des Stephansthurmes geliefert hat, nach Grei=
fenstein, dessen Burg auf der Anhöhe eine weite
Aussicht gewährt. Aber nicht hier, sondern in Dü=
renstein bei Krems, wurde Richard Löwen=
herz gefangen gehalten, und was davon in Greifen=
stein erzählt und gezeigt wird, ist nichts als Märchen.

23

Von der Höhe bei Hadersfeld, eine Stunde aufwärts von der Burg, ist die Aussicht eine der schönsten und weitesten in Oesterreich. Den Gipfel schmückt ein Obelisk, auf einem, in vier Hallen abgetheilten, mit Sitzen versehenen Gewölbe, erhöht über den Spiegel des adriatischen Meeres 239¹⁶/₁₀₀ Wiener-Klafter. Gute Bewirthung findet man im Gasthause.

Wird der Wagen von Greifenstein nach Kloster-neuburg zurückgeschickt, so kann man von Haders-feld auf einem angenehmen Fußwege dorthin zurückkehren.

Ein nicht minder angenehmer, doch ziemlich langer Weg (2—3 Stunden) führt von Hadersfeld durch den Wald, über Kierling und den Harschhof nach Weidling, wohin der Wagen von Greifen-stein ebenfalls zurückgeschickt wird. Die Fahrt aber nach Klosterneuburg und Greifenstein, zu Fuß über Kierling nach Weidling, und von da im Wagen über Nußdorf nach Wien, ist in einem Sommertage zu machen.

Neustift; siehe Währing.

Penzing; siehe Hiezing.

Petersdorf (auch Bertholdsdorf); siehe Radaun.

Pözzelsdorf (Pötzleinsdorf); siehe Währing.

9. Radaun. Die Straße dahin geht über Atzersdorf und Liesing. Schloß und Kirche liegen auf der Anhöhe; die Aussicht von der Schloß-terrasse ist groß und reizend zugleich. Das Bade-haus hat 16 Zimmer, einen Speisesaal und einen

geräumigen Garten. Man findet daselbst gute Be=
wirthung.

In der Nähe liegt Kalksburg mit einer
prachtvollen, vom Architekten Zobel erbauten
Kirche; das Hochaltarblatt ist von Maurer, das
Plafondgemälde von Koller, das Denkmal des
Stifters der Kirche, Franz von Mack, von
Käßmann. Der Eintritt in den schönen Park
ist leider nicht gestattet.

Von Kalksburg führt eine Straße nach dem Ro=
thenstadel, einem Belustigungsorte im Reize
stiller Abgeschlossenheit; von hier zieht sich ein ma=
lerischer Fußpfad, ohne Führer leicht zu verfehlen,
nach Laab, mit einer Kaltwasser=Heilan=
stalt, unter der Leitung des Dr. Granichstät=
ten. Verfolgt man aber den geraden Weg vom Ro=
thenstadel, so gelangt man nach Breitenfurt,
und weiterhin auf der Anhöhe zu dem unbedeuten=
den Wirthshause in Hochrotherd. Am Ende der
linken Häuserreihe, beim Einbiegen in den Triftweg,
erblickt man in seiner ganzen Größe den Schnee=
berg, den Oetscher und die Alpen Steiermarks. Zu=
rück nach dem Wirthshause, zeigen sich in schönen
Gruppen Waldberge, einige Theile der Hauptstadt
und der Vorstädte, und über diese hinaus treten
dem Blicke noch das Marchfeld und die Gebirge
bei Preßburg entgegen.

Von Hochrotherd kann man über Stange=
nau und Sulz nach Rodaun zurückkehren; der
Weg ist schön, doch ziemlich beschwerlich.

Eine andere Wanderung von Rodaun ist

folgende: Man besteigt hinter dem Schlosse links
am Wege nach Kaltenleutgeben eine allmälig
sich erhebende Anhöhe, auf welcher, bereits im
Walde, sich die Ueberreste der Burg Kammer=
stein befinden. Mehre Punkte auf diesem bequemen
Wege gewähren schöne Fernsichten. Eine der herr=
lichsten aber hat man auf dem Gipfel des Geis=
berges, zu welchem man auf einem Seitenwege
südwestlich von der genannten Ruine gelangt. Doch
nehme man der Vorsicht wegen von Radaun einen
Führer. Neben dem Geisberge zieht sich nördlich
ein sehr malerischer Weg nach Kaltenleutge=
ben, mit einer Kaltwasser=Heilanstalt, ein anderer
ostsüdlich nach Bertholdsdorf (Petersdorf)
hinab. Die Kirche im letzteren Orte, wohin man
auch unmittelbar von Radaun gelangen kann, ist
durchaus von Quadersteinen erbaut, die Bauart
großartig, die Orgel und die unterirdische
Kirche sehr merkwürdig. Ob diese durch die Mu=
nificenz der Frau Barbara Tuschke, wie ich
bestimmt irgendwo angezeigt gefunden habe, restau=
rirt worden ist, oder nicht, dürfte an sich gleichgül=
tig seyn; wer aber, wie Herr Schimmer, die
Angabe für unrichtig erklärt, soll sie auch berichti=
gen. Das Altarblatt, Johannes der Täufer, ist von
Ludw. v. Schnorr. An der Nordseite der Kir=
chenmauer sieht man ein schönes Steinbild, wel=
ches jedoch mit den Templern so wenig in Ver=
bindung gestanden ist, als manches andere ihnen
seltsamer Weise aufgebürdete Denkmal.

Der Thurm ist 180 Fuß hoch, die Aussicht

von der Gallerie entzückend. Der Kirche zur Seite
stehen noch Ruinen der alten Herzogsburg; auf dem
Leichenhofe die schöne Familiengruft des G o t t f r.
L i p p, deren Skulptur K l i e b e r verfertigte, und
der Grabstein des Sprachforschers P o p o w i c h. Die
alten Gemälde auf dem Rathhause sind auch sehens=
werth.

Andere Ausflüge sind von Radaun zu machen
über Bertholdsdorf, Brunn, Enzersdorf und Möd=
ling nach der Briel; oder über die Dorfschaft
G i e s h ü b e l nach der B r i e l (auf welchem Wege
man sogleich zum Hundskogel in der hinteren Briel
gelangt) und durch dieselbe nach M ö d l i n g; oder
durch das schöne Thal von Kaltenleutgeben nach der
S u l z (s. das.), von dort nach Heiligenkreuz und
der Briel; oder auch über Mauer, Lainz, Hiezing
nach Wien zurück, u. s. w.

Rothenstadel; siehe Radaun.

10. D e r S c h n e e b e r g, etwa 6½ Meile
von Wien entfernt, gehört bereits zu den entfern=
teren und größeren Zeitaufwand erfodernden Punk=
ten. Ich verweise daher, der dießfälligen Reise we=
gen, auf die zweckmäßigen und genauen Bemerkun=
gen in C. W e i d m a n n's Wegweiser auf Ausflü=
gen und Streifzügen durch Oesterreich und Steier=
mark; Wien, bei Armbruster, 2. Auflage, 1836,
in=12, welche dem Reisenden von größerem Nutzen
seyn werden, als manche ausführliche Beschreibung
aller Einzelnheiten.

11. Schönbrunn, k.k. Lustschloß, ursprünglich von Maximilian II. 1570 gegründet. In den drei ersten Zimmern findet man 12 Gemälde von Johann Rosa; in einem Nebensaal fünf von Martin von Meytens, sämmtliche Figuren Porträts; das Deckengemälde im Hauptsaal von Gregor Guiglielmi; außerdem sehenswerth das blaue Kabinet und das Toilettenzimmer der Kaiserin Maria Theresia.

Das Hochaltarblatt der Hofkapelle im Seitengebäude ist von Paul Troger, die kleinen Figuren und die heil. Dreifaltigkeit über demselben von Rafael Donner, das Deckengemälde von Daniel Gran.

Die Gruppen der zwei Springbrunnen im Vorhofe verfertigten Zauner u. Hagenauer.

Die Bildsäulen in dem stets geöffneten Schloßgarten sind aus Tyroler=Marmor gearbeitet von Johann F. Beyer, welcher auch die Modelle zur Gruppe in dem großen Bassin entwarf. Sein Meisterwerk aber ist die Statue der Egeria am schönen Brunnen (daher Schönbrunn). Vertheilt sieht man die sogen. Ruine, den Obelisk und die Gloriette mit der bezaubernden Aussicht von der Höhe. Den Plan zu diesen drei Bauwerken entwarf Joh. Ferdinand von Hohenberg.

Neben dem Garten ist die Menagerie, welche Fremde täglich sehen können, für das größere Publikum aber nur an gewissen Tagen, in der Regel an Sonntagen, offen steht.

Am Garten=Ausgange nach Hießing iſt links der Eingang zum botaniſchen Garten. Die Gewächshäuſer enthalten ſchöne ſeltene und große Exemplare, beſonders von Palmen, die ein eigenes Haus haben; ſehr ſeltene und prachtvolle Pflanzen aus Braſilien u. dgl. Das Paraſiten= (Schma= roßer = Pflanzen=) Haus iſt eine der vorzüglichſten botaniſchen Merkwürdigkeiten des Kontinents. Sehr zahlreich iſt die Sammlung der Neuholländer=Pflan= zen, auch beſteht ſeit mehren Jahren eine Anlage für Alpen = Gewächſe. Aufmerkſamkeit verdient noch der Vermehrungskaſten für exotiſche Gewächſe, und das treffliche Camellienhaus.

Der große Obſtgarten liegt öſtlich neben dem Schloßgarten; ihm gegenüber das 600 Fuß lange Hauptgebäude der Orangerie. Unweit von dieſer iſt die Wohnung des k. k. Kammermalers Joſeph Knapp, woſelbſt zur Zeit noch ein herr= liches, von deſſen Vater Johann Knapp (geſt. 1823), gefertigtes Blumengemälde, zur Erinnerung an den verſtorbenen Freiherrn Nikol. Joſ. von Jacquin ſich befindet, und auf Erſuchen mit großer Liberalität auch Fremden gezeigt wird.

Oeſtlich an den Schloßgarten grenzt Ober= meidling, worin am ſogenannten grünen Berge Nr. 32, im Jahre 1830 ein neuer Beluſtigungsort Tivoli (gegenwärtig aber geſchloſſen) entſtanden iſt, mit einem Garten, einer großen Säulenhalle, Kreisbahn u. ſ. w.

In der Nachbarſchaft von Schönbrunn liegt Hetzendorf. Im k. k. Luſtſchloſſe daſelbſt findet man das sogenannte chinesische Kabinet; im großen Saale ein köstliches und kostbares (Joseph II. zahlte täglich 100 Dukaten während der Arbeit) Deckengemälde von Daniel Gran (gest. 1757), und in der Hofkapelle ein schönes Deckengemälde von Widon.

Südlich von Schönbrunn in Altmannsdorf liefern fünf artesische Brunnen das reinste Wasser für eben so viele Teiche, in welchen Blutegel gezogen und gepflegt, zu Millionen nach Frankreich und England ausgeführt werden. Beiläufig bemerkt, sind dergleichen Brunnen in Oesterreich bereits seit anderthalb hundert Jahren gebräuchlich, wogegen 1833 der erste artesische Brunnen in Dresden, zugleich der erste in ganz Sachsen, gebohrt wurde.

Von Hetzendorf gelangt man über das sogen. Gatterhölzl nach Untermeidling, woselbst das Theresienbad, das kleine Schauspielhaus im Schloßgebäude, das stark besuchte Pfannische Mineralbad, die damit vereinigte Trinkanstalt und die niedlichen Gartenpartien zu beachten sind. Vergleiche übrigens Hießing.

Sievering; siehe Kahlenberg.

Speising; siehe Hießing.

Steinbach; siehe Hütteldorf.

12. Sulz. Man fährt über Rodaun (s. das.) nach dem Thal von Kaltenleutgeben. Von der Waldmühle in demselben erhebt sich ein, jedoch beschwerlicher, Seitenpfad nach der Ruine Kammerstein. Das Thal selbst führt nach dem Dorfe mit einer der

schönsten Landkirchen, deren Erbauer Jakob Oekl
gewesen seyn soll. Ihre Lage ist malerisch und der
Hauptaltar sehr schön. Ein nackter, etwas vorsprin=
gender Felsenkogel in der Nähe gewährt den besten
Punkt zum Ueberblick der Gegend.

Die Straße außerhalb Kaltenleutgeben, den
Nidelberg aufwärts, ist trefflich; an der kleinen
Kapelle desselben öffnet sich eine herrliche Aus=
sicht auf die vorliegenden Bergketten bis zum her=
vorragenden Schneeberg, und rückwärts nach Nord=
osten auf Wälder und Schluchten bis nach Wien
hin und Ungarn.

Unten am Berge liegt das Dorf Sulz, gleich=
sam von einem ungeheuren Park umgeben, dennoch
frei genug, um Fernsichten zu gewähren und Aus=
flüge zu gestatten. Man kann sich nämlich über Hoch=
rotherd, Breitenfurt und Rothenstadel nach Ra=
daun zurück, oder auf den Gießhübel und dann
nach Bertholdsdorf, oder über Heiligenkreuz
durch die Briel nach Mödling u. s. w. begeben.
Die Wege sind gleich schön im Wechsel der Wald=
und Landpartien.

Das Wirthshaus in Sulz ist nur mit dem Noth=
dürftigen versehen.

St. Veit; siehe Hiezing.

Vöslau; siehe Baden.

13. Währing, fast unmittelbar an die
Währinger=Linie angrenzend. Der fernere Weg nach
Weinhaus zeigt sich ziemlich einförmig; nordwest=
lich aber auf der Türkenschanze hat man einen herr=

lichen Anblick der Gegend und der Stadt. Im nahen Gersthof ist ein hübscher Garten, und herum reiche Fluren. Auf dem Leichenhofe bezeichnet eine Inschrift auf einfachem Stein die Stelle, wo Heinrich Joseph v. Collin begraben ist.

Von Gersthof führt eine treffliche Straße nach Pötzelsdorf (auch Pötzleinsdorf) und in den dortigen Park; das Monument Alxinger's steht hier in einer von belaubten Bäumen umgebenen Rotunde. Von den Anhöhen erscheint der Kahlen- und Leopoldsberg sehr malerisch. Besondere Aussichtspunkte sind der Badtempel, erbaut von Pieringer, und das Schweizerhaus, dort nach Osten, hier nach Süden, und zum Ueberblick der Hauptstadt in ihrem ganzen Umfange. Der Garten steht täglich, das Schweizerhaus an Sonntagen offen; an andern Tagen sucht man den Eintritt in dasselbe im Schlosse oder in der Meierei nach.

In der Kirche ist das Gemälde des Hoch- und Seitenaltars von Steiner.

Von Pözzelsdorf kann man nach Dornbach gelangen und den Rückweg über Herrnals (siehe das.) nach Wien nehmen.

Weidling und Weidling am Bach; s. Nußdorf.

Weidlingau; siehe Hütteldorf.

Weinhaus; siehe Währing.

Vierter Abschnitt.

Schlußbemerkungen, die Abreise von Wien betreffend.

I.

Empfehlenswerthe Erzeugnisse der Gewerbs-Industrie.

Ueber die Gewerbs-Industrie wurden schon früher (S. 198) einige Andeutungen gegeben; hier sollen jedoch einige Artikel namhaft gemacht werden, welche außerdem noch die Aufmerksamkeit ansprechen oder den Reisenden veranlassen können, Einiges davon zur Erinnerung an Wien in die Heimat zu bringen. Dahin dürften zu zählen seyn:

1) Bettdecken, wollene und seidene, bei Michael Pichler, Kohlmarkt Nr. 1149; insbesondere die Duvets de laine bei Jos. Lee, am Graben.

2) Blechwaaren, lackirte, sehr schöne, bei

August Becker, Stephansplatz Nr. 628, bei Christian Kauffmann, im Jungferngäßchen Nr. 571, und bei Wagenman und Böttger, Haarmarkt Nr. 641.

3) **Bronzewaaren**, in der Niederlage des J. Daninger, Eck der Schaufler- und Herrengasse Nr. 25; dergleichen echte Mailänder bei J. F. Rozet, Kohlmarkt, Michaelerhaus Nr. 1152, und aller Art bei Jakob Weiß, Alservorstadt, Florianigasse Nr. 86, ausgezeichnet aber bei John Morton, Leopoldstadt, Praterstraße Nr. 514.

4) **Buchbinder-Arbeiten**, bei Friedrich Krauß, Bürgerspital Nr. 1100, und insbesondere bei Joseph Drechsler, k. k. Hofbibliothek-Buchbinder, zugleich ein Meister im Reinigen beschmutzter Druckwerke, Leopoldstadt, Sperlgasse Nr. 242.

5) **Drechslerwaaren** von ausgezeichneter Güte und zu billigen Preisen, bei Christoph Dreher, große Schulenstraße Nr. 863; bei Franz Demel, Kärntnerstraße Nr. 941; Friedr. Reeck, Wieden, Lumpertsgasse Nr. 827.

6) **Eisengußwaaren**, Geschmeide, Uhrketten, Ringe ꝛc., bei Joseph Glanz, Kohlmarkt Nr. 282.

7) **Fortepiano's**, die trefflichsten, bei Konrad Graf, k. k. Hof-Fortepianomacher, Wieden, nächst der Karlskirche, zum Mondschein Nr. 102; bei A. Stein, Landstraße Nr. 94; in J. B. Streicher's Fabrik, Landstraße, Ungergasse Nr. 375.

8) **Glaswaaren**, besonders schön, am Kohlmarkt Nr. 1152; bei Franz Rohrweck, am Graben Nr. 511; bei J. Lobmeyr, Kärntnerstraße Nr. 910.

277

9) **Kappen** (Kappel, Mützen) für Herren und Kinder, nach der letzten Mode, auch reich und geschmackvoll gestickt, bei Friedr. Krause, Rothenthurmstraße Nr. 733, und Joseph Hiltner, Bischofsgasse Nr. 637, zur Krone.

10) **Leder-Galanteriewaaren** der mannigfaltigsten Art im neuesten Pariser und Londoner Geschmack, bei J. Prutzmann, Alservorstadt, Feldgasse Nr. 135, und bei den Gebrüdern Fleischer, St. Ulrich, Neuschottengasse Nr. 136.

11) **Mathematische, optische und physikalische Instrumente** in der größten Vollkommenheit, bei G. S. Plössl, Wieden, Feldgasse Nr. 215, am Eck der Schmöllerlgasse.

12) **Nürnbergerwaaren** von ausgezeichneter Schönheit und in größter Auswahl, bei Jos. Sauerwein, Eck der Bognergasse Nr. 309, und bei J. B. Markhart, Graben Nr. 916.

13) **Papiertapeten**, schön, geschmackvoll, reich, in der Fabrik bei Spörlin und Zimmermann, Gumpendorf Nr. 368, Niederlage in der Kärntnerstraße, Bürgerspital Nr. 1013.

14) **Parfümeriewaaren**, bei Wenzel Storch, Wollzeile Nr. 771; bei Treu, Nuglisch u. Komp., Schauflergasse Nr. 5, und bei Franz Hallacher, Bauernmarkt Nr. 584, im 1. Stock.

15) **Perlenmutter- und Schildkröt-Galanteriewaaren**, bei Jakob Schwarz, Mariahilf, Hauptstraße Nr. 409.

16) **Pfeifenköpfe aus Meerschaum**, bei Sidon Nolze, am Graben, Eck der Spiegelgasse,

24

297

und aus trockenem Meerschaum gegen das Zerspringen gesichert, bei Gottlieb Krause, vormals Lütge, daselbst Nr. 1134, zu den zwei goldenen Lämmern.

17) **Plattirte (Silber=) Waaren,** bei Stephan Mayerhofer, Kohlmarkt Nr. 253; J. Machts und Komp., Laimgrube, Hauptstraße Nr. 184; Aug. Kuhn, Josephstadt, Josephsgasse Nr. 15, und am Kohlmarkt Nr. 262.

18) **Porzellan.** Außerordentlich schöne Gemälde auf Tassen und Teller, Lichtschirme, Vasen, Gemälde u. s. w., in der k. k. Aerarial=Porzellan=Manufaktur=Niederlage, zu bestimmten Preisen, am Josephsplatz Nr. 1155.

19) **Spielkarten,** patentirte, in der Niederlage des May. Uffenheimer, am Peter Nr. 577. Ungestempelte für Ungarn und das Ausland; Preis=Kourant unentgeldlich.

20) **Teppiche,** geschmackvoll und dauerhaft, im Verkaufslager der k. k. Linzer Teppichfabrik, alter Fleischmarkt, Laurenzer=Gebäude Nr. 708, und bei Jakob Perger, Gumpendorf, große Steingasse Nr. 106, Niederlage: Rothenthurmstraße Nr. 723.

21) **Wagenfabrikanten,** deren Arbeiten durch Schönheit und Dauerhaftigkeit sich auszeichnen, sind: Simon Brandmayer, in der Rossau, Schmiedgasse Nr. 94; Georg Fritz, Rossau Nr. 108 (sehr reiches Magazin); Ludwig Laurenzi, Rossau, im eigenen Hause, zum Schwan, u. A. m. Die meisten Wagen=Magazine aber befinden sich in der Jägerzeile, woselbst man täglich eine große Anzahl der schönsten Wägen ausgestellt erblicken kann.

Sogenannte Wiener=Chamäleon=Wägen, d. i. zu verwandeln in vier= und zweisitzige Bastard=, Staats=, Reisewägen ꝛc., erfunden vom Wagnermeister Joseph Moser, Schottenfeld Nr. 293, sind beim genannten Simon Brandmayer zu bestellen, auch bei dem erwähnten Sattlermeister Georg Fritz zu haben.

II.

Erfodernisse zur Abreise und die Art derselben.

1) Der die Rückreise beabsichtigende Fremde empfängt nach dießfälliger Anzeige bei der k. k. Polizei=Oberdirektion von derselben, gegen Abgabe des ihm ertheilten Aufenthaltscheines, den für den Rückweg vidirten Paß zurück.

2) Mit dem Passe wird jedem Reisenden, der sich nicht der fahrenden Extrapost bedient, zugleich ein auf drei Tage giltiger Passirschein eingehändigt, welcher bei erfolgender Abreise dem an der Linie aufgestellten Polizeiposten übergeben wird.

3) Ist wegen verzögerter Abreise die im Passirscheine bestimmte dreitägige Frist abgelaufen, so hat der Fremde sich um einen neuen Schein, gegen Rückgabe des alten, im Paßamte der k.k. Polizei=Oberdirektion zu bewerben.

4) Alles, was oben (S. 10) von der Art und Weise der Reise überhaupt bemerkt ist, findet auch auf die Rückreise Anwendung.

5) Doch haben die mit Extrapost Abreisenden noch Folgendes zu beachten:

a) Ein solcher Rückreisende muß nämlich beim Wiederempfange seines Passes bei der k.k. Polizei-Oberdirektion die Ertheilung eines Passirscheines auf Extrapost-Pferde ansuchen.

b) Gegen diesen Schein wird in der k. k. geh. Hof- u. Staatskanzlei, Ballplatz Nr. 19, ein Erlaubnißzettel zur Abreise mit Postpferden ertheilt, ohne welchen dem Reisenden weder in der Residenz, noch im Umkreise von sechs Poststationen Extrapostpferde verabfolgt werden dürfen.

c) Den eben bemerkten Erlaubnißzettel bringt oder schickt der Reisende in das k. k. Hofpost-Stallamt, neben der Hauptmauth Nr. 663, bestellt die erfoderliche Zahl der Pferde mit Angabe des Ortes und der Stunde der Abfahrt, und zahlt das Rittgeld für die erste Poststation, die als poste royale gezählt wird.

d) Was die verschiedenen Vorkehrungen zur Beschleunigung dieser Extrapostfahrt betrifft, ist das Erfoderliche oben S. 11 u. f. nachzulesen. Auch hat der in dieser Weise Reisende an der Linie dem dortigen Polizeiposten seinen Paß nur vorzuweisen, damit sein Name, Stand und der Tag der Abreise eingetragen werden kann.

6) Jeder Reisende, welcher mit anderer Gelegenheit, nicht mit der Extrapost, von der Residenz auf die erste Poststation ankommt und mit Postpferden weiter befördert seyn will, hat den sub b erwähnten Erlaubnißzettel bei dem k. k. Hofpost-Stallamte in Wien zu deponiren und sich dagegen einen Amtspaß zu erbitten, ohne dessen Vorweisung in einem Umkreise von sechs Poststationen kein Postpferd eingespannt werden darf.

Diesen Amtspaß hat die betreffende Poststation zurückzubehalten und aufzubewahren.

7) Will der Fremde hier erkaufte Waaren mitnehmen, so wird er auf der k. k. Hauptmauth die Auskunft erhalten, ob und welche Freibollete er nöthig hat.

8) Ueberhaupt aber besorgen die Kommerzial-Briefträger dem Fremden die bei der Hauptmauth nöthige Verzollung, spediren Güter und auch Personen nach allen Gegenden, und sind an Wochentagen von 9—12 Uhr im Gebäude der Hauptmauth anzutreffen.

Endlich sind von Seite

9) der ersten Donau-Dampfschiffahrts-Gesellschaft eine regelmäßige Donaufahrt von Linz bis Konstantinopel ꝛc. ab- und aufwärts eingerichtet. Das Bureau derselben in Wien befindet sich am Bauernmarkt Nr. 581. Am meisten wird diese Dampfschifffahrt abwärts von Linz nach Wien (vergl. oben S. 18) und weiter nach Preß-

burg, Pesth ꝛc. benutzt. Die Preise sind billig, so daß beispielsweise die ganze Reise von Wien nach Konstantinopel mit 60 Pfund Gepäck für eine Person auf dem ersten Platze 135 fl. 20 kr., und auf dem zweiten Platz 94 fl. 30 kr. K. M. kostet. Die Tage der Ankunft und Abfahrt, nebst dem Tarif nach Haupt= und Zwischenstationen, werden öffentlich bekannt gemacht, sind auch in allen Bureaux, Agenzien und Schiffen der Gesellschaft einzusehen.

Kinder unter zehn Jahren zahlen die Hälfte des Platzgeldes; ein Wagen von Linz nach Wien kostet 20 fl.; von Wien nach Preßburg 14 fl.; von Wien nach Pesth 30 fl. K. M.

Auf einigen Dampfschiffen, namentlich auf der Maria Anna von Linz nach Wien, Arpad von Wien nach Preßburg und Pesth ꝛc., befinden sich noch abgesonderte Cabinen mit Sopha's und Schlafstellen versehen, welche von Reisenden zu benutzen, außer dem ersten Platzpreise aber noch besonders zu bezahlen sind.

Namen-Register.

A.

Abel, Joseph, Historienmaler, Seite: 90.

Achamer, Joh., Stück= und Glockengießer, 67.

Albin's anatomische Präparate, 143.

Albrecht v. Sachsen=Teschen, Herzog, 81.

Altomonte, Historienmaler, eigentlich Hohenberg, 64. 72. 87. 89. 92. 260. 262.

Alxinger, des Dichters, Monument im Parke zu Pötzelsdorf, 274.

Amalie, Kaiserin, Witwe Kaiser Joseph's I., 57.

Ambras in Tyrol, Handschriften aus dem Schlosse, 164.

Amerling, Friedr., Historienmaler, 257.

Andrea del Sarto, Historienmaler, 217. 218.

Anna, Gemalin des Kaisers Mathias, 74.

Armbruster, Karl, dessen öffentliche Leihbibliothek, 116. Dessen Buchhandlung, 30. 162. 269.

Arneth, Jos., Kustos im k. k. Münz= u. Antiken=Kabinet, 201.

Artaria, Dominik, Kunsthändler, 196.

Artaria, Mathias, sel. Witwe u. Kompagnie, deren Kunsthandlung, Seite: 196.

Arthaber, Jos., dessen große Kurrent=Waarenhandlung, 102. Dessen Gemäldesammlung, 220.

Ascher, F. X., dessen Antiquar = Musikalienhandlung, Musik=Leih= und Kopir=Anstalt, 117.

Auerbach, Joh. Gottfr., Historienmaler, 89. 212.

Auersperg, Fürst, dessen Palast, 85.

Autenrieth, Gustav, Handschuhmacher, 104.

B.

Bacazzi, Bildhauer, 73.

Bäuerle, Adolph, Herausgeber u. Redacteur d. Theaterzeitung, 115.

Barbarigo, Joh., Stuccoarbeiter, 93.

Barth's anatomische Präparate, 143.

Bartolomeo, Fra, Maler, 218.

Bartsch, Hofrath Adam v., 214 u. 215.

Bartsch, Jos. Georg, dessen öffentl. Manufaktur=Zeichnungsschule, 158.

Bauer, Bernh. Phil., u.Dirnböck, Buchhändler, Seite: 161.

Baumgartner, Regierungsrath Dr. Ant., Direktor der k. k. Aerarial-Porzellanmanufaktur u. Mitherausgeber der Zeitschrift für Physik, 115.

Baumgartner, P. Norbert, Kapuziner u. Historienmaler, 73. 87.

Beccafumi, Maler, 217.

Beck, Friedrich, Buchhändler, 161.

Becker, August, Blechwaarenfabrikant, 276.

Beer, J. G., Damenkleidermacher, 103.

Beer, Dr. Med., Herausgeber der Gesundheitszeitung, 113.

Behsel, Anton, Baumeister, 36.

Benko, Fräulein, Kunst-Dilettantin, 87.

Berka, A., und Kompagnie, Kunsthändler, 196.

Bermann, Jeremias, Kunsthändler, 196.

Bermann, Joh. Sigm., Kunsthändler, 196.

Bertitsch, Jos., dessen Seiden- und Modewaarenhandlung am Graben, 102.

Bethlen, des Grafen v., Garten in Hetzendorf, 130.

Beyer, Wilhelm, Statuar, 257. 270.

Bibiena, Anton Galli von, Maler, 72.

Bichierai, Ant., dessen feine Florentiner-Hüte, 103.

Biermayr, Dr., 177.

Blerius, Hugo, eigentl. Bloß,

allererster Bibliothekar an der k. k. Hofbibliothek, Seite: 164.

Blumenbach, J. W. Wawruschek, dessen Werke über Oesterreich, 31; ist Aufseher des k. k. technischen Kabinets, 181.

Bock, Johann, Bildhauer, 62.

Bock, Tobias, Historienmaler, 62. 70. 72. 74. 75. 76.

Böhm, Joseph Daniel, k. k. Kammer-Medailleur, 211.

Bolza, Dr. Freih. v., Herausgeber der Monatschrift: Rivista Viennese, 114.

Brand, J. Christian, Historienmaler, 92.

Brandmayer, Simon, dessen Wagenachsendreherei, 263; dessen Wagenfabrik, 278.

Braun, Ad., Historienmaler, 76.

Braun, Herausgeber d. Unterhaltungs-Blattes: Der Sammler, 114.

Browne, Graf, dessen Grabdenkmal, Morizruhe genannt, zu Neuwaldek, 249.

Buchsbaum, Hans, auch Puchsbaum, Baumeister, 33. 66.

Burde, Joseph, Shawlfabrikant, 102.

Busbeck, Augerius, dessen Büchersammlung, 164.

C.

Cabresa, Maler, 218.

Canaletto, Anton, Historienmaler, 287.

Canova, Statuar, 201.

Carl, Theaterdirektor, 136.

Carlone, Carlo, Historienmaler, 71. 75. 212.

Carloni, Silvester, Architekt, Seite: 71.

Caracci, Ludwig, Historienmaler, 71.

Castelli, Sekretär bei den niederöst. Landständen, dessen Büchersammlung ꝛc., 168.

Cebeck, Bildhauer, 188.

Cellini, Benvenuto, dessen Kunstarbeiten in der k. k. Schatzkammer, 200; im k.k. Ambraser-Kabinet, 205.

Celtes, Protucius, eigentl. Konrad Pikel, erster Vorsteher der k. k. Hofbibliothek, 164.

Ccrachi, Bildhauer, dessen Büste Kaiser Joseph's II., 154. 213.

Chianini, Architekt, 212.

Chimani, Leopold, 227.

Christian, Alexander, Baumeister, 124.

Christine, Erzherzogin, Gemalin Herzogs Albrecht von Sachsen = Teschen, deren Grabmal in der Hofpfarrkirche bei den Augustinern, 73.

Christmann, Joseph Franz, Orgelbauer, 91.

Claude Lorrain, Maler, 219.

Claudia Felicitas, zweite Gemalin Kaiser Leopold's I., 76.

Clerfait's, F.L.Gr., Grabmal in Herrnals, 249.

Clement, Anton, Steinmetz, 89.

Clery, Kammerdiener Ludwig's XVI., dessen Grab in Hietzing, 250.

Clouet, Maler, 205.

Colin, Alexander, von Mecheln, dessen Schnitzwerke in der k. k. Ambrasersammlung, Seite: 205.

Collin, Heinrich Joseph von, Dichter u. k. k. Hofrath, dessen Grabdenkmal in der St.Karlskirche auf derWieden, 89; dessen Grab in Gersthof, 274.

Cook, Capit. James, dessen ethnographische Sammlung, 179.

Coradini, Anton, Historienmaler, 54. 163.

Corti's Kaffeehäuser, 98.

Cuspinian, Joh., (Geschichtschreiber (eigentlich Spießhammer), 65; dessen Büchersammlung, 164.

Cymbal, Historienmaler, 87.

Czernin, des Grafen von, Gemäldesammlung, 218.

D.

Däeinger, Joh. Geo., Historienmaler, 71.

Danican, der Franzose, begründet schon im Jahr 1725 die sogenannten Concerts spirituels, 189.

Daninger, J., dessen Bronzewaaren, 276.

Daum, J., dessen Restauration, 94; dessen Kaffeehaus, 98.

Daun, Feldmarschall, 72.

Deinhardstein, J. B., dramatischer Dichter und k.k. n. ö. Regierungsrath, 111.

Dellavos, Louise, deren Blumen u. Schmuckfedern, 103.

Demel, Frz., k. k.Hof= u.bürg. Kunstdrechsler, 276.

Denis, Hofrath Mich., Dich=

ter u. Bibliograph, deſſen Grabmal in Hütteldorf, Seite: 252.

Denzala, Frescomaler, 76.

Deutſchmann, Orgelbauer, 73.

Diabelli, A., Kunſt= u. Muſikalienhändler, 106.

Dieffenbach, Obergärtner im k. k. bot. Garten am Rennwege, 126.

Dietrich, Freiherr v., 211.

Dietrichſtein, Fürſt von, 86.

Dietrichſtein, Graf Moriz v., Präfekt der k. k. Hofbibliothek u. Oberſthofmeiſter J. M. der Kaiſerin=Königin, 165. 200.

Dolliner, Hofrath Dr. Thom., Mitredakteur der Zeitſchrift für öſterr. Rechtsgelehrſamkeit, 116.

Domenico, Hiſtorienmaler, 264.

Dominichino, Hiſtorienmaler, 218.

Dommayer's Caſino in Hiezing, 250.

Donner, Rafael, Statuar, 54. 69. 87. 223. 270.

Drechsler, Joſeph, Hofbibliotheks=Buchbinder, 276.

Dreher, Chriſtoph, Kunſtdrechsler, 276.

Drexler, Leop. v., Hiſtorienmaler, 264.

Dürer, Albrecht, deſſen Holzſchnitzwerk in der k.k.Schatzkammer, 100; im k. k. Ambraſer=Kabinet, 205. 216.

Dyk, Anton van, Hiſtorienmaler, 217. 257.

E.

Ebersberg, J.S., Schriftſteller und Herausgeber der Zeitſchrift: Der öſterreichiſche Zuſchauer, Seite: 116.

Edelink, Kupferſtecher, 216.

Eichinger, Maler, 249.

Eleonora, Gemalin Kaiſer Ferdinand's II., 71.

Emanuel von Savoyen, General=Feldmarſchall, 65.

Emil, rühmlichſt bekannter Schriftſteller, 63.

Emperger, Fr. Maria Edle von, deren Blumenfabrik im Bellegardehof Nr. 543, 104.

Ender, Profeſſor, 169.

Erler, Chriſtoph, Orgelbauer, 91.

Eſte, Prinzeſſin von, 217.

Eſterhazy, Fürſt Paul, 85; deſſen Bibliothek, 167; deſſen Gemälde, Kupferſtiche und Handzeichnungen, 216.

Ettingshauſen, Andreas von, Profeſſor, 149.

Eugen von Savoyen, Prinz, 65. 126. 214.

F.

Faber, Johann, Biſchof von Wien, 164.

Falkner, Octavian, aus Krakau, Baumeiſter, 60.

Fanti, Herkules Cajetan, Architekt, 212.

Fendi, Peter, k. k. Kabinets=Zeichner und Kupferſtecher, 202.

Ferdinand, Erzherzog von Oeſterreich u. Graf von Tyrol, Gemal der ſchönen Philippine Welſer, ſtiftet die Ambraſer=Sammlung, 204.

Ferdinand I., jetzt regierender Kaiſer, deſſen Handbiblio=

thek,167; deſſen techniſches Kabinet, jetzt eine offentl. Anſtalt, Seite: 181.

Ferdinand II., Kaiſer, 86.143.

Ferdinand III. (ſtatt V.), Kaiſer, 72. 76, 212.

Feti, Domenico, Hiſtorienmaler, 69.

Finiguerra, Tomaſo, 216.

Fiſcher v. Erlach, Joh. Bernhard, berühmter Architekt, 54. 72. 88. 163.

Fiſcher von Erlach, Joſeph Emanuel, Architekt, Sohn des Obigen, 124. 163.

Fiſcher, Martin, Statuar und Profeſſor, 53. 56. 209.

Fiſcher, Vincenz, Hiſtorienmaler, 90. 256.

Flebus, Jak., Hutmacher,106.

Fleiſcher, die Gebrüder, 277.

Fletſcher und Punſhon, Erbauer von Dampfmaſchinen, 83.

Förſter, Ludwig, deſſen lithographiſche Anſtalt, 197.

Fontana und Moscagni's Wachspräparate, 176.

Franceschini, Maler, 217.

Franz I., römiſcher Kaiſer u. Gemal der Kaiſerin Maria Thereſia, 122. 205.

Franz I., Kaiſer von Oeſterreich, als römiſch-deutſcher Kaiſer der Zweite, erweitert die k. k. Familiengruft bei den Kapuzinern, 74; kauft Canova's beſiegten Centaur, 121; läſit den botaniſchen Garten für die öſterr. Flora anlegen, 124; ſtiftet die proteſtantiſch-theologiſche Lehranſtalt, 147; ſtellt die von Joſeph II. aufgehobene Thereſianiſche Ritter-

Akademie wieder her, Seite: 151; gründet das prachtvolle Gebäude des k. k. Thierarznei-Inſtitutes, 155; legt den Grundſtein des k. k. polytechniſchen Inſtitutes, 156; ſeine reiche Handbibliothek, 167; vermehrt die Bibliothek der Akademie der bildenden Künſte, 169; deſſen Geſchenk an die Wiener Bürgerſchaft, 209; deſſen Büſte im bürgerl. Zeughauſe, 209; gründ. d Armen-Inſt, 227.

Friſchling,Franz, deſſenHandlung mit ſchweren und ſchönen Seidenzeugen, zur Weltkugel am Graben, 102.

Fritz, Georg, 208.

Füger, Heinr. Friedr., Hiſtorienmaler und Gallerie-Direktor, 89. 213.

G.

Galli-Bibiena, Hiſtorienmaler, 72.

Gebauer, Fr. Xaver, Stifter der Concerts spirituels,189.

Gerold, Karl, deſſen Buchdruckerei, 160; deſſen Buchhandlung, 161.

Geyling, Maler, 188.

Ghelen'ſche, von, Erben, deren Buchdruckerei, 161.

Giaccomini, Joſeph, Antiquitäten- u. Gemäldehändler, 196.

Gieſeke, Prof., deſſen ethnographiſche Sammlung aus Grönland, 179.

Giuliani, Joh., Bildhauer, 262.

Glanz, Joſeph, deſſen Bronze- und Eiſengußfabrik, 193. 276.

Glöggl, Franz, dessen Auskunfts=Bureau für musikal. Angelegenheiten, Seite: 111.

Görgen, Dr. M. Bruno, Begründer der Privat=Heilanstalt für Gemüthskranke, 240.

Gottfried von Bouillon's Rüstung, 207.

Grabner, Andreas, Steinmetz von Nürnberg, 64.

Gräffer, Franz, Antiquar=Buchhändler, 162.

Graf, Konrad, k. k. Hof=Fortepianomacher, 276.

Graff, Karl, 209.

Gran, Daniel, Historienmaler, 74. 89. 163. 265. 272.

Granichstätten, Dr., dessen Kaltwasseranstalt in Laab, 267.

Greif, Markus, Antiquar=Buchhändler, 163.

Gries, Historienmaler, 63.

Groß=Hoffinger, Dr. J. A., dessen Reisetaschenbuch, 10. dessen Journal: Der Adler, 112.

Grosmann, Leopold, Historienmaler, 88.

Guglielmi, Gregor, Historienmaler, 143. 270.

Guido Reni, Historienmaler, 218.

Gunkel, Joseph, Kleidermacher und dessen Werkstätte, 106.

Gustav Adolph's, König, Koller, 207.

H.

Haas, Joh. Bapt., Juwelier=Arbeiten desselben, 105.

Haas, Karl, sel. Witwe, Buchhandlung von, Seite: 161.

Hacker, k. k. Hofgärtner, 123.

Häußle, Jos., Lithograph, 197.

Hagenauer, Wolfgang, Bildhauer, 91. 271.

Hallacher, Franz, dessen Verkauf echt engl. u. französ. Parfümerie=Waaren, 104. 277.

Hammer=Purgstall, Jos.Freiherr von, dessen orientalische Bibliothek und Handschriften=Sammlung, 168. 209.

Harrach, Karl Graf v., Med. Dr., 239.

Haslinger, Tobias, k. k. Hof= u. privil. Kunst= u. Musikalienhändler, 196.

Hauzinger, Jos., Historienmaler, 90.

Heckmann, J., Kunst=Materialwaarenhändler, 194.

Held in Liesing, Brauhausbesitzer, 38.

Held, des Kunstgärtners Joseph, Blumenverkauf=Anstalt, 118.

Hell, Pater Maximilian. Astronom, 261.

Hempel, Joseph Ritter von, Historienmaler, 92.

Henrici, Baumeister, 90.

Herold, Balthas., Statuar, 53.

Heß, Joh. Mich., Historienmaler, 89. 90.

Heubner, Christian, Gotthelf, Buchhändler, 161.

Hießman, Franz, dessen Armaturen=Münzen u. Antiquitäten=Handel, 196.

Hildebrand, Lukas von, Hofarchitekt, 84.

Hiltner, Joseph, 277.

Hoecke, Joh. van der, Hof=
maler, Seite: 212.

Hofmayr's Wachspräparate,
178.

Hohenberg, Ferdinand von,
k. k. Hofarchitekt, 72. 270.

Holger, Dr. J. Ritter v., Mit=
redakteur der Zeitschrift für
Physik, 116.

Horn, Christoph, Künstler aus
Dünkelspühl, 61.

Host, Dr., 124.

Hügel, Karl Freiherr von,
Herausgeber d. botanischen
Archivs der Gartenbauge=
sellschaft, 112; dessen Pflan=
zensammlung in Hießing,
130; ist provisorischer Vor=
stand der k. k. Gartenbau=
gesellschaft, 149; dessen
Sammlungen im ethnogra=
phischen Museum, 170; des=
sen ausgezeichneter Garten
in Hießing, 250.

Hyrtl, Dr., 178.

J.

Jcensius, Historienmaler, 255.

Jlg, Professor aus Prag, des=
sen Präparate im Zootomi=
schen Kabinet, 175.

Jacquin, Nicolaus Jos. Frei=
herr von, 271.

Jacquin, Regierungsrath Jos.
Franz Freiherr von, Direk=
tor des k.k. botanischen Gar=
tens und Sohn des Obigen,
126.

Jäckel, Joseph, 35.

Jäger, Franz, Architekt, 169.

Janson, Historienmaler, 88.

Jaquemar, Franz, Handschuh=
fabrikant, 104.

Jaquemar, Georg, Handschuh=
fabrikant, ebend.

Jaquet, Katharina, k. k. Hof=
schauspielerin, deren Bild=
niß mit Kaiser Joseph's denk=
würdiger Unterschrift, Sei=
te: 220.

Jasomirgott, Herzog Hein=
rich II., 53. 60.

Jochmus, Hieronimus, Histo=
rienmaler (1653—59), 70.

Johannes v. Gmunden (1485),
166.

Joseph I., Kaiser, eröffnet die
Akademie d. bildenden Kün=
ste, 184.

Joseph II., Kaiser, läßt den bo=
tanischen Garten der k.k. Jo=
sephs = Akademie anlegen,
123; läßt den Prater dem
Publikum eröffnen, 130;
und eben so den Augarten,
132; dessen Sommerhaus
im Augarten, 133; errich=
tet das Civil=Mädchen=Pen=
sionat, 150; ferner das Er=
ziehungs=Institut für Offi=
zierstöchter, 151; hebt die
Theresianische Ritter = Aka=
demie auf, 151; stiftet die
k. k. medizinisch=chirurgische
Josephs = Akademie, 153;
gibt der Akademie der bil=
denden Künste neue Statu=
ten, 185; dessen Bildniß
im k. k. Münz= u. Antiken=
kabinet, 201; vermehrt die
k. k. Gemälde=Gallerie im
Belvedere, 212; gründet d.
Armen=Institut, 227.

K.

Kapistran, Sct. (Capistran),
dessen steinerne Kanzel an d.
St. Stephanskirche gegen
den Domherrnhof, 61.

Käsmann, Bildhauer, Seite: 71. 267.

KaraMustapha'sTodtenhemd, 209.

Karl des Großen Kaiserornat, 200.

Karl I., König v. England, Seite: 212.

Karl V., Kaiser, 203.

Karl VI., Kaiser, unter deſſen Regierung wird die k.k.Hofbibliothek ein öffentliches Inſtitut, 164; deſſen Bildniß, 212.

Karl, Erzherzog, Deſſen Bibliothek u. Landkartenſammlung, 167; Deſſen Büſte im bürgerl. Zeughauſe, 209; Deſſen Luſtſchloß Weilburg bei Baden, mit der größten Roſenſammlung in ganz Deutſchland, 247; Deſſen Sammlung von Kupferſtichen u. Landkarten, 215.

Karner,A., Porträtmaler,225.

Kaſtner, Joh., Hiſtorienmaler, 78. 92.

Kauffmann, Chriſtian, 276.

Klaig, Georg,Baumeiſter aus Erfurt, 62.

Klang, Ignaz,Buchhändler u. Antiquar, 161.

Klein, Joh. Wilhelm, Gründer des k. k. Blinden=Inſtituts u. Direktor deſſelben, 227.

Klieber, Direktor Joſ., Statuar, 90. 152. 213. 269.

Klier, Herr. deſſen Pelargonien=Flur, 128.

Knapp,Johann sen.,k.k.Kammermaler, deſſen treffliches Blumengemälde in Schönbrunn, 271.

Knapp, Joſeph,k. k. Kammer-maler inSchönbrunn,Sohn des Obigen, Seite: 271.

Kobauſch, Anton, 36.

Kober,Franz,Orgelmacher,70.

Koch, Mathias, 20.

Kohl,Ludwig,Hiſtorienmaler, Seite: 173.

Koll, Bildhauer, 72.

Koll, Hiſtorienmaler, 93.

Koller, Hiſtorienmaler, 267.

Koltſchitzky, Franz, 98.

Kongler, Tobias, Baumeiſter, 59.

Kornhäuſel, Architekt, 72.247.

Krafft, Paul Peter, Schloßhauptmann u. Direktor der k. k. Gemälde=Gallerie im Belvedere u. Hiſtorienmaler, 75. 214. 223.

Krafft, Albrecht, Sohn des k. k. Schloßhauptmanns u. Gallerie=Direktors im k. k. Belvedere, 213; deſſenVerzeichniß dieſer Gallerie,214.

Kraiaz, M. L., deſſen Höhebeſtimmung der Spinnerin am Kreuz, 33.

Kranach, Lukas, Hiſtorienmaler, 87.

Krauſe, Friedrich, 277.

Krauſe, Gottlieb, vormals Lütge, 278.

Krauß,Friedrich, 276.

Kreipel, Hiſtorienmaler, 90.

Kudler, Regierungsrath Dr. Joh., Mitherausgeber der Zeitſchrift für öſter. Rechtsgelehrſamkeit, 116.

Kuhn, Auguſt, 278.

Kumpf, Heinr., Künſtler aus Heſſen, 61.

Kupelwieſer, Profeſſor Leop., Hiſtorienmaler, 93. 259.264.

Kuppitſch, Matthäus, Antiquar=Buchhändler, 162.

L.

Lamberg, Anton Graf von, dessen Sammlung v.Vasen, 186; dessen Gemäldesammlung, Seite: 218.

Langer, Anna, Modistin,103.

Laren, Historienmaler, 255.

Lascy, (Lacy) Franz Moriz Graf v., Feldmarschall, dessen Parkanlage zu Neuwaldek mit seinem Grabmale, 249.

Laurenzi, Ludwig, Wagenfabrikant, 278.

Lazius, Wolfgang, Geschichtschreiber, 72. 164.

Leibenfrost's Kaffeehaus, 98.

Leicher, Felix, Historienmaler, 92.

Leitermayer, Michael, dessen Musik=Instrumenten=Leihanstalt, 113.

Lenkey's, Achaz von, Weinhandlung, 96.

Leopold !., Kaiser, vergrößert die k. k. Familiengruft bei den Kapuzinern, 74; vollendet das von K. Maximilian I. gegründete große Zeughaus, 207; vermehrt die k. k. Hofbibliothek, 164; gründet die Akademie der bildenden Künste, 184.

Leopold II., Kaiser, 72.

Leopold, Markgraf, der Heilige, 264.

Leopold, Markgraf, der Tugendhafte, 76.

Leopold Wilhelm, Erzherzog von Oesterreich, 183.

Lerch, Nicol., Künstler, 63.

Leren, Maler, 255.

Lessainsky, Vinc., dessen Kleider=Reinigungsanstalt,107.

Lieberkühn's anatomische Präparate, Seite: 143.

Liechtenstein, Fürst, dessen Sommerpalast u. Garten, 123; dessen Bibliothek, 168; dessen Gemälde= u. Kupferstichsammlung, 217.

Liechtenstein, Fürstin, deren Garten in Hütteldorf, Seite: 252.

Lingelbach, Maler, 219.

Liegert's, F. C., Modewaarenhandlung am Graben, Nr. 571, 102.

Lilienbrunn, K. A. Edler v., dessen Panorama der Donau im Vogelperspektive, 19.

Lindner, Franz, Historienmaler, 73.

Lindner, Pfarrer Joh. Nep., Begründer der ersten Kinderbewahranstalt auf dem Rennwege, 232.

Lipp, Gottfr., dessen Familiengruft auf dem Leichenhofe zu Bertholdsdorf, 269.

Littrow, J. J., dessen Annalen der k. k. Sternwarte, 112. 144.

Lobmeyr, J., 276.

Löbisch, Dr., dessen erstes öffentl. Kranken=Institut für arme Kinder, 237.

Lößl, Franz, Architekt, 188.

Lommer, Jos., dessen Kurrentwaarenhandlung, 102.

Loutherbourg, Maler, 218.

Loy, Franz, Bildhauer, 93.

Luini, Historienmaler, 217.

M.

Machts, J., u. Komp., 278.

Mack, Franz von, k. k. Hof=

*

juwelier u. Stifter d. Kirche zu Kalksburg, Seite : 267.

Madefer, Bildhauer, 91.

Maffei, Antiquar, 202.

Maier, Jof., deſſen Kleider=Reinigungs=Anſtalt, 107.

Mainzer, des Franz ſel. Wit=we, Muſikalien=Leihanſtalt, 117.

Maratti, Karl, Hiſtorienma=ler, 70.

Markhart, J. B., 277.

Maria Chriſtina, Erzherzo=gin, 81.

Maria Thereſia, Herzogin v. Savoyen, 238.

Maria Thereſia, römiſche Kaiſerin u. Mutter Kaiſer Joſeph's II., erweitert die k. k. Familiengruft bei den Kapuzinern, 75; läſt ein neues Univerſitäts=Gebäu=de errichten, 143; führt die Normalſchulen in der gan=zen Monarchie ein, 146; ſtiftet die Thereſianiſche Rit=ter=Akademie, 151; gründ. das Thierarzenei=Inſtitut, 155; errichtet eine Kupfer=ſtecher=, Boſſir= u. Graveur=Schule an der Akademie der bildend. Künſte, 184; grün=det die große Kanonengie=ßerei, 192.

Mariette, Kunſtkenner, 214.

Maron, Anton, Hiſtorienma=ler, 212.

Martinelli, Dominik, Archi=tekt, 88.

Martinelli, Philipp, Bau=meiſter, 88.

Matthielly, Franz, Hofbild=hauer, deſſen Façade am bürgerl. Zeughaus, 208.

Mathielli, Lor., Statuar, 71.

Matthäi, Gabriel, Hiſtorien=maler aus Rom, Seite : 73.

Mathias Corvinus, König, 164.

Matſchiner, Joſepha, deren Schwißbad in Gumpen=dorf, 101.

Maulbertſch, Ant., Hiſtorien=maler, 70. 71. 72. 88. 89. 91. 92. 93. 163.

Maurer, Hiſtorienmaler und Profeſſor, 69. 90. 267.

Mauthner, Dr. Ludw. Wilh., 240.

Maximilian I., Kaiſer, Grün=der der k. k. Hofbibliothek, 164.

Maximilian II., Kaiſer, grün=det 1569 das große Zeug=haus, 207; und 1570 das k. k. Luſtſchloß Schönbrunn, 270.

Mayer, Joh., Großhändler, deſſen Landhaus u. Garten in Hiezing, 251.

Mayer, Ludw. Alex., u. Komp. Buchhandlung des, 162.

Mayer's anatomiſche Präpa=rate, 143.

Mayerhofer, Stephan, deſſen Fabrik, 278.

Mechetti, Peter, Kunſthänd=ler, 195.

Mechitariſten = Congregation, armeniſche, deren öffentl. geiſtliche Leihbibliothek, 117; deren Buchdruckerei, 160; deren Buchhandlung, 162.

Meidinger, Hiſtorienmaler, 72.

Meßmer, Franz, Hiſtorien=maler, 175.

Meſſerſchmidt, Franz Xaver, deſſen Bronze=Büſte des

Freih. van Swieten, 143; deſſen Bronze-Büſte Kaiſer Joſeph's II., Seite: 201.

Metaſtaſio, Pietro, 71.

Metternich, Fürſt v., Staatskanzler, deſſen Villa und Garten auf dem Rennwege, 127; deſſen Bibliothek, 167.

Meytens, Martin v., Hiſtorienmaler, 270.

Michalek, Wenzel, Kunſtſtopfer, 107.

Mörſchner, Karl Friedrich, Buchhändler, 162.

Mösle, Ritter v., ſel. Witwe u. Braumüller, deren Buchhandlung, 162.

Mohn, Gottl., Glasmaler, 76. 77; deſſen Glasmalereien im Ritterſchloſſe zu Lachſenburg, 257.

Moll, Anton, Bildhauer, 72.

Moll, Balthaſ., Statuar, 123.

Mollner, Peter, Architekt, 59.

Mollo, Eduard, Kunſthändler, 195.

Morawſky, Rudolph, deſſen Strohhut-Niederlage, 103.

Morawetz, Franz, deſſen Sophien-Badeanſtalt, rückwärts des k. k. Invalidenhauſes. (Treffliches Etabliſſement!) 101.

Morton, John, Bronzewaaren-Fabrikant, 193. 276.

Moscagni's a. FlorenzWachspräparate in der JoſephsAkademie, 155.

Moſel, Hofrath von, 215.

Moſer, Joſeph, 279.

Mozart, 254.

Muck, Joh., Hutmacher, 106.

Müldorfer, Ignaz, Hiſtorienmaler, 74.

Müller, Heinr. Friedr.,Kunſthändler, Seite: 196.

Mutina, Thom. v., Hiſtorienmaler, 211.

N.

Napoleon's Krönungsornat, 200.

Natterer, Naturforſcher und Cuſtos, 179.

Neſtroy, Schauſpieler, 136.

Neufchateau, Graf Francois de, Miniſter des Innern in Frankreich, faßt die erſte Idee zu einer GewerbsAusſtellung, 198.

Neuhauſer, Georg, 65.

Neumann, L. T., Kunſthändler, 195.

Neuling's Brauhaus u. Garten, 97.

Neuner's Kaffeehaus, 98.

Nigelli, Hofarchitekt, 73.

Nobile, Peter, k. k. Hofbaurath, 52. 121.

Nolze, Sidon, 277.

O.

Oberkirchner, Jakob, Verfertiger der Thurmuhr zu St. Stephan 1699, 67.

Oefl, Jak., Baumeiſter, 273.

Oeſterlein, Nikolaus,Begründer der Zeitſchrift: Oeſterr. Morgenblatt, 114.

Oppenheim, die Familie, ſtiftet das Spital für Iſraeliten, 240.

Ospel, Ant., Zeugwart, 208.

Ospel, Johann, Baumeiſter, 86.

Oſtade, Maler, 219.

P.

Paar, Fürstin, deren Garten in Hütteldorf, Seite: 252.

Pacetti, Bildhauer, 212.

Pachmann, Historienmaler, 70. 76.

Paholik, Johann, Verzierungs=Bildhauer, 89.

Palamino, Historienmaler, 78.

Paterno's, Anton sel. Witwe, deren Kunsthandlung, 196.

Pazmann, Peter, Primas v. Ungarn, 145.

Pellegrini, Ant., Historienmaler, 88. 89.

Pelzel, Franz, Wund= und Geburtsarzt, 241.

Peluzzi, Historienmaler, 217. 264.

Perger, Jakob, 278.

Perger, Sigmund, Custos in der k. k. Gemälde=Gallerie, 214.

Perugino, Pietro, Historienmaler, 217. 218.

Peter, Steinmetz aus Nürnberg, 64.

Petko, Th., Damen=Kleidermacher, 103.

Peutinger, dessen berühmte Karte, 164.

Pezzl, Johann, Schriftsteller, 110.

Pichler's, Anton sel. Witwe, deren Buchdruckerei, 161.

Pichler, Michael, 275.

Pieringer's Badetempel in Pötzelsdorf, 274.

Pilat, Hoffekretär v., Redakteur des österr. Beobachters, 113.

Pilgram, Ant., Baumeister aus Brünn, 68.

Pizigelli, Dr. C., dessen Beschreibung der medizinisch=chirurg. Josephs=Akademie, Seite: 155.

Pitznigg, Franz, Herausgeber der Zeitschrift: Mittheilungen aus Wien, 114.

Pletz, Dr. Jos., Hof= und Burgpfarrer u. Herausgeber der neuen theologischen Zeitschrift, 116.

Plössl, G. S., Optikus, 277.

Pötscher's Kleider = Reinigungs=Anstalt, 107.

Pohl, Dr. Joh. Bapt. Eman., Naturforscher und Custos, 179.

Potter, Paul, Maler, 218.

Pozzo, Andr., Jesuiten=Frater, Historienmaler, 74. 75. 76. 174. 217.

Prechtl, J. J., k. k. n östr. Regierungsrath u. Direkt. des k. k. polytechnischen Instituts, 113.

Primisser, Alois, Custos in der k. k. Ambraser=Sammlung (†), 206.

Prohaska's anatomische Präparate, 143; dessen mikroskopische Einspritzungen, 177.

Prokop, Philipp, Bildhauer, 91.

Pronay, Freiherr von, 130.

Prutzmann, J., 277.

Puchsbaum, Hans, auch Buchsbaum u. Puxbaum, Baumeister, 33. 66.

R.

Rafaelli, dessen Mosaikbild, 206.

Rahl, Karl sen., k. k. Kammer=Kupferstecher und Professor an der Akademie der

vereinigten bildenden Künste, Seite: 92.

Rahl, Karl, der Jüngere,
Historienmaler, 92.

Raimann, Dr. Joh Nepom.,
Hofrath u. Leibarzt des Kaisers, 113.

Rau, Johann, Lithograph,
besonders geschickt in Far-
bendruckarbeiten, 197.

Redl, Joseph, Professor u.
Historienmaler, 90.

Reeck, Friedrich, 276.

Reichenbach, Dr. Karl, jetzt
Freiherr u. Besitzer des Co-
benzlberges, 84. 255.

Reithofer's Mieder aller Art,
104.

Rembrandt, 216.

Riccard, Alex., dessen Handschriften, 164.

Ricci, Sebastian, Historienmaler, 89.

Richard Löwenherz, König,
265.

Richter, A. L., dessen werth-
lose Darstellung des k. k.
Ambraser-Kabinets, 207.

Ritzenthaler, Friedr., dessen
Leinwäschhandlung, 103.

Ritzenthaler, Joseph, dessen
Bekleidungsanstalt, Klei-
dermagazin und Kleider-
ausleihanstalt, 105.

Römer, Dr A., 176.

Römer, Ferdinand, Orgel-
macher, 66.

Rösner, Architekt u. Professor, 239.

Roettiers, Historienmaler,
76. 92.

Rhab, Otto, dessen Mieder
ohne Stahl und Fischbein,
104.

Rohrmann, Peter, k. k. Hofbuchhändler, Seite: 162.

Rohrweck, Franz, dessen Glas-
handlung, 276.

Roos, Heinrich, Maler, 219.

Rosa, Johann, Historienmaler, 270.

Rosenthal, des Kunstgärt-
ners, Blumen-Verkaufan-
stalt, 118.

Rottmann, Frau von, deren
Grabmal von Antonio Fi-
nella aus Florenz, in Penzing, 251.

Rottmayr von Rosenhain, Historienmaler, 62. 72. 75. 76.
88. 89 91. 262.

Rozet, J. F., dessen Galan-
teriewaarenhandlung, 276.

Rubens, Historienmaler, 217.

Rudolph II., Kaiser, 203.

Rupprecht, Joh. Bapt., dessen Ausstellungsgarten u.
Chrysanthemen = Samm-
lung u. Kartoffelsorten, 129.

Ruß, Karl, Custos der k. k.
Bildergallerie im Belvedere, dessen Kompositionen
aus der Geschichte von Oesterreich und seine Samm-
lung v Holzschnitten, 230.

Runsch's anatomische Präparate, 143.

Rysdaal, Historienmaler, 219.

S.

Talm, Leop., dessen Ueber-
setz-, Kopir- und Schreib-
Komptoir, 119.

Salomon, Professor am k. k.
polytechn. Institut, 221.

Sammer, Rudolph, Buch-
händler u. Antiquar, 162.

Sandrart, Historienmaler,
62. 70. 71.

Saphir, G. M., Redacteur des Humoristen, Seite: 115.

Saphoy, Hans, Baumeister, 68.

Sauerwein, Joseph, dessen Nürnbergerwaaren = Handlung, 277.

Schaden, Architekt, 259.

Schaller, Hofbildhauer, 165.

Schaumburg, Friedrich, und Kompagnie, Buchhändler, 162.

Scheffer, Joh., Historienmaler, 259.

Scheichel, Franz, Glockengießer aus Wien, 61.

Scheiger, Joseph, Schriftsteller, 208.

Scheinpfeil, Baumeister, im Jahre 1310, 70.

Schels, J. B. Ritter v., Redakteur der österr. militär. Zeitschrift, 115.

Schener, Christoph, Uhrmacher, 209.

Scherzer, Gebrüder, deren Gasthaus zum Sperl, in der Leopoldstadt, 95.

Schiffering, Georg, Baumeister aus Nördlingen, 78.

Schilcher, Historienmaler, 91.

Schilde, Anna, deren Blumen u. Schmuckfedern, 103.

Schilling, Georg, Historienmaler, 87.

Schimmer, Herr, 262.

Schindler, Prof. Joh., Historienmaler, 71. 91.

Schmid, Anton Edler von, dessen Buchdruckerei, 161.

Schmidt der Aeltere, Mart. Joach., Historienmaler, 65.

Schmidt, Mart., Historienmaler, 74. 75.

Schmidt, Historienmaler, genannt d. Kremser-Schmidt, Seite: 90.

Schmidtbauer, Edl. v., dessen Bücher=Auktions=Institut, 119.

Schmutzer, Jakob, Kupferstecher, 184.

Schnorr von Karoldsfelden, Ludw., Historienmaler, 71. 74. 77. 91. 263.

Schönborn = Buchheim, des Grafen, Gemäldesammlung, 219.

Schönfeld, Fr., Kunststopfer, 107.

Scholz, Schauspieler, 136.

Schopf, F. J., Herausgeber des Archivs f. Civil=Justizpflege, 112.

Schott, Naturforscher und Custos, 179.

Schultes, J. A., Professor, dessen Donaufahrten, 19.

Schuppen, Jakob van, Historienmaler, 88. 89. 184.

Schwarz, Jakob, 277.

Schwarzenberg, Fürst von, dessen Bibliothek, 168; dessen Sommerpalast u. Garten, 124.

Sconians, Historienmaler, 72. 90.

Seidel, J., dessen Pflanzensammlung in Hiezing, 251.

Sembach, Christian, Historienmaler, 255.

Seghers, Maler, 237.

Seyfried, Ritter v., Redacteur des Unterhaltungsblattes: Der Wanderer, 115.

Singer, Franz, Historienmaler, 93.

Singer, Joh., und Goering, Buchhändler, 162.

Slama, Frau Magdalena,

deren Putzwaaren = Verlag, Seite: 103.

Solimena, Franz, Historien= maler, 212.

Sollinger, P., Buchdrucker u. Schriftgießer, 161.

Southner, Joh., Bildhauer, 89,

Spielberger, Historienma= ler, 72. 75. 76.

Spörlin und Zimmermann, deren Papiertapeten = Fa= brik, 277.

Sprenger, Paul, Professor, 8s.

Stahremberg, Rüdiger Graf von, Vertheidiger Wiens gegen die Türken 1683, 67; dessen Grabmal bei den Schotten, 70.

Stegmaier, Heinr., Histo= rienmaler, 87.

Stein, A., dessen Pianoforte= Fabrik, 276.

Steinbüchel, A. von, 203.

Steinek, Beatrix, derselben Putzwaaren=Verlag, 103.

Steiner, Historienmaler, 274.

Steinfelder, Nikolaus, dessen wasserdichte Stiefel und Schuhe, 106.

Stiebitz, Joseph, dessen be= suchte Spezerei= u. Wein= handlung zum schwarzen Kameel, 96.

Stieber, Joseph, Kunsthänd= ler, 195.

Stifft, Staatsrath Freiherr von, Gründer des Zootomi= schen Kabinets an der k. k. Universität, 175; dessen Büste von Kißling in dem= selben Kabinet, ebend.

Stipperger's Gasthaus zum guten Hirten, unter den Weißgärbern, Seite: 95.

Stipperger's sehr besuchtes Gasthaus zur goldenen Bir= ne, 95.

Storch, Wenzel, Parfumeur, 277.

Strattmann, Historienmaler, 90.

Straub, des Kirchenmeisters Joh., merkw. Grabmal un= ter dem Eingange des ho= hen Thurmes bei St. Ste= phan, 61.

Strauß, Anton sel. Witwe, deren Buchdruckerei, 160.

Streicher, J. B., dessen Pia= noforte=Fabrik, 276.

Strudel, Dominik, Historien= maler, 163.

Strudel, Peter Freih. von, Historienmaler, 70. 74. 87. 88. 91. 152. 184. 265.

Strudel, Dominik und Paul, Bildhauer, 163.

Stuver, Ant., k. k. Lust= und Kunstfeuerwerker, 140.

Swanfeld, Maler, 219.

Swieten, Gerhard van, des= sen Grabmal in der Hof= pfarrkirche zu den Augusti= nern, 76; jetzt im Saale der k. k. Hofbibliothek auf= gestellt, 165.

Syrlin, auch Sürlin, Jörg, Bildhauer und Bildschnitzer, 62.

T.

Tauer, Johann, dessen öf= fentliche Leihbibliothek,117; dessen Antiquar=Buchhand= lung, 163.

Tendler, Franz, u. Schäfer, Buchhändler, 162.

Tenier, Maler, Seite: 219.

Terburg, Maler, 219.

Theresia Anna Felicitas, Herzogin von Savoyen, erbaut die k. k. Ingenieur-Akademie, 152.

Thonner, Franz, Schustermeister, und dessen treffliche Arbeit, 106.

Timur's Säbel, 200.

Trattner, von, dessen Freihaus, 89.

Troger, Paul, Historienmaler, 90. 91. 270.

Treu, Nuglisch und Komp., 277.

Tschischka, Franz, Schriftsteller, 60. 64. 111.

Tuschke, Frau Barbara, 268.

Tycho Brahe, dessen Bücher und Handschriften, 164.

U.

Uffenheimer, Max., Spielkartenfabrikant, 278.

Unterberger, Christoph, Historienmaler, 70.

Unterberger, Michel Angelo, Historienmaler, 62.

V.

Venus, Mich, 226.

Vernet, Maler, 219.

Veronese, Paul, Historienmaler, 222.

Volke's, Friedrich, sel. Witwe, deren Buchhandlung, 162.

W.

Wagemann u. Böttger, 276.

Wagenschön, Franz, Historienmaler, 75.

Walditsch, L., dessen Alliance littéraire, Seite: 112.

Wallenstein, Herzog v. Friedland, 217.

Wallishausser's, Joh. Bapt., sel. Witwe, deren Buchhandlung, 162.

Wallnöfer, Franz, u. Söhne, deren Gold- u. Silber-Galanterie-Waaren, 105.

Weber, David, Antiquar-Kunsthändler, 196.

Weidmann, Franz Karl, Schriftsteller, 246.258.269.

Weiß, Jakob, Bronzewaaren-Fabrikant, 193. 276.

Weiß, Viktor, Edl. v. Starkenfels, 148.

Weissenberger's Restauration in Wagram, 142.

Wenzla, Meister, Baumeister aus Klosterneuburg, (1359), 66.

Werner, Ludw. Friedr. Zach., Dichter und Schriftsteller, 261.

Wernher, Probst, 264.

Wertheimer, von, Begründer der Kleinkinder-Bewahr-Anstalten, 232.

Wiese, Heinrich, Herausgeber der Zeitschrift für Oesterreichs Industrie und Handel, 115.

Wildauer, J. N., 111.

Wildner, Ignaz, Herausgeber der Zeitschrift: Der Jurist, 114.

Wimmer, Franz, Buchhändler, 162.

Wouvermann, Maler, 219.

299

3.

Zauner, Franz von, Professor, Seite: 55. 72. 270.
Zelle, Wilh., dessen Stroh-hut-Niederlage (nach Florentiner-Art), 103.

Zeno, Apostolo, dessen Handschriften, Seite: 164.
Zimmermann, Joseph, Med. Dr., 239.
Zobel, Johann, Hofarchitekt, 257.
Zoller, Franz, Historienmaler, 93.

Sach- und Orts-Register.

A.

Abendgesellschaften, S. : 140.
Abreise von Wien, 279.
Abreise mit Extrapost, was dabei zu beobachten, 280.
Adelige Frauen, deren wohlthätige Gesellschaft, 222.
Adler, der, Welt= und Nationalchronik; 112.
A. E. I. O. V., Erklärung dieser Devise Kaiser Friedrichs IV. , 63.
Adressen = Bücher der Handlungsgremien und Fabriken, 111.
Advokaten (Gerichts=), Notare und Agenten, 42.
Aegidius, die Kirche zum h. in Gumpendorf, 90.
Aegyptische Alterthümer, das k. k. Kabinet derselben, 204.
Aerarialfabriken, 190.
Aerarial=Porzellan=Manufaktur = Niederlage, die k. k., 278.
Aerarial = Staatsdruckerei, die k. k., 260.
Aerzte in Wien, deren Gesellschaft, 149.
Akademie der vereinigten bildenden Künste, 184.
Akademie der morgenländischen Sprachen, die k. k., 148.

Aktien der k. k. Nationalbank, Seite: 49.
Albertinische Wasserleitung, 81.
Alliance littéraire , französ. Zeitschrift , 12.
Allgemeines k. k. Krankenhaus , 134.
Alservorstadt, Alsergrund u. Währingergasse, Vorstadt, 80.
Alterthümer, k. k. Kabinet egyptischer, 204.
Althan, der, Vorstadt, 80.
Alt=Lerchenfeld, Vorstadt, 80.
Altmannsdorf, Ortschaft, 272.
Alumnat, Fürsterzbischöfliches, 145.
Amalienhof, der, in der k. k. Hofburg, 57.
Ambras in Tyrol, Handschriften aus dem Schlosse, 164.
Ambraser = Sammlung, die, im unteren Belvedere, 84. 178. 204.
Amtspass des k. k. Hofpoststallamtes, 280 u. 281.
Anatomisch = pathologisches Museum im allgemeinen Krankenhause, 177.
Anatomische Präparate an der k. k. Universität, 177.
An der Wien und Laimgrube, Vorstadt, 80.

Anfrage= u.Auskunfts=Komp=toir, allgem., Seite: 111.

Aninger, der große u. kleine, mit trefflichen Fernsichten, 261.

Anmeldung zur Reise mit dem Eil= u Separat=Wagen, 11.

Anna, die Kirche zur h., 74.

Anna= (Wein=) Keller, 97.

Anna, Normalschule zu St., 146; Zeichnenschule, daf.

Annalen der k. k. Sternwarte, 112.

Annalen des Wiener = Muse=ums, 112.

Ansichten, Historisch = malerische, von Wien u. den Umgebungen, 93 u. 94.

Ansichten der Umgebungen Wiens, 246.

Anstalten, lithograph=, 197.

Anstalten z. angenehmen Erheiterung, zum Vergnügen u. zur Belustigung, 119.

Anstalten der Humanität und Wohlthätigkeit, 221.

Antiken= u. Münzkabinet, das k. k., 209.

Antiquar = Buchhandlungen, 162.

Antiquitäten= und Gemälde=handel, 196.

Antonsbrücke, die, bei Baden, 247.

Anzeiger, allgemeiner musikalischer, 112.

Archiv, botanisches, der Gartenbaugesellschaft des öster. Kaiserstaates, 112.

Archiv für Civil=Justizpflege, 113.

Arcieren=Leibgarde,d.deutsche k. k. adelige, 41.

Armaturen=,Münzen= u. Antikenhandel, 196.

Armen = Institut, das k. k., Seite: 227.

Arrestanten=, auch Inquisitenspital im k. k. Provinzial=Strafhause, 240.

Arsenal, das k. k. Ober= und Unter=, 208.

Art der Abreise v. Wien,279.

Artesische Brunnen in Altmannsdorf, 272; solche Brunnen gab es in Oesterreich bereits seit 150 Jahren, ebend.

Assecurazioni generali Austro-Italiche, 46.

Atzgersdorf, Ortschaft, 262. 266.

Aufenthaltsschein f. Fremde, 25; dessen Abgabe bei der Abreise des Fremden, 279.

Auferstehung Christi, Feier derselben in der k. k. Hofburgkapelle, 40.

Aufspritzen zur Vermeidung des Staubes, 44.

Aufnahmsklassen im k k. allgemein. Krankenhaus, 234.

Augarten, der, 130. 132.

Augustiner, Hofpfarrkirche d, 72.

Ausbrüche von ungarischen Weinen, 38.

Aus= und Einwechselung ausländischer Münzsorten, 8.

Auskunfts=Bureau für musikalische Angelegenheiten jeder Art, 111.

Ausländische Münzen und Werth derselben, 5.

Aussicht, herrliche, vom Kirchenthurm zu Maria=Stiegen, 77.

Ausstattung, Stiftung zur, armer Mädchen, 222.

26

Ausstellung weiblicher Hand=
arbeiten, Seite: 223.

Ausstellung von veredeltem
Horn= und Schafvieh im Au=
garten, 182.

Ausstellungen, Blumen=,
Pflanzen= und Obst=, im
Garten der k. k. Gartenbau=
gesellschaft, 127. 148.

Ausstellungsgarten des Joh.
Bapt. Rupprecht, 129.

Autographensammlung in d.
k. k. Hofbibliothek, 165.

B.

Badeanstalt, unentgeldliche
offene, im Donauarm un=
terhalb der Schwimmschule
am Praterdamm, und Ba=
deanstalten überhaupt, 101.

Badeanstalt auf der Mauer,
262.

Baden, landesfürstl. Stadt,
246; Thal hinter Baden,
247.

Badetempel in Pötzleinsdorf,
schöner Aussichtspunkt nach
Wien, 274.

Bäcker= auch Schanzwiese auf
der hohen Wand, 252.

Bäder, 100.

Bäder, Entfernungen eini=
ger Heil=, von Wien, 1.

Ballhaus, das, eigentl. Ball=
spielhaus, 137.

Barmherzige Brüder, deren
Kirche u. Kloster in der Leo=
poldstadt, 86.

Barmherzige Schwestern, de=
ren Institut, 239.

Barnabiten, Pfarrkirche und
Kloster der, bei St. Michael,
am Michaelsplatz, 70.

Bastei, die. 28. 32; Spa=
ziergang auf derf., 120.

Baumerkwürdigkeiten im In=
nern der Stadt, 56; in den
Vorstädten, Seite: 81.

Begräbnisse u. Kirchhöfe, 243.

Begräbnißkosten, 243.

Beikaleschen, die Post=, 12.

Bekleidungs=Anstalt des Jos.
Ritzenthaler, 105.

Beleuchtung der Stadt u. der
Vorstädte, 44.

Belvedere, k. k. Lustschloß,
84.

Benediktiner zu den Schotten,
Bibliothek derselben, 170.

Beobachter, Oesterreichischer,
polit. Zeitung, 113.

Bertholdsdorf, gewöhnlich
Petersdorf genannt, 266.

Besserungs=Anstalt, die k. k.,
46.

Bethäuser der Gemeinden
Augsburg. u. Helvetischer
Confession, 73.

Bettdecken, 275.

Bevölkerung Wiens, 36.

Bibliotheken, öffentliche und
Privat=, 167 u. f.

Bibliotheken zum Privatge=
brauch wissenschaftlicher u.
Kunstanstalten, 169.

Bierhäuser, deren Anzahl in
der Stadt und den Vorstäd=
ten, und Namhaftmachung
der besuchtesten, 97.

Bildende Künste, Privatver=
ein zur Beförderung dersel=
ben, 194.

Bildende Künstler, 189.

Bildungs= und Erziehungs=
anstalten, wissenschaftliche
und allgemeine, 142.

Bildungsanstalt, höhere, für
Weltpriester, zum h. Au=
gustin, 146.

Blätter, Zeitungen. u. Journale, periodische, Seite: 112.

Blechwaaren, lackirte, 275.

Blinde, Privatverein zur Unterstützung für erwachsene, 226.

Blinden = Institut, das k. k., 226.

Blöde, Verpflegsanstalt für, 241.

Blumen=, Pflanzen= u. Obst= Ausstellungen der k. k. Gartenbaugesellschaft, 127.

Blumen=Verkaufanstalt., 118.

Bohlenbrücke in Gumpendorf, 36.

Bohrmaschine der Gewehrläufe in der k. k. Gewehrfabrik, 193.

Börse, die k. k., 48.

Botanischer Garten im k. k. Lustschlosse zu Schönbrunn, 271.

Botanisches Museum, 172.

Botschafterstiege in der k. k. Hofburg, und die fliegende Stiege, 56.

Brandschaden=Versicherungs= Anstalten, 45.

Brasilianisches Museum, 171.

Brauhaus, das, in Hütteldorf, 252; das Held'sche in Liesing, 38.

Brauhäuser in d. Stadt, 38.

Breitenfeld, Vorstadt, 80.

Breitenfurt, Ortschaft, 267.

Briefaufgabeamt in d. Stadt und bei den Filialämtern, 107. 108.

Briefpost=Anstalt, die k. k., 107.

Briefsammlungen in den Vorstädten, 108.

Briefträger, Kommerzial=,

spediren Personen und Güter nach allen Richtungen, Seite: 281.

Briel, der oder die, bei Mödling; in die vordere und hintere Briel getheilt, 260. 262.

Brigittenau, die, 130. 133.

Bronze= u. Eisengießerei, 193.

Bronzewaaren, 276.

Bronzewaaren=Fabriken, 193.

Brunn am Gebirge, Ortschaft, 261.

Brunnen, der, im Magistratsgebäude mit einem Meisterwerk v. Rafael Donner aus weichem Metall, 58.

Brunnen u. Wasserleitungen, in d. Vorstädten, 81. 83. 84; artesische auf dem Getreidemarkte, 84.

Brunnenstuben, die, der Albertinischen Wasserleitung bei Hütteldorf, 252.

Buchbinder=Arbeiten, 276.

Buchdruckereien, 160.

Buchhandlungen, 161.

Bücher, deren Einführung u. Censur, 10.

Bücher = Auktions = Institut, 119.

Bücher=Revisions = Amt, das k. k. Central=, 10.

Bücherzahl in der k. k. Hofbibliothek, 164.

Büchsenmacher = Lehrinstitut, in der k. k. Gewehrfabrik, 192.

Büreau, Topographisches, des General = Quartiermeisterstabes, 195.

Bürger=Militär, das, in Wien, 36.

Bürgerspital, das, eines der größten Häuser Wiens, 59.

Bürgerſpital u. Verſorgungs=
haus zu St. Marx (Markus)
Seite : 230.
Burgkapelle, die k. k., 69.
Burgplatz, der innere u. der
äußere, 53.
Burgwache, die k. k. Hof=, 57.
Burgthor, das neue, 52.
Burkersdorf, erſte Poſtſta=
tion , 253.

C.

Cabinen, geſonderte, mit So=
pha's u. Schlafſtellen auf
den Donau=Dampfſchiffen,
282.
Caſino, Reſtauration im, auf
der ſogenannten Mehlgrube
am Mehlmarkt , 24.
Chamäleon=Wägen, Wiener,
279.
Chineſiſches Kabinet im k. k.
Luſtſchloſſe Hetzendorf, 272.
Circus für Kunſtreiter im
Prater, 131.
Civil=Ehrenkreuz, 42.
Civil = Kriminal = Gefängniß,
46.
Civil=Mädchen=Penſionat, das
k. k., zur Bildung von Leh=
rerinnen , 150.
Civil=Polizeiwache, 51.
Cobenzlberg, der Raiſen= od.
jetzt Eigenthum des Frei=
herrn v. Reichenbach, 255.
Concerts spirituels , 189.
Curat=Geiſtlichkeit , 40.

D.

Damen=Galanterie= u. Stick=
waarenhandlung in der Bi=
ſchofgaſſe Nr. 634 , 104.
Damenkleider, 102.

Damenkleider = Verfertiger ,
Seite : 103.
Damenſchuhe, wo ſie zu be=
kommen , 105. 106.
Damenſtift , das herzogl. Sa=
. von'ſche , 59.
Damen = Schwimmanſtalt im
Augarten nächſt der Tabor=
linie , 101.
Dampfſchiffahrt auf der Do=
nau, 18. 281.
Deutſchen Ordens, die Kirche
des , 75.
Detail= oder Kleinhandlun=
gen , 47.
Dianabad, 100.
Dienſtboten , deren Anzahl,
36.
Dienſtboten=Prämien, 222.
Direktion des k. k. Hof=Natu=
ralien=Kabinets , 179.
Döbling , Ortſchaft , 263.
Dominikanerkirche, urſprüng=
lich (1186) für die Tempel=
herren gebaut , 76.
Donau=Dampfſchiffahrts=Ge=
ſellſchaft, deren Wirkungs=
kreis u. Büreau, 281; Prei=
ſe der Plätze zur Reiſe nach
Konſtantinopel , 282.
Donaufahrt, die, mit ge=
wöhnlichen Schiffsgelegen=
heiten von Ulm nach Wien ;
18; mit dem Dampfſchiffe
ſtromauf= u. ſtromabwärts,
ebend. ; Schriften, die Do=
naufahrt betreffend , 19.
Dornbach, Ortſchaft, 249. 253.
Donau = Badeanſtalt, unent=
geldliche , 101.
Donaudurchſtich , 142.
Donaufahrt mit Dampfſchif=
fen auf= u. abwärts , 281.
Donaukanal, 34.
Donauweine, 38.

Douche=, Schwitz=, Regen= und Sturzbäder, Seite: 101.

Drechslerwaaren, 276.

Dreieinigkeit, die Pfarrkirche zur heil., und das Kloster der Minoriten in d. Hauptstraße der Alservorstadt, 92.

Druckwerke, Behufs specieller Notizen über Wien, rücksichtlich der Behörden u.s.w. 110.

Durchmärsche des Militärs, 50.

Durchstich der Donau zur Seite des Prater=Lusthauses, 142.

Dürenstein, Schloßruine an der Donau, 265.

E.

Edelknaben, die k. k., 40. 41.

Egeria, Statue am schönen Brunnen, Beyer's Meisterwerk in Schönbrunn, 270.

Eilfahrt, die, 11.

Eilfahrt nach Baden, 248.

Einfuhrartikel, erlaubte, verbotene, zollfreie und zollbare, 9. 10.

Einlösungs= oder Anticipations=Scheine, 5.

Eisengießerei, 193.

Eisenguß, Schmuckwaaren aus, 193. 276.

Eligiuskapelle, die, mit dem Rosenfenster in der St. Stephanskirche, 65.

Elisabeth, Kirche zur heil., auf der Landstraße, mit dem Kloster d. Elisabethinernonnen, 87; Krankenhaus dieser wohlthätigen Nonnen, 239.

Elisabeth = Theresianische Militär=Stiftung, Seite: 42.

Empfehlungsbriefe, 8.

Engelhardszell, k. k. Grenzmauth, 18.

Enzersdorf, mit den Ruhestätten des Astronomen M. Hell u. des Dichters L. Fr. Zach. Werner, 261.

Equipagen, glänzende, in Wien, 70.

Erdberg, Vorstadt, in derf. wurde K. Richard Löwenherz gefangen genommen, 79.

Erfodernisse zur Abreise von Wien, 279.

Erlaubnißzettel, sich der Extrapostpferde bedienen zu dürfen, 280.

Erzeugnisse, empfehlenswerthe, der Gewerbs = Industrie, 275 u. f.

Erziehungs=Institut für k. k. Offizierstöchter, 151.

Ethnographisches Museum, 178.

Extrapost, die fahrende, 12; kouriermäßige Beförderung mit derselben, 16; Reise mit dem Stundenpasse, 17.

F.

Fabriken u. Fabriksbefugnisse, 47.

Fahrpost = Aufgabeamt, das k. k., 109.

Fahrpostsendungen, was bei kleinen zu beobachten, 108.

Fastenpredigten in polnischer Sprache werden in der St. Salvatorkirche gehalten, 77.

Ferdinandsbrücke, 34.

Ferdinand= und Maria = Da=
men= u. Herren=Badeanstalt
im Rücken des Augartens
nächst der Taborlinie, Sei=
te : 101.
Ferdinands = Nordbahn, Kai=
fer, Fahrten auf derselben
mittelst Dampfwägen nach
Wagram, Lundenburg und
Brünn, 142.
Feuergewehrfabrik, die k. k.,
192.
Feuerlöschanstalten, 45.
Feuerwerke, 140.
Fiaker, ihre Zahl und Taxe,
99.
Filial = Invalidenhaus, das
k. k., 224.
Filial=Postämter, 108.
Findelhaus, das k. k., 228.
Fischerthor, das, 62.
Flächeninhalt der Stadt Wien
u. deren Gebiet, 31.
Flora, botanischer Garten für
die österreichische, 124.
Florentiner=Strohhüte, 103.
Floß=, Schwimm= u. Bade=
anstalt im Augarten, nächst
der Taborlinie, 101.
Fortepiano's, 118. 176.
Franzensbrücke, 85.
Franzensburg, die, mit ih=
ren Sehenswürdigkeiten,
257.
Franziskanerkirche, 75.
Franziskanerplatz, 56.
Frau, die weiße, 71.
Frauen, Gesellschaft der ade=
ligen, 222.
Freihaus, Fürstlich v. Star=
hembergisches, auf d. Wie=
den, mit 900 Einwohnern,
85.
Fremdenkommission, die, 25.
Fronleichnams=Prozession, 40.

Fünfhaus, Ortschaft außer d.
Linie, wird in polizeilicher
Hinsicht noch zu Wien ge=
rechnet, Seite : 81.
Fürstengruft bei St. Stephan,
68; bei den P. P. Kapuzi=
nern, 69.
Fußwaschung, die öffentliche,
40.

G.

Gablitz, Ortschaft mit Brau=
haus, 253.
Gaden, Dorf, 261.
Galanterie=Drechslerwaaren,
176.
Gallerie der k. k. Hofschauspie=
ler, 219.
Gärten, öffentliche und Pri=
vat=, 121.
Gallizinberg, 256.
Garnison in Wien, 49.
Garten, botanischer, für die
österreichische Flora, 124.
Garten, der botanische, der
k. k. Josephs=Akademie, 123.
Gartenbaugesellschaft, Garten
der k. k., vormals Privat=
garten K. Franz I., 127.
Gartenbaugesellschaft, d. k. k.,
148.
Gasbeleuchtung, 45.
Gassen und Straßen in Wien,
62.
Gasthäuser u. Gasthöfe in der
Stadt und den Vorstädten,
24. 95.
Gatterhölzl, das, bei Hetzen=
dorf, 272.
Gebärhaus, das k. k., 229.
Gebäude, öffentl., unfern d.
Wasserglacis, zum Ver=
brennen des Papiergeldes
bestimmt, 121.

Gefängnisse, Seite: 46.
Gegenden um Wien, 34.
Geheime Räthe, k. k., 40. 42.
Geisberg, der, bei Radaun, 268.
Geldbriefe, was bei deren Aufgabe zu beobachten, 108.
Geldwesen, das, im österr. Kaiserstaate, 5 u. f.
Gelehrte und Schriftsteller, deren Anzahl, 150.
Gemälde-Gallerie, die k. k., im oberen Belvedere, 84. 212.
Gemälde- und Kupferstich-sammlungen, 212 u. f.
Gemälde, Kupferstiche und Handzeichnungen des Fürsten Paul Esterhazy, 216.
Gemäldesammlungen v. Privaten, 220.
Gemssteig, Anlage auf dem, bei Baden, 247.
Gemeinde-Armenhaus in der Leopoldstadt, 231.
Gemüthskranke, Privatheil-anstalt für, des Dr. Görgen, 240.
Genealogisch-heraldische und Siegelsammlung, 210.
Generalbaß, Anweisung zur Erlernung desselben, 146.
General-Quartiermeisterstab, Topographisches Bürcau desselben, 195; dessen lithographische Anstalt, ebd.
Geniekorps-Kadeten, 152.
Gepäck des Reisenden mit d. Eilwagen, 11 u. f.
Gerichts-Verwaltungen in Wien, 42.
Gersthof, Ortschaft, 274; des Dichters Heinr. Jof. Collin Grabmal daselbst.
Gefang-Ausbildungsschule,

musikalisch-dramatische, der Frau Marianna Czegka-Auernhammer, Seite: 189.
Gefangunterricht der Gesellschaft der Musikfreunde des österr. Kaiserstaates, 189.
Geschäftskanzleien, 112.
Gesellschaft d. Aerzte in Wien, die k. k., 149.
Gesellschaft, die, adeliger Frauen, zur Beförderung des Guten und Nützlichen, 222.
Gesellschafts-Konzerte des Konservatoriums d. Musik im großen k. k. Redouten-saale, 188.
Gesellschaft zur Verbreitung der Kunst auf die Industrie, 198.
Gesellschaftswägen n. Wiens Umgebungen, 100. 246.
Gesundheitszeitung, 113.
Gewehrfabrik, die k. k., 192.
Gewerbs-Industrie, Erzeug-nisse derselben, 102 u. f.
Gewerbs-Produkten-Ausstel-lung für die gesammte Monarchie, 198. 275.
Gewölbe, unterirdische, in der St. Stephanskirche, 68.
Gieshübel, Dorfschaft, 269.
Glacis, das, oder die Es-planade, Promenade auf derselben, 82. 120.
Glasmalereien in d. St. Ste-phanskirche, 65; in d. Kir-che zu St. Ruprecht, 76; in der Kirche zu Maria-Stie-gen, 77.
Glaswaaren, 276.
Glocke, die große, im St. Ste-phansthurm, 67.
Gold- und Silber-Galanterie-waaren, 105.

Gottesdienst der deutsch. Juden, Seite: 78.

Graben, der, öffentl. Platz, 54. 119.

Grabmal der berühmten weisen Frau bei den P. P. Michaelern, 71.

Grabmäler auf Kirchhöfen, 243.

Greifenstein, Ortschaft und Burgruine an der Donau, 265.

Griechen, Kirchen d. unirten und nicht unirten, 77 u. 78.

Grinzing, Ortschaft bei Wien, 255.

Großhandlungen, 47.

Grundgerichte in den Vorstädten, 51.

Gumpendorf, Vorstadt, 79.

Gußspiegel = Manufaktur zu Neuhurkenthal in Böhmen, 191.

Guß= u. Zeughaus, das k. k., 208.

Gymnasien, öffentliche, 145.

Gymnasial = Schüler, deren Anzahl, 145.

H.

Hacking, Ortschaft, 251.

Hadersdorf, 254.

Hadersfeld bei Greifenstein, große Fernsicht das., 266.

Haimbach, Ortschaft, 253.

Handbibliothek des k. k. Münz- u. Antikenkabinets, 201.

Handelsstand und Handelsgeschäfte, 47.

Handlungs = Gremial = Almanach, allgemeiner, 111.

Handlungs-Krankenverpflegs-Institut, 231. 238.

Handlungsrechte, bürgerliche, auf einzelne Artikel, 47.

Handlungs = Schema, J. M. Wildauer's, Seite: 111.

Handschriftenzahl in der k. k. Hofbibliothek, 164.

Handschuhe der feinsten Art, 104.

Harschhof, der, bei Weidling, 266.

Hauptmärkte, 38.

Hauptmauth, die k. k., 281.

Hauptpostwagen = Direktion, die k. k., 109.

Hauptstädte, Entfernung einiger, von Wien, 1.

Haus, das rothe, 85.

Hausbälle, 140.

Häuser, die größten, 59.

Häusermiethe, Betrag ders., 32.

Häuserzahl der Stadt u. Vorstädte, 31.

Hausfrauen = Bildungsanstalt in Währing, 151.

Hauskapelle im k. k. Invalidenhause, 87.

Hauskapelle in der k. k. Theresianischen Ritter = Akademie, 152.

Hausmeister, 110.

Hausirer, 48.

Haus= oder Privatlehrer, 149.

Hausschlüssel, 110.

Hauswiese, bei Baden, 247.

Haut-relief in der Kirche zum heil. Johannes, 74.

Heidenthürme, die, am St. Stephansdom, 61.

Heilanstalt zur unentgeldlich. Behandlung, Pflege &c. 12 armer Kinder des Dr. L.W. Mauthner, 240.

Heiligenkreuz, Cisterzienserstift, u. dessen Merkwürdigkeiten, 261. 262.

Heiligenkreuzer = Wiese nächst

den Krainerhütten bei Baden, Seite : 248.

Heiligenstatt, Ortschaft nächst Wien , 256.

Hermannskogel, 1713 Fuß hoher Berg m. trefflicherFernsicht , 260. 255.

Herrnals , Ortschaft außer d. Linie, wird in polizeilicher Hinsicht noch zu Wien gerechnet, 81. 249.

Heßendorf, k k. Lustschloß u. Ortschaft, 270.

Hießing. Ortschaft n. Schönbrunn , 250.

Himmel, der, anziehender Punkt zur Uebersicht derResidenzstadt, 255.

Himmelpfortgrund, der, Vorstadt, 80.

Hobelspäne, ihre Bedeutung an Gasthäusern, 27.

Hochrotherd, Ortschaft mit trefflicher Fernsicht, 267.

Höflein , Ortschaft , 265.

Höhe des St. Stephansthurmes , 66.

Höhestand der Donau im Wienerkanal, 31.

Hof, am, öffentl. Platz in der Stadt , 53.

Hofagenten, Hof- u. Gerichtsadvokaten , 42.

Hofbibliothek, die k.k. , 163; musikalischeSammlung derselben. 165; Kunst- u. Autographensammlung dersf., ebend.

Hofburg , die k. k. , 56.

Hofburgwache, die k.k. , 41.

Hofdienste, 41.

Hofgarten , der k. k., 122.

Hofkammerpalast,der k. k., 50.

Hofkanzlei, das Gebäude der vereinigten, 58.

Hofkanzlei, die königl. siebenbürgische u. die königl. ungarische, Seite: 58.

Hofkriegs-Archiv , Bibliothek desselben , 170.

Hofkriegsraths-Gebäude,58.

Hof, Pfarrkirche auf dem,71.

Hofpost-Stallamt, d.k.k.,280.

Hofschauspieler, Gallerie der k. k., 219.

Hofstaat , der , Sr. Maj. des Kaisers, 40.

Hof- und Staats-Schematismus , der k.k., 111.

Hof-Stäbe, die k. k. od. Hofämter, 40.

Hoftheater, das k. k., nächst der Burg, 134; nächst dem Kärntnerthore, 135.

Hohe Markt, der, öffentlicher Platz , 53.

Hohe Wand, die, hinter Hütteldorf u. ihre Wasserquellen , 81; Fernsicht daselbst, 252.

Holländische Dörfchen, das, gewöhnl. Hameau genannt, mit dem Marschallszimmer, 249.

Holzhackerhütten , die, bei Hütteldorf, 252.

Hüte , Wiener, 106.

Hütteldorf, Ortschaft , 252. 257.

Humorist, d., Zeitschrift, 113.

Hundskogel, der, in der Briel, 260.

Hundsthurm, Vorstadt, 79.

Hungelbrunn oder Hungelgrund, Vorstadt, 79.

J.

Illuminations-,Dekorirungs- u. Transparenten-Leih-Anstalt, 118.

Imprimatur, das, Wirkung desselben, Seite: 160.

Industrie=Schule der Ursuli=ner = Nonnen für Mädchen, 146.

Ingenieur=Akademie, die k.k., 152; Bibliothek derselben, 169.

Inquisiten=Spital, 240.

Institut, erstes, für arme kranke Kinder, 237.

Institut f. Augenkranke, 236.

Institut der barmherzigen Schwestern, 239.

Institut, lithographisch., 197.

Instrumente, mathematische, optische und physikalische, 277.

Invalidenhaus, das k. k., 223; Filial=Invalidenhaus, 224; Hauskapelle desselben, 87.

Inzersdorf, Ortschaft am Wienerberge, 259.

Irren=Heilanstalt, die k.k., Irrenhaus, auch Narrenthurm genannt, 235.

Israeliten=Spital, 240.

Italiener, Kirche der, 70.

Jägerzeile, Vorstadt, 79.

Jagd= u. Sattelkammer, die merkwürdige, im k.k.Marstalle, dem Burgthore gegenüber, 85.

Jahrbücher der Literatur,113.

Jahrbücher, medizinische, des österr. Kaiserstaates, 113.

Jahrbücher des k. k. polytechnischen Institutes, 113.

Januarius, Kapelle zum heil., im k. k. Lustgebäude, 87.

Johann v. Nepomuk, Kirche zum heil., in d.Leopoldstadt, 87.

Johannes, die Kirche z. heil., in der Stadt, 74.

Johannesstein am Sparbach, Dorf mit Schloßruine,Seite: 261.

Joseph, Kirche zu St., in Margarethen, 89.

Josephs = Akademie, die k. k. medizinisch=chirurgische,153; deren Bibliothek, 160; deren Naturalien=, Instrumenten= und Präparatensammlungen, 175; botanischer Garten ders., 123.

Josephsberg, der, gewöhnlich Kahlenberg genannt, 254.

Josephsplatz, 55.

Josephstadt, Vorstadt, 80.

Journale und Zeitungen, 113.

Juden, Zahl derselben, 40.

Jurist, der, Zeitschrift, 144.

Juwelier=Arbeiten, Wiener, 105.

K.

Kabinet, das k. k., ägyptischer Alterthümer, 204.

Kabinet, das blaue, u. Toiletten = Zimmer der Kaiserin Maria Theresia in Schönbrunn, 270.

Kabinet, das k. k. physikalisch=astronomische, 183.

Kabinet, physikalisches u.mathematisches, des k. k. polytechnischen Instituts, 182.

Kämmerer, wirkliche k. k., 40.

Kärntnerthor, das alte u. das neue, 52.

Kaffeehäuser in der Stadt und Leopoldstadt, 98; der Griechen und Türken, ebend.

Kahlenberg, der, eigentl. Josephsberg, 254; dessen Höhe, 255.

Kahlenbergerdörfel, 255.

Kaiserbad, das sogenannte, am Schanzel, Seite: 100.

Kaiser-Ferdinands-Wasserleitung durch Dampfmaschinen, 82.

Kaisergarten, der, in Lachsenburg, 253.

Kaleschgeld bei der Extrapost, 12.

Kalksburg, Ortschaft m. einer prachtvollen Kirche, 267.

Kaltbadeanstalt in Penzing, 251.

Kaltenleutgeben, Ortschaft in einem romantischen Thale bei Kalksburg, 268.

Kalvarienberg, der, in Herrnals, 249.

Kammerkapelle, die k. k. St. Josephs-, auch St. Michaelskapelle, 70.

Kammerstein, Burgruine bei Kaltenleutgeben, 268.

Kanonenbohrerei, die k. k., 102; Kanonengießerei, eb.

Kapelle, die, des Leichenhofes von Mödling, mit einem Gemälde von Joh. Scheffer, 259.

Kapelle am Ridelberg, die schöne Aussicht von derselben, 273.

Kapellen und Grabmäler auf Kirchhöfen, 243.

Kappel, Kappen, Mützen, 277.

Kapuziner, Kirche d. P.P., 73.

Karl Borromäus, die Pfarrkirche zu St., auf der Wieden, 88.

Karls- (Ketten-) Brücke, 35.

Karmeliterkirche zur h. Theresia in der Leopoldstadt, 86.

Kasernen in der Stadt und in den Vorstädten, 50.

Kasperl, das Theater zum, ist das Leopoldstädter Theater, Seite: 136.

Katakomben, die, nächst d. Theseustempel im Volksgarten, 121. 122.

Katharinenkapelle, die St., in der St. Stephanskirche, 69.

Katechetik, Vorlesungen üb., 146.

Kaufmännischer Verein, 137.

Kettenbrücken in Wien, 35.

Kierling, Ortschaft bei Klosterneuburg, 263.

Kinder, Institut für arme, 237.

Kinder-Bewahranstalten, zugleich kleine Kinderschulen, 158.

Kirche, unterirdische, zu Bertholdsdorf(Petersdorf) 268.

Kirchen, Klöster, Kapellen u. Bethäuser in der Stadt, 60; in den Vorstädten, 86 u. f.

Kirchendiener an den Pfarren besorgen die Begräbnisse, 244.

Kirchhöfe u. Begräbnisse, 243.

Kirchen-Musikvereine in den Vorstädten, 189.

Kirchweihfest in der Brigittenau, 133.

Klausen, Dorf bei Mödling, 259.

Kleider-Ausleihanstalt, 105.

Kleiderreinigung, 110.

Kleiderreinigungs- und Fleckausbringungs-Anstalten, 107.

Kleidungsstücke und Wäsche, 102.

Kleinhandlungen, 47.

Kleinkinder-Bewahranstalten, 232.

Kliniken, die, der k. k. Univerſität im Lokale des allgem. Krankenhauſes, Seite: 135.

Klöſter, Manns= und Frauen=, 30.

Kloſterneuburg, landesfürſtl. Stadt mit einem Chorherren = Stift, deren Merkwürdigkeiten, 263 u. f.

Kloſterneuburger=Wein, 265.

Königshöhle, die, bei Rauheneck, 247.

Königwinkler=Berg, 253.

Kohlmarkt, der, 119.

Koloſſeum, das, Erheiterungsanſtalt in der Brigittenau, 134.

Kommerzial=Briefträger, ſpediren Güter und Perſonen nach allen Gegenden, 281.

Konradswerth, die Herrſchaft, auf der Wieden, od. fürſtl. Stahrembergiſches Freihaus mit 900 Einwohnern, 85.

Konſervatorium d. Muſik, 188.

Komſumtion, die, in Wien, 37.

Konventions=Münze, 4 u. f.

Konverſation, 140.

Konvikt, das k. k., 145.

Konzertſaal des Konſervatoriums der Muſik, 188.

Krainerhütten, die, nächſt Baden, 247.

Krankenhaus, das k. k. allgemeine, 234; anatomiſch=pathologiſch. Muſeum an demſelben, 177.

Krankenhaus der Eliſabethiner-Nonnen auf der Landſtraße, 239.

Kranken= und Impfungs=Inſtitut, erſtes öffentliches, für arme Kinder, des Dr. Löbiſch, 237.

Krankenwärterlehre, Dr.Max.

Florian Schmidt's Vorleſungen über, Seite: 149.

Krapfenwäldchen, das, 255.

Kreuz, Kirche zum heil., an d. Ingenieur=Akademie auf d. Laimgrube, 90; auf dem Rennwege, 88.

Kühe, deren Anzahl in Wien, 37.

Kuhpockenimpfung, 37.

Künigl= (Kaninchen=) Berg, 251.

Künſtler, bildende, derenAnzahl in Wien, 189.

Kunſtausſtellung, die öffentl. bei St. Anna, 197.

Kunſt=Bildungsanſtalten, 190. 194.

Kunſthandlung, die akademiſche, und ſogenannte bildende Kunſtausſtellung, 194, (iſt aufgelöſt worden.)

Kunſt = Materialwaarenhandlung des J. Heckmann, 194.

Kunſt=, Muſikalien= u. Landkarten=Handlungen, 195.

Kunſtſammlung in der k. k. Hofbibliothek (Holzſchnitte, Kupferſtiche u. Kupferwerke, auch Miniaturgemälde= und reiche Porträt=Sammlung), 165.

Kunſtſtopfer, 107.

Kupferſtich= u.Gemäldeſammlungen, 212 u. f.

Kurat=Geiſtlichkeit, 40.

Kurszettel der k. k. Börſe, 48.

L.

Laab, Ortſchaft, 267.

Lachſenburg oder Larenburg, k. k. Luſtſchloß und Park. 267.

Lage d. Stadt Wien, 28 u. f

313

Laimgrube, die, und an der Wien, Vorstadt, Seite : 80.
Lainz (Lanz), Ortschaft bei Schönbrunn, 251.
Landkartenhandlungen, 195.
Landkutschen, 10.
Landstraße, die, und d. Renn-weg, Vorstadt, 79.
Landschaftshaus, das nieder-österreichische, 68.
Landwirthschafts-Gesellschaft die k. k., 148; deren Biblio-thek, 170; deren Samm-lung ökonomischerPflanzen, 175; deren landwirthschaft-liche Modelle, 183.
Länge und Breite der Stadt Wien, 31.
Laternen, Zahl derselben, 44.
Lauf- und Bestellzettel auf Postpferde, 1-.
Laufer, Spezerei- u. Wein-handlung zu den drei, 96.
Laufer, Wettrennen der herr-schaftlichen, 141.
Laurenzergrund, der, Vor-stadt, 79.
Lebensversicherungs-Anstalt, 46.
Leder-Galanteriewaaren,277.
Lehr- und Erziehungs-Anstal-ten, (Privat-), 149.
Lehranstalt, protestantisch-theologische k. k., 147.
Lehrkurse an der k. k. Univer-sität, 143; an der k. k me-dizinischen Josephs-Akade-mie, 153.
Leibgarden, k. k., 41.
Leibwäschhandlungen, 103.
Leichenkonduct-Ansager be-sorgen die Begräbnisse, 244.
Leihbibliotheken, öffentl., 116.
Leihhaus, das k. k., od. Ver-satzamt, 221.

Leopold, Pfarrkirche z. heil., in der Leopoldstadt, Seite: 86.
Leopoldsberg, 255.
Leopoldskirche, 86.
Leopoldstadt, Vorstadt, 79.
Lichtenthal, das, und die Wie-sen, Vorstadt, 80.
Liechtenstein, das neue Schloß zu, in der Briel, 260.
Liechtenstein, die Veste, 260.
Liesing, Ortschaft, 252, 266.
Liquorianer oder Redemtori-sten, 77.
Linie, die, 31, 78; Thore u. Ausgänge derselben, ebend.
Linzer-Teppichfabrik, die k. k., 278.
Lithographische Anstalten, 197.
Löschanstalten, 45.
Löwelbastei, die, 120.
Löwenburgisches Konvikt,153; dessen Bibliothek u.Samm-lung physikalischer Instru-mente, ebendaselbst.
Lorenz, die Pfarrkirche zuSt., auf dem Schottenfelde, 91.
Lusthaus, das,im Prater, 131.
Lyra, die, musikal. Wochen-blatt, 114.

M.

Männer- und Frauenbad, ge-schlossenes, im sogenannten Kaiserwasser nächst d. mitt-leren Taborbrücke, 101.
Männerkleider-Leihanstalt, 105.
Märkte, tägliche, 38.
Magdalenengrund, auch Ra-genstadel,Vorstadt, 80.
Magistrat, der, der Residenz-stadt Wien, 43.

27

Magistrats = Gebäude, das Stadt=, Seite: 58.

Manufaktur = Zeichnungsschule, 158.

Margaretha, Pfarrkirche zu St., unter den Weißgärbern, 87.

Margarethen, Vorstadt, 79.

Mariabrunner=Bank, die, zu Weidlingau, 253.

Maria=Geburt, Kirche zu, auf dem Rennwege, 80.

Mariahilf, die Pfarrkirche, in der Vorstadt gleichen Namens, 90.

Mariahilf, Vorstadt, 80.

Maria=Loretto=Kapelle in der Hofpfarrkirche der Augustiner, in derselben werden d. Herzen der verstorben. Mitglieder in silbernen Urnen aufbewahrt, 72.

Maria=Schutz, die Kirche zu, und das Ordenshaus der armenischen Mechitaristen = Congregation in St. Ulrich, 90.

Maria = Stiegen, Kirche und Kloster der Redemtoristen od. Liguorianer zu, 77.

Maria = Treu, die Pfarrkirche zu, und das Kloster der Piaristen in der Josephstadt, 91.

Maria=Trost, Kirche zu, 90.

Mariä = Verkündigung, die Pfarrkirche zu, und d. Kloster der P. P. Serviten in der Roßau, 93.

Mariazellerhof, der kleine, mit einem merkw. Steinbilde vom Jahre 1482, 59.

Marstall, der k. k., dem Burgthore gegenüber, 85.

Marx, Bürgerspital oder Versorgungshaus zu St., 230.

Masken dürfen nur in den k. k. Redoutensälen erscheinen, Seite: 139.

Mathematische, optische und physikalische Instrumente, 277.

Matzleinsdorf, Vorstadt, 79.

Mauer, auf der, Ortschaft, 251.

Mauerbach, Ortschaft, 253.

Mauth= (Zoll=) Revision an d. Linie, 23.

Mautthor, das, 52.

Mechanik für Handwerker, öffentliche Vorlesungen über, 149.

Mechitaristen = Congregation, deren Kirche u. Kloster, 90; deren geistliche Leihbibliothek, 117; deren Buchhandlung, 160

Medizinisch = chirurgische Josephs=Akademie, 153.

Meerschaum = Pfeifenköpfe, 277.

Mehlmarkt, 54.

Meidling, Ober= und Unter=, Ortschaften, 271. 272.

Meisterrechte, 47.

Menagerie, die k. k., im Lustschlosse zu Schönbrunn, 270.

Michelbeurische Grund, der, Vorstadt, 80.

Mieder, ohne das Maß von fremder Hand zu nehmen, verfertigt Reithofer in der Herrengasse, 104.

Miethzimmer oder Monatzimmer, 109.

Militär=Einquartierung, 40.

Militär=Garnisons=Hauptspital, das k. k., 236.

Militärische Schwimmanstalt, 159.

Militär=Stabsstockhaus, 46.

Mineralogisches Museum, Seite: 172.

Mineralwasser = Trinkanstalt, auf dem Glacis, außer dem Karolinenthor, 98.

Minoritenkirche und Kloster, 92.

Mittelpunkt der Stadt, 28.

Mittheilungen aus Wien, Zeitschrift, (haben aufge= hört) 114.

Modelle, architektonische, des k. k. polytechnischen Insti= tuts, 182.

Modewaaren = Handlungen, 103 u. f.

Mödling, Medling, reizende Schweizergegend, 259.

Monatzimmer, die, 109.

Morgenblatt, österreichisches, Zeitschrift, 114.

Münz= und Antiken=Kabinet, das k. k., 200.

Münz=Kabinete, 199 u. f.

Münzen= u. Medaillensamm= lungen von Privaten, 196. 211.

Münzsorten, in Wien kursi= rende, 4 und 5.

Münzscheide, die k. k., 85.

Museum von Kunstgegenstän= den der Gesellschaft d. Mu= sikfreunde im österreichisch. Kaiserstaate, 210.

Museum, ehemalig. v. Schön= feldisches, jetzt im Besitze d. Freiherrn v. Dietrich, 211.

Musikalienhandlungen, 193.

Musikchor in der k. k. Hoffka= pelle, 69.

Musikchor, der große, zu St. Stephan, 65.

Musikfreunde, Gesellschaft d., 187.

Musik=Instrumenten=Leihan=

stalt, erste öffentliche, Sei= te: 113.

Musikalien=Leihanstalten, 117.

Musikalische Sammlung in d. k. k. Hofbibliothek, 165.

Musik= und Sing= Lehranstal= ten, 189.

Musikverein, der, bei St. An= na, zur Verbesserung der Kirchenmusik, 188.

Musterwerkzeuge, Sammlung der, des k. k. polytechnischen Instituts, 182.

N.

Nachbörse, Vor= u., d. Geld= negozianten, 49.

Näh=, Stick=, Strick= und Schlingarbeiten, 103 u. 104.

Narrenthurm, 235.

Nationalbank, die k. k. priv., 49. 58.

National=Fabriks=Produkten= Kabinet des k. k. polytechni= schen Instituts, 157.

Naturalien=, Instrumenten= und Präparatensammlung der k. k. Josephinischen Aka= demie, 176.

Naturalien=Kabinete, die k. k. Hof=, 170.

Naturhistorisches Museum, d. k. k., oder die vereinigten k. k. Hof = Naturalien=Kabi= nete, 176.

Naturhistorisches Museum d. k. k. Universität, 174.

Neubau, Unter=Neustift und Wendelstadt, Vorstadt, 80.

Neu = Lerchenfeld, Belusti= gungsort der Wiener, 249.

Neue Markt, der, öffentlicher Platz, auch Mehlmarkt ge= nannt, 54.

Neustädter=Kanal, Wiener=, Seite : 36.

Neuthor, das, 52.

Neuwaldeck, Schloß u. Ortschaft bei Dornbach, 249.

Nikolsdorf, Vorstadt, 79.

Niederösterreichische Herrenstände, deren Bibliothek, 170.

Nobelgarde, Palast der königl. ungarischen, nach Fischer v. Erlach's Plane gebaut, 85.

Normalschule bei St. Anna, 146.

Normal = Schulbücher=Verlag und Verschleiß, womit jetzt auch der Verkauf aller Druckwerke d. k. k. Hof= u. Staats=druckerei verbunden ist, 146.

Nothhelfern, die Pfarrkirche zu den vierzehn, im Lichtenthale, 93.

Nürnberger=Waaren, 277.

Nußdorf, Landungsort für die Dampfschiffe, 263.

O.

Ober= und Unterkammeramt der Stadt, 43.

Ober=Meidling, Ortsch. nächst Schönbrunn, 271.

Ober=Neustift, Vorstadt, ist Schottenfeld, 80.

Ober= und Unter=Arsenal, das k. k., 208.

Obersthofämter, k. k., 40.

Obstgarten Sr. Maj. Kaiser Ferdinand's I. in Lachsenburg, 258.

Obstgarten, großer, im k. k. Lustschlosse zu Schönbrunn, 271.

Obsttreiberei, die größte in Wien, 132.

Oetscher, Berg, Seite . 267.

Offizierstöchter = Bildungsinstitut, 151.

Ophthalmologisches Museum im k. k. allgemeinen Krankenhause, 178.

Optische Instrumente, 277.

Orangerie, die große, in Schönbrunn, 271.

Orden, deutscher, Kirche desselben, 75.

Orgelspiel, Anweisung zur Erlernung desselben, 146.

Orientiren, das, in Wien, 28 u. f.

Orthopädisches Institut, 241.

P.

Pädagogik, Vorlesungen üb., 146.

Paläste in Wien, 57 u. f.

Panorama der Donau im Vogelperspektive, 19.

Papiertapeten, 277.

Paradeplatz an der k. k. Hofburg, 53.

Paradiesgärtchen auf der Löwelbastei, 9e.

Parasiten=, Schmarotzerpflanzen, im k. k. Lustschlosse zu Schönbrunn, 271.

Parfümerie=Waaren, 277.

Paß, der Reise=, dessen Abgabe bei der Ankunft, 4; wie derselbe zur Rückreise zu erlangen, 279.

Paßamt d. k. k. Polizei=Oberdirektion, 279.

Paß=Konscriptions= und Anzeigeamt, das k. k., 25.

Passirschein, der, 11.

Passirschein zur Reise, 279; auf Extrapostpferde, 280.

Patental=Invaliden, 224.

Paulanerkirche, zu den heil. Schutzengeln, auf der Wieden, Seite: 89.

Pazmannsches Kollegium, 148; Pazmannyten, ebend.

Pelargonien-Flur, 128.

Pensionat, k. k. Civil-Mädchen-, 150.

Pensionat d. Salesianer-Nonnen für Töchter des höheren Adels, 150.

Pensions-Anstalten, 221.

Pensions-Institut, das k. k., für Staatsbeamte, 221.

Pensions-Institut, allgemeines, für Wittwen u. Waisen, 221.

Pensions-, Renten-Versicherungs-Anstalt, allgemein., 221.

Penzing, Ortschaft, 251.

Peregrin, die berühmte Kapelle des heil., bei den P. P. Serviten in der Roßau, 93.

Perlenmutter- und Schildkröten-Galanteriewaaren, 277.

Peter, Pfarrkirche zu St., 71.

Petrus und Paulus, Pfarrkirche zu den Aposteln, in Erdberg, 87.

Pfaidler, Leinwäschhändler, 103.

Pfannisches Mineralbad in Unter-Meidling, 272.

Pfeifenköpfe aus Meerschaum, 277.

Pferde der Reisenden, 13; Anzahl der Pferde in Wien, 37.

Pferde-Badeanstalt, k. k., 156.

Pferderennen, jährliche, 141.

Pflanzenkultur-Anstalt in den Gärten der freih. v. Pasqualatischen Häuser, 118.

Physikalisch-astronomisches Kabinet, k. k., 183.

Physikalische, mathematische u. technische Sammlungen, Seite: 186.

Pianoforte-Verfertiger, 276.

Plätze, öffentliche große, 53.

Plattirte Silberwaaren, 278.

Platzl und Maria-Trost, Vorstadt, ist St. Ulrich, 80.

Pötzelsdorf, auch Pötzleinsdorf, mit einem Parke und trefflichster Aussicht nach Wien, 274; Weg v. Dornbach dahin, 250.

Politische u. periodische Blätter, 112.

Polizeihaus, das k. k., 46.

Polizei-Bezirks-Direktoren, d. k. k., in den Vorstädten, 50.

Polizei-Ober-Direktion, die k. k., 50. 279.

Polizeiwache zu Fuß und zu Pferde, 50. 51.

Polytechnisches Institut, k. k., u. Realschule, 156, Sammlungen an demselben, 157.

Porzellan, 278.

Porzellan-Manufaktur, die k. k. Aerarial-, 190; deren Verkaufsmagazin auf dem Josephsplatze, 278.

Postgebühren für Briefe, 108.

Poste royale, 280.

Post-Vormerkschein, 11.

Prachtgebäude in d. Vorstädten, 84.

Prämien für treue u. fleißige Dienstboten, 222.

Prater, der, 130.

Preßbaum, Dorf, auch zum Taferl, Danneng, Tannerin genannt, 254.

Priester-Krankenhaus, 237.

Privatanstalten zur Versorgung armer weibl. Dienstboten, 231.

Privatgarten Kaiser Franz I., jetzt Garten d. k. k. Gartenbaugesellschaft, Seite: 127.

Privat-Gemäldesammlung d. Hrn. Hofrath und Dr. Karl Ed. Jos. Hofer, 220.

Privat-Heilanstalt für Gemüthskranke, 240.

Privat-Heil- und Verpflegsanstalt des Wund- und Geburtsarztes Franz Pelzel, 241.

Privat-Lehr- und Erziehungsanstalten für Knaben und Mädchen, 149; Privat- od. Hauslehrer, ebend.

Privatlehrer für Musik und Gesang, 189.

Privatsammlung der Kupferstiche u. Handzeichnungen Sr. M. Kaiser Ferdinands I., 215.

Privatverein zur Beförderung der bildenden Künste, 194.

Privatverein z. Unterstützung erwachsener Blinden, 226.

Promenaden, öffentliche, auf der Bastei und dem Glacis, 129.

Protestanten, deren Anzahl in Wien, 40.

Protestantisch-theologische Lehranstalt, 147.

Proviant-Bäckerei, die k. k., 208.

Provinzial-Strafhaus, das k. k., 47.

Pummerin, die große Glocke zu St. Stephan, 68.

Putzwaaren, 103.

R.

Rodaun, auch Rodaun genannt, Ortschaft m. Schloß und Badeanstalt, 252. 266.

Rampersdorf ob. Reinprechtsdorf, Vorstadt, Seite: 79.

Ratzenstadel, ist die Vorstadt Magdalenengrund, 80.

Rauheneck, Schloßruine von, bei Baden, 247.

Rauhenstein, die Burg, bei Baden, 247.

Realschule am k. k. polytechnischen Institut, 156,

Rechts- und Gerichtsangelegenheiten, Besorgung derselben, 42.

Redemtoristen, Liguorianer, die geistliche Kongregation derselben, 77.

Redemtoristinnen, Liguorianerinnen, od. Klosterfrauen vom Orden des heiligsten Erlösers, deren Kirche und Kloster, 39. 83.

Redouten, die öffentlichen, 139.

Regular-Geistlichkeit, 39.

Reichsfuß oder Reichswährung im Geldwesen, 5.

Reichskanzlei, die ehemalige, in der k. k. Hofburg, 57.

Reinigung der Straßen, 44.

Reinprechtsdorf oder Rampersdorf, Vorstadt, 79.

Reisende auf dem Donau-Dampfboot, Tarif für dieselben, 282.

Reisepaß, Vorschrift über die Abgabe dess. an d. Stadtlinie oder Barriere, 22.

Reisepaß, der, zur Rückreise, wie er zu erlangen, 279.

Reitschule, die k. k., in der Hofburg, 57.

Rekonvaleszenten-Haus der barmherzigen Brüder, gestiftet von der Frau Maria

Theresia, Herzogin v. Savoyen, Seite: 237.

Rennweg, Vorstadt. 79.

Restaurateurs oder Traiteurs, 94.

Rettungs-Anstalt f. Scheintodte, k. k., 241.

Reunion, 140.

Revista Viennese, italien. Monatschrift, 114.

Ridelberg, der, ausserhalb Kaltenleutgeben, 273

Ritterorden des österr. Kaiserstaates, 41.

Rittersaal, der, in der Hofburg, 57.

Rittgeld bei Extraposten, 12.

Rochus u. Sebastian, Pfarrkirche zum heil., auf der Landstraße, 87.

Rosenanlage in Lachsenburg, 258.

Rosensammlung, die größte, in Europa, 126. 247.

Roßau, die, Vorstadt, 80.

Rothe Haus, das, in d. Alservorstadt, dem Fürsten Esterhazy gehörig, 85.

Rothenstadel bei Kalksburg, Belustigungsort, 267.

Rothenthurmthor das, 51.

Ruprecht, Kirche zu Sct., die älteste in d. Stadt, 76.

S.

Säugammen-Institut, das k. k., 218.

Salesianerinnen, Kirche der, auf d. Rennwege, u. deren Kloster, 88.

Salesianer-Nonnen, deren Pensionat für Töchter adeliger Eltern, 150.

Salvator, die Kirche zu St., 77; St. Salvator-Denkmünze des Stadtmagistrates, Seite: 43.

Sammler, d., Unterhaltungsblatt, 114.

Sammlungen von Alterthümern der Kunst u. Technik, 199.

Sammlungen, diplomatisch-heraldische, 199 u. f.

Sammlung, genealogisch-heraldische, des Freiherrn v. Bretfeld-Chlumczansky, 210; dessen Sammlung v. Münzen u. Medaillen, 211.

Sammlung von Kupferstichen und Handzeichnungen Sr. kais. Hoheit des Erzherzogs Karl, 215.

Sammlung ökonom. Pflanzen der k. k. Landwirthschaftsgesellschaft, 175.

Sammlungen. technische, Sr. jetzt regierenden Majestät Kaiser Ferdinand's I., jetzt ein selbstständiges öffentl. Kabinet bildend, 180.

Sammlungen, wissenschaftliche, des k. k. Thierarzenei-Institutes, 178.

Sanitäts-Anstalten, 234.

Sanct-Veit, Ortschaft, 251.

Sattel- und Jagdkammer, die merkwürdige k. k., im k. k. Marstalle, dem Burgthor gegenüber, 85.

Savoy'sches Damenstift, 52.

Scharfeneck, die Burgruinen von, bei Baden, 247.

Schatzkammer, die k. k., 199.

Schatzkammer, die, bei d. P. P. Kapuzinern, 73.

Schatzkammer, sehenswerthe, in der St. Stephanskirche, 61.

Schaumburgerhof, der, Vorstadt, Seite: 79.

Scheidemünze, 6 u. f.

Scheintodte, Rettungs = Anstalt für, 241.

Schematismus, der k. k. Hof-
und Staats-, 111.

Schießstätte der Bürgerschaft,
138.

Schneeberg, der, 269.

Schönbrunn, das k. k. Lustschloß, und dessen Sehens-
u. Merkwürdigkeiten, 270.

Schönfeld'sches Museum, jetzt
im Besitze des Freiherrn v.
Dietrich, 211.

Schotten-Abtei und Kirche d.
Benediktiner, 70; Biblio-
thek derselben, 170.

Schottenfeld, das, auch Ober-
Neustift genannt, Vorstadt,
80.

Schottenthor, das, 52.

Schriftsteller u. Gelehrte, deren Anzahl, 150.

Schüttelbad, das sogenannte,
unterhalb der Franzensbrücke, 101.

Schulanstalt, vereinigte, der
protestantischen Gemeinde,
147.

Schulen, öffentliche deutsche,
deren Anzahl in Wien, 147.

Schutzengeln, Kirche zu den
heil., gewöhnlich Paulanerkirche genannt, auf d. alten
Wieden, 89.

Schutzpocken = Haupt = Impfungs-Institut, das k.k.,
219.

Schweizerhaus, das, im Parke zu Pötzleinsdorf, trefflicher Standpunkt z. Ueber-
blick der Hauptstadt, 274.

Schweizerhof, der, in der k. k.
Burg, Seite: 56.

Schwestern, Institut d. barmherzigen, 239.

Schwimmanstalt für Damen,
101.

Schwimmanstalt, militärische,
im Prater, 159.

Schwitzbad, das, in Gumpendorf, 101.

Seidenzeuge, schwere, 102.

Seminarium, fürsterzbischöfliches; od.: Alumnat, 145.

Senats = Abtheilungen des
Stadtmagistrats, 43.

Separatfahrt, die, mit der
Eilpost, 12.

Serviten, Kirche u. Kloster
der P. P., 93; deren Bi-
bliothek, 170.

Sesselträger und deren Kleidung, 100.

Shawls, 102.

Siebenbürgische Hofkanzlei,
58.

Simmering, Ortschaft außer
der Linie, wird in polizeilicher Hinsicht noch zu Wien
gerechnet, 81.

Sievering, Ortschaft, 255.

Silber und Gold, s. 6 u. f.;
Silber- und Goldmünzen.
ebend.

Silberplattirte Waaren, 278.

Sing= und Musik-Lehranstal-
ten, 189.

Soirè, 140.

Sonntags = Predigten, katho-
lische, in französ. Sprache,
74.

Sophienbad, das, 101.

Sparkassen, 222.

Spaziergänge, beliebteste, der
Wiener, 119.

Speise-Anstalten, 94.

Speising, Ortschaft, Seite: 251.

Sperrgroschen, 110.

Spezereihändler, welche auch Wein ausschenkten, 96.

Spiegelfabrik, die k. k., in d. Schlegelmühle bei Glocknitz, 191.

Spielkarten, patentirte, 278.

Spinnerin am Kreuz, die, bester Uebersichtspunkt der Stadt und ihrer Umgebungen, 33. 259.

Spital der barmherzigenBrüder, 237.

Spital, das, der Israeliten, 240.

Spittlberg, auch Spitalberg, Vorstadt, 80.

Spitzen= und Weißwaarenhandlung zur Erzherzogin Sophie, am Graben Nr. 572, 104.

Sprachen, die herrschende u. die fremden, 39.

Sprachen, Gelegenheit zur Erlernung fremder, 149.

Sprachknaben, die k. k., an der orientalischen Akademie, 148.

Staatsdruckerei, die k. k. Aerarial=, 160.

Staatskanzlei, die k. k. geheime Hof= und, ertheilt ausschließend die Erlaubnißzettel zur Abreise mit Extrapostpferden, 280.

Staatsreligion, 39.

Stadtlohnwagen, 99.

Stadtmagistrat, dessen Wirkungskreis, 43.

Stadtpost=Oberamt, das k. k., 107.

Ständchen=Befugnisse, 4e.

Standpunkt, bester, z. Ueberblick der Stadt, Seite: 32.

Stangenau, Ortschaft, 267.

Statue Kaif. Joseph's II., 55.

Steinbach), Ortschaft, 263.

Steinbild, merkwürdiges, an der Kirche zu Bertholdsdorf (Petersdorf), 268.

Steinmetzarbeit, sehenswerthe, an der Hauptfronte der Kirche der Italiener, 70.

Stell= u Gesellschaftswägen nach Wiens Umgebungen und deren Standorte, 100. 246

Stephanskirche, die St., 60; Merkwürdigkeiten derselb., ebend

Stehhansplatz, St., 65.

Stephansthurm, St., 28. 55.

Sterblichkeit, die, in Wien, 37.

Sternwarte der k. k. Universität, 144; Bibliothek derselben, 170.

Stiefel und Schuhe, wasserdichte, 106.

Stiefelputzer, 110.

Stiege, die schönste, in Wien, 124.

Stiftungen zur Ausstattung armer Mädchen, 222.

Stipendien und Kollegiengelder für Studirende an der Universität, 222.

Stock im Eisenplatz, 56.

Straßen und Gassen, 52.

Straßenpflaster, 43.

Streckwerk, das k. k., u. die Münzscheide,

Strohhüte, Florentiner, 103.

Stromkarte der Donau, von Frühwirth lithographirt, 1v.

Strozzische Grund, der, Vorstadt, 20.

Stubenthor, das, Seite: 52.

Studirende an der k. k. Universität, deren Anzahl, 144.

Sulz, Ortschaft, 267. 272; schöne Landkirche daselbst, 273.

Synagoge der deutschen Juden, 72.

T.

Tabakrauchen, das, 16.

Tabak, Rauch= und Schnupf=, dessen Einfuhr, 9.

Tables d'hôte, 94.

Tannenreiser, ihre Bedeutung, 97.

Tanzsäle in der Stadt, 138; in den Vorstädten, 139.

Tarif für Reisende auf dem Dampfschiffe, 222.

Taubstummen=Institut, das k. k., 225.

Taufstein, merkwürdiger, v. 1421, in der St. Stephans=kirche, 65.

Technisches Kabinet, begründet von Sr. jetzt regierenden Majestät Kaiser Ferdinand I., 186.

Teppiche, 278.

Thal, reizendes, hinter Baden, 248.

Theater, die, 134—137.

Theaterzeitung, Wiener allgemeine, 114.

Theresianische Ritter = Akademie, die k. k., 151; deren Bibliothek, Naturaliensamml., Garten, Schwimm=Fecht= und Reitschule, 162. 175.

Theresienbad in Unter=Meidlung, 272.

Theseustempel, 121.

Thierarzenei = Institut, das k. k., 155; dessen wissenschaftliche Sammlungen, Seite: 178.

Thiergarten, der k. k., bei Hütteldorf, 252.

Thore der Stadt, 51.

Thurm, der merkwürdige steinerne, zu Bertholdsdorf. 268.

Thurmstiege zu St. Stephan, deren Höhe, 67.

Thury, am, Vorstadt, 20.

Titulaturen in Wien u. deren Bedeutung, 27.

Tivoli, ehemal. Belustigungsort nächst Schönbrunn, 271.

Todtenbeschauer, 242.

Todten = Beschreibungs=Amt, 242.

Todtengruft, die k. k., bei den P. P. Kapuzinern, 74.

Todtscheinende, Rettungsanstalt für, 241.

Todtenzettel, 242.

Tonkünstler, deren Anzahl in Wien, 189.

Topographisches Bureau des k. k., General = Quartiermeister = Stabes, 195.

Trabanten = Leibgarde, k. k., 41.

Tragsessel, 100.

Traiteurs oder Restaurateurs, 94.

Trap= (Traub=) oder Tropp= Berg bei Gablitz mit trefflicher Fernsicht, 253.

Trauerwaaren aller Art, zur Irisblume am Hof, 105.

Trinkgeld für den Postillon, 16.

Trinkwasser, das, in Wien, 34.

Trivialschulen in der Stadt u. den Vorstädten, 147.

Trottoir, das, in Wien, Seite: 26.

Truchſeſſe, die k. k., u. königl. ungariſchen, 42.

Türkenſchanze bei Weinhaus 173.

U.

Ueberſetz=Kopier=u. Schreib=kompoir, das Allgemeine, 119.

Ulrich, Sct., auch Platzl und Mariatroſt genannt, Vorſtadt, 80; Pfarrkirche daſelbſt, 90.

Umgebungen von Wien, 34. 145; maleriſche Anſichten derſelben, 246.

Umkreis der Stadt u. d. Vorſtädte, 31.

Ungariſche Hofkanzlei, 58.

Ungariſche adelige Leibgarde, 41.

Ungariſche Weine, 95.

Univerſität, die k. k., 142; deren Sammlung anatomiſcher Präparate, 143; deren Secirſaal, ebend.

Univerſitäts = Bibliothek, die k. k., 166.

Univerſitätskirche, 75.

Unterkammeramt des Stadtmagiſtrats, 43.

Unterirdiſche Kanäle d. Stadt, 44.

Unter= und Ober=Meidling, Ortſchaften, 272.

Unterneuſtift, iſt die Vorſtadt Neubau u. Wendelſtadt, 80.

Unterrichtsanſtalt in weiblichen Arbeiten,, 222. Verkaufsgewölbe demſelb. 223.

Unterſuchung des Reiſegepäckes, 19.

Urſula, die Kirche zur heiligen oder die Urſuliner=Kirche, Seite: 75.

Urſuliner = Nonnen, deren Mädchenschule, 75.

Urthelſtein, das Felſenthor am, 247.

V.

Verein zur Verbreitung guter katholiſcher Bücher, 117.

Vereine, wohlthätige, 231.

Verhandluungen der k. k. Landwirthſchafts=Geſellſchaft in Wien, 115.

Veit, St., Ortſchaft, 151.

Venediger=Au, Vorſtadt Jägerzeil, 79.

Verkaufsmagazin von Porzelangefäßen u. Gußſpiegeln, 191 u. f.

Verlaſſen, Wohnungen, heißt in Wien, Wohnungen vermiethen, 109.

Vermiſchte Waarenhandlungen, 47.

Verſatzamt, das k. k., oder Leihhaus auf Pfänder, 221.

Verſicherungs = Anſtalt gegen Feuer= und Elementar=Beſchädigungen, 45 u. f.

Verſorgungsanſtalt, mit der öſterr. Sparkaſſe vereinigte erſte allgemeine, 222.

Verſorgungsanſtalt für erwachſene Blinde weiblichen Geſchlechts, 226.

Verſorgungsanſtalt für ſtille Geiſteskranke, 240. 241.

Verſorgungshaus, Bürger= zu St. Marx (Markus), auch Bürgerſpital genannt, 230; andere Verſorgungshäuſer, 231.

Vöslau, Mineralbad u. großer herrschaftlicher Garten, Seite: 248.

Volksgarten, 98. 121.

Vorlesungen, öffentl., über Mechanik für Handwerker, 149; über Krankenwartung, ebend.

Vorlesungen über Pädagogik, Katechetik und über physische Erziehung, 146.

Vorlesungen, unentgeldliche, im Unterricht derTaubstummen, 225.

Vor= und Nachbörse d. Geldnegozianten, 49.

Vormerkschein zur Abreise mit der Post, 11 und 12.

Vorspann bei Extraposten, 13.

Vorstädte Wiens, deren Lage und Aufeinanderfolge, 19 und 78.

W.

Waaren, in Wien erkaufte, was bei der Abreise ihretwegen zu beobachten, 281.

Waarenkunde, kommerzielle, Sammlung des k. k. polytechnischen Institutes für dieselbe, 183.

Waaren, silberplattirt, 278.

Wachspräparate, meisterhafte, von Fontana und Moscagni aus Florenz, an der Josephinischen Akademie, 176.

Wachspräparate v. Hofmayr, im k. k. allgemeinen Krankenhause, 178.

Währing, Ortschaft außer der Linie, wird in poliz.Hinsicht noch zu Wien gerechnet, 81. 273.

Wagenfabrikanten, Seite: 278.

Wagen=Magazine in der Jägerzeil, Leopoldstadt, 278.

Wahrzeichen von Wien, 56.

Waisenhaus, das k. k., 114; Kirche in demselben, 91.

Wanderer, der, Unterhaltungsblatt, 115.

Wäsche und Kleidungsstücke, 102 und 103.

Wäscherinnen, 110.

Wasserfall, der, nächst den Krainerhütten bei Baden, 248.

Wasserfeuerwerke, 141.

Wasserleitung, Kaiser=Ferdinands=, durch Dampfmaschinen, vor der Nußdorfer=Linie, 82.

Weidling, Ortschaft bei Klosterneuburg, mit starkem Weinbau, 255. 263.

Weidlingau, Ortschaft mit Schloß undGartenanlagen, 258.

Weidling am Bach, Meierei nächst Weidling, von den Wienern stark besucht, 263.

Weilburg, das Lustschloß, bei Baden, 247.

Weine, österr. Gebirgs= und Land=, 32.

Weinhalle, Mangel derselben in Wien, 38.

Weinhandlungen und Weinhäuser, äußere Zeichen derselben, 27. 95.

Weinhaus, Ortschaft, 273.

Weinkeller, unterirdischeAusschanksl.kale, 96.

Weintraube, die große, das größte Haus in Wien mit 7 Stockwerken, 60.

Weißgärbern, Vorstadt unter den, Seite: 79.

Weltpriester, höhereBildungs= anstalt für, 146.

Wendelstatt u. Neubau, Vor= stadt, 80.

Werkstätten und Fabriken, 47.

Wettrennen der herrschaftl. Laufer im Prater, 141.

Wieden, die alte u. die neue, Vorstadt, 79.

Wiege, die, des Königs v. Rom von Prüdhon, Rog= net, Thomire u. Odiot in Paris, 200.

Wien, die Stadt und die Vorstädte überhaupt, 30. u. f.

Windmühle, auf der, Vor= stadt, 80.

Wienerberg, der, mit der Spinnerinn am Kreuze, 33.

Wien, die, oder der Wien= fluß, 35.

Wienerwährung, die, 5.

Wiesen u. Lichtenthal, Vor= stadtgrunde, 80.

Wintergarten, der, im fürstl. Lichtenstein'schen Sommer= pallast in der Roßau, 123.

Wirthstafeln, sogenannte, oder tables d'hôte, 94.

Witwen= und Waisen=Insti= tute, 221.

Wohlthätigkeits = Anstalten, 221.

Wohlthätige Vereine, 231.

Wurstelprater, der, 131.

X.

Xylographische Werke (von 1440) in der k. k. Hofbib= liothek, 165.

Z.

Zahl der Pferde für Reisen= de mit Extra= Post, Seite: 13.

Zeichnungsschule bei Skt. Anna, 147.

Zeichnenschule, öffentl., f. Zimmerleute, 149.

Zeiselwägen, 100.

Zeitpunkt, bester, z. Reise n. Wien, 20.

Zeitschrift, Oesterr., für den Forstmann, Landwirth u. Gärtner, 115.

Zeitschrift für u. über Oester= reichs Industrie u. Han= del, 115.

Zeitschrift, Oesterr. militä= rische, 115.

Zeitschrift für Physik u. ver= wandteWissenschaften, 115.

Zeitschrift für österr. Rechts= gelehrsamkeit u. polit. Ge= setzkunde, 116.

Zeitschrift, neue theologische, 116.

Zeitschrift, Wiener, f. Kunst= Literatur, Theater u. Mo= de, 115.

Zeitung, die k. k priv. Wie= ner, nebst Amts = u. In= telligenzblatt, 116.

Zeitungen u. Jornale, 112. u. f.

Zeughaus, das bürgerliche, 208.

Zeughaus, das große k. k., 207. 208.

Zoologisches Museum, 171.

Zootomisches Kabinet an der k. k. Universität, 175.

Zuchthaus, oder k. k. Provinzial-Strafhaus Seite 47.
Zufluchten, die Pfarrkirche zu
den sieben, im Altenler-
chenfeld, 91.

Zuschauer, der österreich. für
Kunst, Wissenschaft und
Leben, 116.
Zwangsarbeitshaus, das k. k.,
46.

Gedruckt bei Leopold Grund.

CECIL H. GREEN LIBRARY
STANFORD UNIVERSITY LIBRARIES
STANFORD, CALIFORNIA 94305-6004
(650) 723-1493
grncirc@sulmail.stanford.edu

All books are subject to recall.

DATE DUE

JUN 2 4 2002

APR 2 4 2002

Zuchthaus, oder k. k. Provin-
zial = Strafhaus Seite 47.
Zufluchten, die Pfarrkirche zu
den sieben, im Altenler=
chenfeld, 91.

Zuschauer, der österreich. für
Kunst, Wissenschaft und
Leben, 116.
Zwangsarbeitshaus, das k. k.,
46.

Druck:
Customized Business Services GmbH
im Auftrag der KNV-Gruppe
Ferdinand-Jühlke-Str. 7
99095 Erfurt